3

esespañol3
nivelavanzado

libro del alumno

esespañol3
nivelavanzado

libro del alumno

DIRECCIÓN LINGÜÍSTICA
Santiago Alcoba
de la Universidad Autónoma de Barcelona

ASESORÍA LINGÜÍSTICA Y METODOLÓGICA
José Gómez Asencio y Julio Borrego Nieto
de la Universidad de Salamanca

espasa

DIRECCIÓN EDITORIAL
Marisol Palés

COORDINACIÓN EDITORIAL
Alegría Gallardo

EDICIÓN
Ana Prado

ASESORÍA LINGÜÍSTICA Y METODOLÓGICA
José Gómez Asencio y Julio Borrego Nieto
Universidad de Salamanca

CONSULTORÍA DIDÁCTICA Y CURRICULAR
Rafael Sánchez Sarmiento

DESARROLLO DE PROYECTO: MIZAR MULTIMEDIA, S. L.
DIRECCIÓN EJECUTIVA
José Manuel Pérez Tornero
Universidad Autónoma de Barcelona

DIRECTORA DE PLANIFICACIÓN Y COORDINACIÓN
Claudia Guzmán Uribe

DIRECCIÓN LINGÜÍSTICA Y DIDÁCTICA
Santiago Alcoba
Universidad Autónoma de Barcelona

EDITOR LINGÜÍSTICO
Agustín Iruela

COORDINACIÓN LINGÜÍSTICA
Marta Inglés

EQUIPO LINGÜÍSTICO
Carmen Carbó,
Ana Irene García
y
Nuria Soriano Cos

COLABORADORAS
María Cabot Cardoso,
Marta Conesa Buscallà
y
Helena Recasens Fontanet

DIRECCIÓN DE CONTENIDOS
José M.ª Perceval

EDICIÓN DE CONTENIDOS
Diego Blasco y Jan Costa Knufinke

DIRECCIÓN DE ARTE
Borja Ruiz de la Torre

MAQUETACIÓN
Meritxell Carceller Barral

ILUSTRACIONES
Gumersindo Reina Lara
y Valentín Ramón Menéndez

PAGINACIÓN
Tallers Gràfics Alemany

INVESTIGACIÓN Y CONTROL DE CALIDAD
Juan Manuel Matos López

DISEÑO INTERIOR Y DE CUBIERTA
Tasmanias, S. A.

Instituto Cervantes

© De esta edición: Espasa Calpe, S. A., 2004

DEPÓSITO LEGAL: M. 10.119-2004
ISBN: 84-239-8059-6

Impreso en España / Printed in Spain
Impresión: Fernández Ciudad, S. L.

EDITORIAL ESPASA CALPE, S. A.
Vía de las Dos Castillas, 33 - Complejo Ática - Edificio 4.
28224 Pozuelo de Alarcón (Madrid)

ÍNDICE

Bienvenido al mundo del español

**Con este nuevo libro vas a continuar
tu aprendizaje de español. Solo o con ayuda
de tu profesor, pero siempre de forma amena
y divertida. Otra vez vamos a aprender juntos.
¡Bienvenido al nivel Avanzado!**

En el *Libro del alumno* del nivel Avanzado dispondrás de todos los elementos necesarios para afianzar todo lo aprendido hasta ahora y seguir progresando en el conocimiento del español. Las distintas actividades, los textos periodísticos y literarios, los apéndices, tanto el gramatical como el léxico, al igual que la sección de *Recursos*, permitirán que tu aprendizaje fluya de forma gradual y sencilla.

El libro, como en los niveles anteriores, está compuesto por **12 lecciones** divididas en **cuatro bloques** estructurados en nuevas secciones. A diferencia de los otros libros, en éste encontrarás al inicio de cada ejercicio una actividad previa a la lectura o a la audición, según cada caso. Este nuevo desarrollo de las actividades se ha pensado para facilitarte la introducción a las mismas y darte anticipadamente el vocabulario que vas a necesitar para comprender bien el audio o el texto. A continuación, describimos las nuevas secciones del libro.

En escena. Esta sección se divide en dos partes. La primera de ellas corresponde a la presentación del tema y de los objetivos de la lección; la segunda da paso a un ejercicio de comprensión auditiva centrado en los personajes de los vídeos, donde se practican los objetivos propios de la lección. Si lo consideras necesario puedes consultar el *Apéndice de transcripciones* y leer el texto correspondiente, antes o después de escuchar el audio.

En prensa. Es la sección reservada para trabajar textos, preferentemente periodísticos, desde cualquier aspecto, funcional o gramatical. Los textos que aquí se muestran son de gran relevancia cultural e informativa, pensados para que entiendas con detalle la información, los juicios de valor y las opiniones que aparecen en ellos. Sólo en algunos casos se han realizado adaptaciones de textos reales, para así mantener coherencia con los objetivos de la lección.

Con buen oído. La sección que aparece bajo este título centra su atención en los ejercicios que incorporan el uso del audio para la elaboración del mismo. En estas actividades se trabajarán distintos aspectos de los objetivos que marca la lección.

Práctica. En esta sección se presentan actividades acompañadas de documentos reales. En ellas aparecen los contenidos y los exponentes presentados en las secciones previas, así como la ampliación de algunos de los exponentes de la lección. Además, tendrás la oportunidad de realizar un ejercicio de escritura, siguiendo las pautas marcadas en el enunciado. Para resolver este ejercicio, en esta misma sección, te proponemos un texto modelo con el que podrás comparar tu escrito.

La lengua es arte. La sección que aparece bajo este título centra su atención en el uso de un texto literario para el desarrollo de los ejercicios. El fragmento escogido siempre será representativo del mundo hispano. De esta forma no sólo aprenderás la lengua, sino que tendrás la oportunidad de ampliar tus conocimientos de literatura hispana.

ENCONTRARÁS ACTIVIDADES, LECTURAS, AUDIOS Y SUFICIENTES RECURSOS PARA AVANZAR EN TU APRENDIZAJE DEL ESPAÑOL

2 CD-ROM

completamente interactivos,
con nuevas actividades,
gramática, ejercicios
de pronunciación, léxico,
juegos, etc. Incorporan también
su propia *Guía didáctica*.

PARA APRENDER
MÁS Y MÁS RÁPIDO
Es español
TE OFRECE
MÁS SOPORTES

▽

Materiales complementarios

Dos colecciones que
completarán tu aprendizaje:

* *Es para leer*: lecturas
  graduadas.
* *El español es fácil*: ejercicios
  sobre recursos lingüísticos
  tematizados.

Diccionarios

Una completa colección
de diccionarios multilingües
y monolingües.

Recursos. En esta sección se recogen la mayoría de los contenidos gramaticales y funcionales que aparecen en la lección. Podrás consultarla cuantas veces creas conveniente: antes de empezar una lección o una actividad, o bien como recordatorio, al final de todo.

La sección no pretende ser exhaustiva, sino que su objetivo es servirte de guía, a modo de esquema o resumen. Para ampliar información sobre los contenidos de la lección, la sección *Recursos* te ofrece una doble vía:

§ El *Apéndice gramatical*, situado al final de este libro. En diversos epígrafes de *Recursos* encontrarás el símbolo (§), seguido de una cifra, que te remite al apartado correspondiente del *Apéndice gramatical* del libro, donde encontrarás desarrollados de un modo más extenso y explicativo los puntos que necesites consultar.

El apartado *Pieza por pieza*, incluido en el *Cuaderno de recursos y ejercicios*. En el margen derecho de *Recursos* verás un recuadro con tres tipos de iconos que te indican qué contenidos específicos de la lección se tratan o se amplían en este nuevo apartado del *Cuaderno*. Te aconsejamos que lo consultes: te será de gran ayuda. Los iconos son:

    Indica ampliación de contenidos gramaticales.
    Indica ampliación de contenidos relacionados con funciones comunicativas.
    Indica cuál es el vocabulario interesante de recordar.

La sección **Evaluación**, que encontrarás al final de cada lección, te ayudará a controlar tus progresos en el aprendizaje del español. Si quieres realizar una evaluación más completa, puedes acceder a la **Evaluación de Bloque**, que aparece cada tres lecciones y en la que se trabajan los contenidos que se han visto en ellas. En esta misma sección se encuentran dos apartados, *Así puedes aprender mejor* y *Diario de aprendizaje,* que te harán reflexionar sobre cuál es para ti la mejor forma de aprender español.

Redes de palabras

En esta sección te mostramos una forma de organizar el léxico del nivel, que te puede ayudar a memorizarlo. Las redes incluyen palabras relacionadas entre sí bien por su significado, o bien por compartir la misma raíz. Esta herramienta te será útil para enriquecer tu vocabulario.

Apéndice gramatical

Los recursos que aquí aparecen son los que necesitas para realizar las actividades. Verás que están explicados de forma comprensible y con detalle. Se trata de contenidos gramaticales y, en ocasiones, funcionales.

Como ya se ha indicado, la sección *Recursos* de las lecciones incluye remisiones al *Apéndice gramatical* de este libro, que verás señaladas con el símbolo (§). Podrás completar información consultando también el apartado *Pieza por pieza* de tu *Cuaderno de recursos y ejercicios*.

Iconos

Acompañando a las actividades encontrarás una serie de iconos que te ofrecen indicaciones útiles:

 Informa de que el ejercicio va acompañado de un audio.

 Te recuerda que puedes hacer uso del diccionario.

 Te remite a actividades complementarias del *Cuaderno de recursos y ejercicios.*

Metodología

Si estudias en grupo y con profesor
Sigue las sugerencias del profesor y el orden de actividades que proponga para el conjunto de la clase. Él guiará tu aprendizaje.

Si estudias autónomamente
El libro te brinda la posibilidad de relacionar tus vivencias e inquietudes personales con los temas y situaciones que en él aparecen.

Gracias a su gran flexibilidad, y en función del tiempo de que dispongas o de tus preferencias, podrás construir tu propio itinerario de aprendizaje. Conseguir un avance progresivo es sencillo; puedes seguir el orden de las lecciones, empezar por las actividades que te parezcan más fáciles y cómodas y continuar por aquellas que te supongan un mayor esfuerzo. Siempre que lo consideres oportuno, puedes repasar las actividades con la ayuda del *Apéndice de transcripciones,* volviendo a escuchar los audios o recurriendo a la sección de *Recursos* y/o al *Apéndice gramatical.* Para comprobar si has realizado correctamente las actividades del libro, consulta el *Apéndice de soluciones.* Es aconsejable que intentes resolver el ejercicio antes de consultarlo. La corrección de los errores ayuda a consolidar una lengua; por lo tanto, no tengas miedo a equivocarte.

Si necesitas hacer más actividades, como complemento a este libro, tienes a tu disposición el ***Cuaderno de recursos y ejercicios.***

Te proponemos que tú mismo diseñes tu propio sistema de aprendizaje según tus necesidades y tus intereses. No dudes en trabajar una sección u otra de la forma que estimes oportuna. Por ejemplo, puedes leer la sección *Recursos* y el *Apéndice gramatical* antes de realizar las actividades de una lección, o bien conforme las vas realizando o, incluso, después de haberlas realizado. No hay un solo estilo de aprendizaje, todos son posibles y válidos. Sin duda alguna, el método que ponemos en tus manos tiene el suficiente orden interno y te ofrece las suficientes posibilidades como para que seas tú mismo quien organice tu propia forma de aprender.

2 cintas de vídeo
que incluyen 13 capítulos relacionados con las unidades didácticas del libro. En ellos encontrarás una divertida serie, reportajes de la vida cotidiana y actividades de refuerzo. Los vídeos se acompañan de una útil *Guía didáctica.*

△
PARA APRENDER MÁS Y MÁS RÁPIDO
Es español
TE OFRECE MÁS SOPORTES
▽

Un sitio en la red
(www.esespasa.com)
Para practicar, establecer contactos y amistades, conocer la realidad y la actualidad del mundo hispano y para divertirte, jugar y hacer progresar tu español.

En relación con la sociedad

Lección 1

TEMAS Y SITUACIONES	FUNCIONES COMUNICATIVAS	GRAMÁTICA	VOCABULARIO
La juventud	• Expresiones para juzgar y valorar. • Palabras para organizar y reforzar una argumentación.	• El *presente de subjuntivo* irregular. • El *pretérito perfecto de subjuntivo*. • Oraciones subordinadas. • Acento diacrítico.	• Tribus urbanas. • Generaciones.

Lección 2

TEMAS Y SITUACIONES	FUNCIONES COMUNICATIVAS	GRAMÁTICA	VOCABULARIO
Música y cine	• Formular hipótesis e invitar al interlocutor a formularlas.	• El *futuro* irregular. • El *futuro compuesto*: forma y usos. • Verbos con preposición. • El *condicional simple*: forma y usos.	• Estilos musicales. • Grupos musicales. • Corrientes artísticas.

Lección 3

TEMAS Y SITUACIONES	FUNCIONES COMUNICATIVAS	GRAMÁTICA	VOCABULARIO
Sistemas de valores	• Oponer, contrastar y comparar ideas.	• *Lo* con frases preposicionales y *lo* + *adj.* / *adv.* (*+ que*) + *verbo*. • Subordinadas modales. • Agrupaciones de indefinidos. • Usos de *uno*, *una*, *cualquiera* con valor de persona general.	• Modos de vida. • Tipos de familia. • Cambios y evolución social.

EVALUACIÓN DEL BLOQUE 1

Lección 4

FUNCIONES COMUNICATIVAS	GRAMÁTICA	VOCABULARIO	TEMAS Y SITUACIONES
• Marcadores del discurso para señalar reforzamiento. • Juzgar y valorar ideas y propuestas. • Marcadores del discurso para señalar secuencia lógica.	• Locuciones adverbiales. • Construcciones pasivas. • Subordinadas finales. • Siglas frecuentes.	• Partidos políticos. • Organizaciones. • Unión Europea. • Mercosur.	Relaciones internacionales

Lección 5

FUNCIONES COMUNICATIVAS	GRAMÁTICA	VOCABULARIO	TEMAS Y SITUACIONES
• Hacer y recibir cumplidos. • Maneras de recordar algo a alguien. • Pedir información. • Hacer recomendaciones y pedir consejo. • Ceder la elección al interlocutor.	• El *condicional compuesto*. • Frases concesivas.	• Nochebuena. • Nochevieja. • Carnaval. • Historias misteriosas.	Tradiciones y celebraciones

Lección 6

FUNCIONES COMUNICATIVAS	GRAMÁTICA	VOCABULARIO	TEMAS Y SITUACIONES
• Maneras de sugerir algo a alguien. • Expresar asombro, extrañeza, desinterés. • Cómo lamentarse.	• Subordinadas condicionales. • El *imperfecto de subjuntivo*. • Subordinadas adjetivas en *indicativo* y *subjuntivo*.	• ONG • Diversidad social. • Crisis mundiales. • Derechos humanos.	Solidaridad e interdependencia mundial

EVALUACIÓN DEL BLOQUE 2

Lección 7

TEMAS Y SITUACIONES	FUNCIONES COMUNICATIVAS	GRAMÁTICA	VOCABULARIO
Realidad y tecnología	• Reaccionar ante una protesta o una reclamación. • Reclamar, protestar y expresar quejas. • Describir objetos.	• Usos de *ser* y *estar*. • Algunas expresiones. • Referencias temporales. • *Se* de involuntariedad.	• Progreso y desarrollo. • Descripción de objetos: máquinas, electrodomésticos, etc.

Lección 8

TEMAS Y SITUACIONES	FUNCIONES COMUNICATIVAS	GRAMÁTICA	VOCABULARIO
Enfermedades	• Expresiones para manifestar resignación y esperanza. • Expresar miedo. • Expresar obligación y prohibición. • Dar ánimos y tranquilizar. • Maneras de pedir permiso.	• Expresiones de frecuencia. • Subordinadas condicionales. • El *pluscuamperfecto de subjuntivo*.	• Enfermedades. • Medicina. • Tratamientos. • Medicamentos.

Lección 9

TEMAS Y SITUACIONES	FUNCIONES COMUNICATIVAS	GRAMÁTICA	VOCABULARIO
Situación social de la mujer	• Dar la palabra al interlocutor y expresar el acuerdo o desacuerdo parcial con lo dicho por otros. • Maneras de continuar otras intervenciones.	• Subordinadas sustantivas con *subjuntivo* e *infinitivo*. • Pronombres demostrativos. • Algunas expresiones. • Sustantivos con ambos géneros. • Prefijos frecuentes.	• Machismo. • Feminismo. • Relaciones personales: amistad, sentimientos, etc.

EVALUACIÓN DEL BLOQUE 3

Lección 10

FUNCIONES COMUNICATIVAS	GRAMÁTICA	VOCABULARIO	TEMAS Y SITUACIONES
• Relacionar o añadir información indicando resultados. • Maneras de solicitar información sobre una palabra. • Expresar duda o reserva.	• Casos especiales de formación del número. • Subordinadas causales.	• Hombre y naturaleza. • Polución. • Vertidos. • Energías. • Ecología.	Medio ambiente

Lección 11

FUNCIONES COMUNICATIVAS	GRAMÁTICA	VOCABULARIO	TEMAS Y SITUACIONES
• Juzgar y valorar. • Cambiar de tema. • Expresar aburrimiento. • Expresiones para aclarar algún aspecto de la conversación.	• Sufijos frecuentes. • Sistematización del estilo indirecto referido al pasado, presente y futuro.	• Tipos de géneros. • Películas.	Literatura y cine

Lección 12

FUNCIONES COMUNICATIVAS	GRAMÁTICA	VOCABULARIO	TEMAS Y SITUACIONES
• Procesos o cambios experimentados por personas o cosas. • Expresar relaciones temporales. • Hacer un inciso y replicar intervenciones ajenas.	• Abreviaturas corrientes. • Expresar consecuencia.	• Profesiones. • Tipos de empresas. • Relaciones laborales. • Contratos.	La empresa

EVALUACIÓN DEL BLOQUE 4

bloqueuno1

Índice

1

lecciónuno 1

Juventud,
divino tesoro

Hippies, punkies, heavies,... Hablar de los jóvenes en general es muy difícil.

¿Tú eres joven? Seguro que te sientes joven.

Observa en la foto a los amigos que te van a acompañar en este curso. De izquierda a derecha son Ana, Lázaro, Julián, Antonio, Lola, Andrew y Begoña. Algunos son más jóvenes que otros, pero todos te ayudarán a aprender. ¿Podemos decir cómo son los jóvenes? ¿Crees que tienen sus propios problemas? ¿Quieres conocer los intereses de los jóvenes en español? En esta lección vamos a conocer un poco mejor a la juventud.

Juventud, divino tesoro

En esta lección vas a aprender:

- Cómo juzgar y valorar
- A organizar y reforzar una argumentación

1a En la escena que vas a escuchar, Begoña y Andrew llegan a casa y se besan. En ese momento, entra Lola y los sorprende. Julián, mientras, está tumbado en el sofá. Antes de escuchar, asegúrate de que conoces el significado de estas expresiones:

▶ *no hay quien duerma*　　▶ *estar harto de algo*
▶ *estar embarazada*　　▶ *tener talento de sobra*

b Escucha la conversación. Fíjate cómo reacciona Andrew cuando Lola les pregunta a él y a Begoña si se estaban besando. ¿Puedes completar su intervención?

1, 2, 3, 5, 6

ANDREW: No _____ contestar a esa pregunta.

c ¿Cuál de estas tres posibilidades describe mejor la actitud de Andrew ante la pregunta de Lola?

☐ Andrew no entiende lo que le pregunta Lola.
☐ Andrew no tiene ningún problema en contestar a la pregunta de Lola.
☐ Andrew no quiere contestar a la pregunta de Lola.

d Ahora, vamos a prestar atención a la estructura que emplea Andrew para responder a Lola en el *ejercicio 1b*. Completa los espacios en blanco y selecciona la forma verbal correcta.

1

No _____ _____ + verbo en ☐ indicativo ☐ subjuntivo

e Begoña y Andrew quieren dar una noticia a Julián y Lola. ¿De qué creen ellos dos que se trata la noticia? Y ¿qué es lo que dice Begoña realmente?

Julián cree que la noticia es... _____.
Lola cree que la noticia es... _____.
Begoña dice: "_____".

f Begoña pone como modelo a *Los Tranquilos*. Por lo que dice de ellos, ¿puedes deducir qué clase de grupo son?

☐ Una asociación religiosa.　　☐ Un grupo musical.　　☐ Un grupo literario.

En prensa

 4

elmundo.es

2a ¿Quieres saber hasta qué edad viven los jóvenes españoles en casa de los padres? Antes de leer el artículo, busca en un diccionario las expresiones que recogemos en el siguiente cuadro o consulta las soluciones. Cuando leas el artículo, fíjate en el contexto en el que aparecen estas expresiones.

> ▸ el abandono del hogar
> ▸ la encuesta
> ▸ el promedio
> ▸ el coste social
> ▸ uno/a de cada cinco
> ▸ el envejecimiento de la población

> ▸ un contrato de trabajo eventual
> ▸ la inseguridad laboral
> ▸ el porvenir
> ▸ las tareas domésticas
> ▸ sonrojarse
> ▸ crecer a un ritmo vertiginoso

b ¿Qué sabes tú acerca de los jóvenes españoles? Antes de leer, piensa en las cuestiones que te planteamos. Después, lee el artículo buscando información para contestar a estas preguntas.

1 ¿A qué edad crees que se van de casa los jóvenes españoles?
2 ¿Sabes si los jóvenes que viven en casa hacen tareas domésticas?
3 ¿Sabes las dos cosas más importantes que esperan de la vida?
4 ¿Crees que ven mucha televisión?
5 ¿Piensas que leen más que antes?

En casa hasta los veintiséis años

Los jóvenes de hoy quieren abandonar el hogar familiar pero no pueden. Según una encuesta del Instituto de la Juventud entre españoles de 15 y 29 años, el abandono del hogar se produce cada vez más tarde, ahora en el promedio de los 26 años. **De hecho** la mitad de las personas entre los 26 y los 29 años sigue viviendo con su familia, y a los 29 años aún el 28% continúa en el hogar familiar.

El retraso en la edad de abandono del hogar también implica una disminución en el número de jóvenes que viven en pareja. El sociólogo Manuel Martín Serrano no disimulaba ayer su preocupación ante el futuro: «Va a tener un coste social importante», advertía. «Sólo una de cada cin-co mujeres y uno de cada diez hombres viven con su pareja. **Sin duda alguna** eso retrasa el momento de crear una familia propia y la llegada de los hijos y el número de los que quieren tener, **y por esa razón** se produce un envejecimiento de la población».

El origen de todo se encuentra en el mercado laboral. La mitad de los encuestados confiesa su dependencia económica de la familia **debido a que** muchos contratos de trabajo son eventuales y a que un 11% de quienes han finalizado sus estudios buscan aún su primer empleo. **Es decir**, la causa principal es la inseguridad en el trabajo. «La inseguridad laboral –agregó el sociólogo– está condicionando la confianza de los jóvenes en el futuro, y el estudio refleja el sentimiento que tienen de que se dispone de escaso control sobre el propio porvenir».

La prolongación de la estancia en la casa paterna no parece ir acompañada de una evolución para tomar responsabilidades en las tareas domésticas por parte del sexo masculino. El 44% de los chicos reconoce sin sonrojarse que nunca participa en la limpieza de la casa, y un 18% no ha hecho jamás su cama.

«Cuando se les pregunta a los jóvenes qué esperan de la vida, la respuesta va por dos lados: **por un lado**, quieren sentirse queridos, y por ahí se pueden explicar algunas de sus conductas; y **por otro lado** quieren encontrar trabajo», explica el sociólogo Manuel Martín Serrano.

La televisión sigue siendo la actividad preferida durante el tiempo libre de los jóvenes, sobre todo si están en casa. Los jóvenes dedican a este medio 13 horas semanales. **Asimismo**, la encuesta confirma que continúa disminuyendo la lectura en número y en frecuencia. La proporción de jóvenes interesados en la lectura es de sólo el 14%. El uso de las nuevas tecnologías, en cambio, ha crecido a un ritmo vertiginoso. Un 53% de los jóvenes utiliza el ordenador.

Texto adaptado de *El Mundo*, «Sociedad», Madrid, 20 de octubre de 2000, http://www.elmundo.es/

c Ya puedes contestar a estas preguntas.

7, 8, 9, 10

1 ¿A qué edad se va de casa la media de los jóvenes españoles?
A los veintiséis años.

2 ¿Qué consecuencias tiene que se vayan tan tarde?
_____
_____.

3 ¿Por qué se van de casa a esa edad?
_____.

4 ¿Los que viven en casa hacen tareas domésticas?
_____.

5 ¿Cuáles son las dos cosas más importantes que esperan de la vida?
_____.

6 ¿Cuál es la principal actividad para el tiempo libre?
_____.

7 ¿El número de jóvenes interesados en la lectura aumenta o disminuye?
_____.

d Fíjate en las palabras que aparecen destacadas en el artículo.
¿Para qué crees que sirven?

7, 8, 9, 10

☐ Para exponer argumentos.
☐ Para relatar un hecho.
☐ Para expresar una crítica.

e ¿Puedes clasificar las palabras del cuadro según su significado? Ayúdate de su contexto en la noticia y, si es necesario, consulta la sección de *Recursos*.

7, 8, 9, 10

> de hecho • sin duda alguna • y por esa razón • debido a que
> es decir • por un lado… por otro lado • asimismo

1 Para decir con otras palabras:
• *Es decir* _____

2 Para añadir información:
• _____

3 Para manifestar certeza:
• _____

4 Hablar de causa y consecuencia:
• _____
• _____

5 Distribuir dos ideas:
• _____

6 Ejemplificar con argumentos:
• _____

Sin duda alguna es difícil independizarse.

Con buen oído

3a Ahora vas a escuchar el debate de un programa de televisión en el que padres e hijos hablan de sus problemas y los puntos de vista que los distancian. Antes de escuchar, lee estas palabras y expresiones y asegúrate de que las entiendes. Si tienes algún problema, consulta las soluciones.

▶ *tener en cuenta a alguien*   ▶ *un pretexto*
▶ *imponer una opinión*   ▶ *ser sincero*
▶ *sufrir*   ▶ *salir hasta las tantas*

b Escucha ahora las intervenciones de una madre y su hijo en las que manifiestan puntos de vista muy diferentes. ¿Puede completar estas frases con el nombre de cada hablante, Asunción o Iván?

1 _____ dice que _____ no habla en casa.
2 _____ dice que _____ no escucha y quiere imponer su opinión.
3 _____ dice que _____ llega muy tarde a casa.
4 _____ dice que es normal salir por la noche.
5 _____ dice que sufre cuando _____ sale por la noche.
6 _____ dice que _____ pone pretextos para que no salga.

c Estas intervenciones aparecen en el diálogo. Escúchalo de nuevo y completa las expresiones destacadas. Presta atención: cada línea equivale a una palabra.

1 ASUNCIÓN: Bueno, pues que **tengo** *la impresión de que* yo no tengo importancia para él.
2 IVÁN: **Tal vez** _____ _____ _____ el problema es otro. De hecho intento contarte mis problemas, pero tú no me entiendes.
3 ASUNCIÓN: ¿**No** _____ _____ _____ _____ tu padre y yo suframos por ti?
4 IVÁN: Mira, **yo** _____ _____ _____ un pretexto para que yo no salga por la noche. A mi edad _____ _____ _____, tener amigos y divertirse y confiar en ellos.
5 ASUNCIÓN: Sí, sí, si **yo** _____ _____ _____ _____ bien. Además, nosotros queremos lo mejor para ti, ya sabes...
6 IVÁN: **Para** _____ _____ , siempre dices lo mismo: que si tengo que estudiar, que a ver si vuelvo pronto, siempre con pretextos. **No** _____ _____ _____ _____ estés siempre repitiendo lo mismo.
7 ASUNCIÓN: ¿**A ti** _____ _____ _____ _____ te deje salir hasta las tantas?
8 IVÁN: Yo, **salir por la noche** _____ _____ _____, algo...

d ¿Para qué crees que sirven las expresiones que has completado en el ejercicio anterior?

☐ Para organizar una argumentación.
☐ Para juzgar y valorar.
☐ Para ordenar un relato.

4a Una joven y su abuelo han visto el programa de televisión del ejercicio anterior y después hablan sobre la juventud y la distancia entre generaciones. ¿Crees que estarán de acuerdo? Antes de escuchar, asegúrate de que conoces estas palabras. Si es necesario, consulta las soluciones.

▶ *romper con algo*	▶ *incuestionable*
▶ *conformarse*	▶ *la mili*
▶ *luchar por algo*	▶ *la diversidad*
▶ *la vivienda*	▶ *los pendientes*
▶ *conformista*	▶ *estar anclado en el pasado*

En este diálogo aparece una nueva forma verbal de pasado. Es el *pretérito perfecto de subjuntivo*: haya comido. Puedes consultar su forma en la sección de *Recursos*.

b Escucha el diálogo y contesta si estas frases son verdaderas (V) o falsas (F).

1 El abuelo piensa que la juventud actual es muy luchadora.
2 La nieta cree que la sociedad no ha cambiado.
3 El abuelo dice que los jóvenes de ahora son más conformistas.
4 La nieta no piensa que los jóvenes hayan cambiado cosas en la sociedad.
5 Para el abuelo, llevar el pelo largo y pendientes no es diversidad.
6 Para la nieta sí hay más diversidad.

c Escucha de nuevo el diálogo y completa las frases con los tiempos en la forma correcta.

1 NIETA: **No está tan claro** que *hayamos cambiado* tanto.
2 ABUELO: **No pienso que** la sociedad _____ en el fondo.
3 NIETA: **Nos parece injusto que** los mayores _____ decisiones por nosotros. **Yo creo que** ahora _____ más respeto por la diversidad.
4 ABUELO: **Creo que** antes _____ diversidad. Pero diferente. No, **creo que** no _____ más diversidad.
5 NIETA: No es verdad **eso de que** no _____ más diversidad.

d Fíjate en las frases del ejercicio anterior. ¿En cuáles aparece la nueva forma verbal? Después, intenta completar su conjugación.

La nueva forma verbal aparece en las frases n.º: _____.

yo: _____
tú: _____
él, ella, usted: *haya cambiado*

nosotros/as: *hayamos cambiado*
vosotros/as: _____
ellos, ellas, ustedes: _____

Pretérito perfecto de subjuntivo:
tú hayas comido, él haya comido…

7, 8, 9, 10

5a Una joven ha enviado una carta al periódico *La ciudad* para opinar sobre un tema polémico. Algunas palabras se han borrado. Intenta colocarlas en el lugar adecuado.

en conclusión • sin duda alguna • por esa razón
por el otro • además • ~~por otra~~ • en otras palabras

CARTAS AL DIRECTOR

La hora de cierre de los bares y otros locales de diversión ha provocado recientemente el enfrentamiento entre los jóvenes y los vecinos del centro de la ciudad de Zaragoza. Encontrar una solución para este conflicto va a ser difícil porque, por una parte, los jóvenes tenemos la necesidad de salir el fin de semana con los amigos para divertirnos, pero, **1** _por otra_, los vecinos tienen derecho a descansar después de trabajar durante toda la semana. El Ayuntamiento, como representante de los intereses de los ciudadanos, **2** _____ debe escuchar los argumentos de las dos partes y comprometerse a solucionar el problema de manera igualmente satisfactoria para los afectados. Todos somos ciudadanos y tenemos los mismos derechos. **3** _____, la alcaldía debe actuar como mediadora y reconciliar las posiciones enfrentadas.

Los jóvenes estamos muy preocupados por este conflicto y **4** _____, desde varias asociaciones juveniles, hemos iniciado un periodo de conversaciones con los representantes políticos para explicarles cuál es nuestra opinión.

Nuestra propuesta consiste en, por un lado, trasladar los locales de ocio nocturno de la ciudad a las zonas más alejadas del centro urbano, y, **5** _____, cubrir estas zonas con servicios de autobuses nocturnos.

6 _____, consideramos que los precios de los autobuses se deberían adecuar a los bolsillos de los jóvenes.

7 _____, estamos convencidos de que si todos los afectados muestran una buena predisposición, conseguiremos poner fin al problema garantizando tanto el ocio de los jóvenes como la paz y tranquilidad de los vecinos.

Victoria Salcedo, 23 años, Zaragoza.

7, 8, 9, 10

b Te proponemos que escribas una carta parecida a la del ejercicio anterior quejándote del alto precio de los libros. Además, también puedes seguir las siguientes ideas.

1 **Presentación del tema:**
El gobierno hace muchas campañas para que la gente lea mucho.
Mucha gente lee con frecuencia.

2 **Argumentos:**
Los libros son muy caros.
En las bibliotecas públicas hay pocos libros.

3 **Conclusiones:**
Una solución es hacer promociones.
Se pueden hacer descuentos para estudiantes y parados.
Construir más bibliotecas. Las bibliotecas tienen que tener más libros.

Todos somos ciudadanos y tenemos los mismos derechos.

debido a que • de hecho • sin duda alguna • por una parte
por otra parte • en otras palabras • ciertamente • asimismo • además

6 ¿Perteneces a alguna asociación juvenil? Lee la presentación de la *Asociación de Jóvenes Aventureros* que hemos encontrado en su página web, te puede interesar. Después, responde a las preguntas.

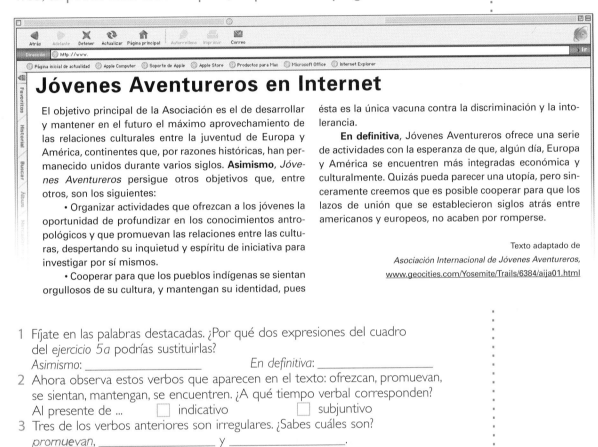

Jóvenes Aventureros en Internet

El objetivo principal de la Asociación es el de desarrollar y mantener en el futuro el máximo aprovechamiento de las relaciones culturales entre la juventud de Europa y América, continentes que, por razones históricas, han permanecido unidos durante varios siglos. **Asimismo**, *Jóvenes Aventureros* persigue otros objetivos que, entre otros, son los siguientes:

• Organizar actividades que ofrezcan a los jóvenes la oportunidad de profundizar en los conocimientos antropológicos y que promuevan las relaciones entre las culturas, despertando su inquietud y espíritu de iniciativa para investigar por sí mismos.

• Cooperar para que los pueblos indígenas se sientan orgullosos de su cultura, y mantengan su identidad, pues ésta es la única vacuna contra la discriminación y la intolerancia.

En definitiva, Jóvenes Aventureros ofrece una serie de actividades con la esperanza de que, algún día, Europa y América se encuentren más integradas económica y culturalmente. Quizás pueda parecer una utopía, pero sinceramente creemos que es posible cooperar para que los lazos de unión que se establecieron siglos atrás entre americanos y europeos, no acaben por romperse.

Texto adaptado de
Asociación Internacional de Jóvenes Aventureros,
www.geocities.com/Yosemite/Trails/6384/aija01.html

1 Fíjate en las palabras destacadas. ¿Por qué dos expresiones del cuadro del *ejercicio 5a* podrías sustituirlas?
Asimismo: _____   En definitiva: _____

2 Ahora observa estos verbos que aparecen en el texto: ofrezcan, promuevan, se sientan, mantengan, se encuentren. ¿A qué tiempo verbal corresponden?
Al presente de ...   ☐ indicativo   ☐ subjuntivo

3 Tres de los verbos anteriores son irregulares. ¿Sabes cuáles son?
promuevan, _____ y _____ .

---

7 ¿Qué les parece a nuestros amigos la *Asociación de Jóvenes Aventureros*? Completa sus intervenciones utilizando el presente de indicativo o el presente de subjuntivo según corresponda.

1 LOLA: **Está claro que** los jóvenes (poder, nosotros) *podemos* hacer mucho por la sociedad.

2 BEGOÑA: **No pienso que** (ser, ella) _____ una mala idea apuntarse a esta asociación.

3 ANA: **No es cierto que** los jóvenes (ser, vosotros) _____ unos despreocupados.

4 JULIÁN: **Es verdad que** la relación entre Europa y América (ser, ella) _____ muy fuerte.

5 DIRECTOR: **No creo que** las organizaciones de este tipo sólo (limpiar, ellas) _____ conciencias. Desarrollan una labor social muy importante.

La lengua es arte

6, 7, 8, 11, 13, 14

8a *La colmena* es una de las obras más importantes de Camilo José Cela, Premio Nobel de Literatura en 1989. En ella se describe de forma conmovedora el ambiente de miseria de Madrid en 1943, después de la guerra civil, y las grandes dificultades de la vida cotidiana. ¿Sabes qué es una colmena?

- ☐ Objeto de papel o tela, sujeto por un hilo largo, que se lanza al aire para que se eleve.
- ☐ Lugar donde viven las abejas y fabrican los paneles de miel.
- ☐ Conjunto de productos que se recogen en el campo cuando llega la temporada de la recolección.

Atención: la palabra *colmena* también puede utilizarse para referirse a una casa o un edificio donde habitan demasiadas personas.

b Aquí puedes leer un fragmento donde un padre habla con su hijo sobre sus intenciones de trabajo. Para comprenderlo mejor, antes deberás asegurarte de que conoces estas palabras. Si es necesario, puedes consultar las soluciones.

▶ *notario*	▶ *sacar plaza*	▶ *siete años y pico*
▶ *oposiciones*	▶ *tomar una ciudad*	▶ *abrumar*

Ventura Aguado Sans lleva ya siete años, sin contar los de la guerra, presentándose a notarías sin éxito alguno.

—Pero, hombre, preséntate a oposiciones para registrador de la propiedad —le suele decir su padre, un cosechero de almendra de Riudecols, en el campo de Tarragona.

—No, papá, no hay color.

—Pero hijo, en notarías, ya lo ves, no sacas plaza ni de milagro.

—¿Qué no saco ni plaza? ¡El día que quiera! Lo que pasa es que para no sacar Madrid o Barcelona, no merece la pena. Prefiero retirarme, siempre se queda mejor. En notarías, el prestigio es una cosa muy importante, papá.

—Sí, pero, vamos... ¿Y Valencia? ¿Y Sevilla? ¿Y Zaragoza? También deben estar bastante bien, creo yo.

—No, papá, sufres un error de enfoque. Yo tengo hecha mi composición de lugar. Si quieres, lo dejo...

—No, hombre, no, no saques las cosas de quicio. Sigue. En fin, ¡ya que has empezado! Tú de eso sabes más que yo.

—Gracias, papá, eres un hombre inteligente. Ha sido una gran suerte para mí ser hijo tuyo.

—Es posible. Otro padre cualquiera te hubiera mandado al cuerno hace ya una temporada. Pero bueno, lo que yo me digo, ¡si algún día llegas a notario!

—No se tomó Zamora en una hora papá.

—No, hijo, pero mira, en siete años y pico ya hubo tiempo de levantar otra Zamora al lado, ¿eh? Ventura Aguado Sans hace lo que quiere de su padre, lo abruma con eso de la composición de lugar y el error de enfoque.

La colmena, Camilo José Cela.

c ¿Puedes localizar en el fragmento los nombres de las siete ciudades españolas que aparecen? Te damos algunas pistas.

1 *Tarragona*   2 _____d   3 _____o___   4 _____c___

5 _____ll___   6 _____z__   7 ___m_____

d Conocer las referencias históricas que aparecen en las novelas nos ayuda a conocer mejor a los personajes y a seguir el argumento.
¿A qué dos acontecimientos de la historia de España se hace referencia en el fragmento?

☐ La caída del imperio romano.
☐ La guerra civil española.
☐ El reinado de los Reyes Católicos.
☐ El descubrimiento de América.
☐ La conquista de la ciudad de Zamora.
☐ La instauración de la democracia.

e Ya has visto que en el texto aparecen algunas expresiones de sentido particular. Intenta relacionar cada una con un significado de la columna de la derecha.

1 no hay color

2 no merece la pena
3 error de enfoque

4 composición de lugar
5 sacar las cosas de quicio
6 mandar al cuerno

a Interpretar algo de una forma distinta a su sentido lógico o natural.
b Analizar de forma equivocada un problema.
c No ser posible la comparación por ser una cosa mucho mejor que otra.
d Rechazar a alguien o desentenderse de alguien.
e No compensa hacer un esfuerzo.
f Análisis de un problema.

f Observa que el hijo no tiene trabajo y tiene una opinión distinta a la de su padre sobre el problema. Busca en el fragmento las frases que tienen un significado equivalente al de estas frases de abajo.

1 Para el hijo es mucho mejor ser notario que registrador de la propiedad.
No, papá, no hay color.
2 El hijo sólo quiere sacar plaza de notario en Madrid o Barcelona.
_____
3 El padre opina que también puede ser notario en otras ciudades.
_____
4 El hijo le dice al padre que no entiende el problema y está equivocado.
_____
5 El hijo le dice al padre que las cosas importantes no se pueden hacer rápido.
_____
6 El padre opina que tarda demasiado tiempo en conseguir trabajo.
_____
7 Para el autor de la novela, el hijo domina a su padre.
_____

Hace lo que quiere de su padre: convence a su padre fácilmente.

Recursos

EXPRESIONES PARA JUZGAR Y VALORAR

- Para expresar el punto de vista, la opinión de uno sobre algo:

> *Tal vez estoy equivocado, pero...*
> *Tengo la impresión de que...*
> *Para serte sincero,...*

Yo, eso (de + [idea]) Yo, [infinitivo]	} lo veo	+	[adjetivo]
Esa idea La idea de [infinitivo]	} la veo		[adverbio]

Yo, eso de dar mucha libertad a los jóvenes, no lo veo mal.
Yo, ir en barco, lo veo atractivo.
Esa idea la veo bien.
Yo, la idea de no dar más becas a los jóvenes, la veo mal.

- Para referirnos a un tema que se ha mencionado antes y ya se sabe de qué se trata:

Eso
— *Pienso que no hay que dar tantas becas a los jóvenes, son como parásitos.*
— *Yo, eso, lo veo mal.*

Me parece bastante presumida.

- Para expresar una valoración:

Me Te Le Nos Os Les	+ parece +	[adjetivo] [adverbio]	+ [nombre] [infinitivo] que + [subjuntivo]

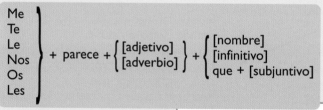

Me parece fantástico ir a cenar al Sinsal.
¿A ti te parece bien salir de noche?
Le parece bien que vayáis a cenar al Sinsal.
Nos parece una propuesta interesante.
¿Os parece bien que los chicos salgan de noche?
Les parece mal que te vistas así.

(No) Es +	[adjetivo] [nombre]		+ [infinitivo] que + [subjuntivo]
(No) Está +	[bien] [mal]		
No creo que +	[presente de subjuntivo] [perfecto de subjuntivo]		

A los dieciocho años, es una barbaridad salir hasta las tantas de la noche con los amigos.
Mira hijo, no es normal que salgas hasta tan tarde.
Está bien leer en español.
No está bien que hables así.
No creo que llame Martín. A estas horas está trabajando.
No creo que Héctor haya roto el cristal. Es un buen chico.

PALABRAS PARA ORGANIZAR Y REFORZAR UNA ARGUMENTACIÓN

- Decir con otras palabras:

  > Es decir
  > En otras palabras
  > O lo que es lo mismo

- Para continuar hablando recapitulando argumentos:

  > Lo cierto es que

- Para ejemplificar con argumentos que creemos ciertos:

  > De hecho

- Para manifestar certeza o acuerdo:

  > Ciertamente / Sin duda alguna

- Para relacionar causa y consecuencia:

  > Y por esa razón
  > Debido a que

- Para añadir información:

  > Además / Asimismo

- Distribuir dos razones para argumentar:

  > Por un lado,… por otro,…
  > Por una parte,… por otra,…

- Extraer una información relevante para hacer un resumen:

  > En conclusión / Vamos que

- PRETÉRITO PERFECTO DE SUBJUNTIVO
- PRESENTE DE SUBJUNTIVO IRREGULAR
- ACENTUACIÓN EN PALABRAS MONOSÍLABAS

§

- PRETÉRITO PERFECTO DE SUBJUNTIVO §15
- PRESENTE DE SUBJUNTIVO IRREGULAR §22
- ACENTUACIÓN EN PALABRAS MONOSÍLABAS §2

ORACIONES SUBORDINADAS SUSTANTIVAS

- Para expresar el punto de vista, la opinión de uno sobre algo:

Creo Pienso Está claro Es evidente Es cierto Es verdad	+ que + (no) [indicativo]

Creo Pienso Está claro Es evidente Es cierto Es verdad	que la situación **es** grave.

No creo No pienso No está claro No es evidente No es cierto No es verdad	+ que + (no) [subjuntivo]

No creo No pienso No está claro No es evidente No es cierto No es verdad	que **sea** una buena idea.

- En frases interrogativas, aunque sean negativas, utilizamos el indicativo.

  > ¿No es evidente que **es** un buen chico?
  > ¿No crees que **es** una buena oportunidad?

Creo que deberías prestarme el ordenador, por favor.

No creo que sea una buena idea.

Evaluación

1 Un estudiante de Madrid opina sobre el ocio. Pero faltan muchas palabras en el texto. Selecciona la más adecuada de las tres opciones que te damos.

A mí **1** _____ que los jóvenes de Madrid necesitan mucho dinero para pasarlo bien. **2** _____ en una ciudad tan cosmopolita no haya ocio gratis.

3 _____ es que la oferta cultural es muy variada; tenemos muchos cines de arte y ensayo y películas comerciales, teatro, conciertos, museos, **4** _____ todo es muy caro. **5** _____ el nivel adquisitivo de los jóvenes de esta ciudad no puede permitírselo; todos sabemos que hay mucho paro y que el poder adquisitivo de los jóvenes es muy bajo. No creo que **6** _____ tan difícil fomentar espacios gratis o baratos, **7** _____ voy a argumentar mi propuesta. Es evidente que no **8** _____ fácil. A ver, **9** _____ el Ayuntamiento debería ceder espacios para que los jóvenes organicen sus cosas independientemente, según sus necesidades, y **10** _____, cuando el Ayuntamiento organice actividades, que las deje a mitad de precio para los jóvenes, pero también, que tenga previsto una campaña de actividades gratuitas. Es extraño que éste aún no lo **11** _____. Es necesario que el Ayuntamiento **12** _____ estas palabras. **13** _____, los jóvenes sabemos divertirnos, y además, queremos **14** _____. Pienso que tenemos buenas propuestas para ello, y **15** _____ es tan difícil. Siguiendo estas propuestas, todos vamos a salir ganando.

1 ☐ me parece	☐ me parecen	☐ es normal
2 ☐ Es evidente que	☐ No es normal que	☐ Es normal que
3 ☐ De hecho	☐ Cierto	☐ Lo cierto
4 ☐ en conclusión	☐ más	☐ pero
5 ☐ No pienso que	☐ Pienso que	☐ Esa idea la veo
6 ☐ ser	☐ es	☐ sea
7 ☐ por esa	☐ y por esa razón	☐ por la razón
8 ☐ es	☐ haya sido	☐ sea bien
9 ☐ por otro	☐ por un lado	☐ además
10 ☐ para el otro	☐ por otro	☐ para otra
11 ☐ ha hecho	☐ hace	☐ haya hecho
12 ☐ haya escuchado	☐ escucha	☐ escuche
13 ☐ De conclusión	☐ Para conclusión	☐ En conclusión
14 ☐ hacerlo	☐ que hagan	☐ que lo hayan hecho
15 ☐ no creo que	☐ creo que	☐ creo que no

2

lecci**ó**ndos2

Ritmo latino

Ritmo latino

¿Has oído mucha música latina? Viaja con nuestros amigos a Cuba, la isla más musical del planeta, y aprende español a ritmo de mambo y cha-cha-chá. Además, te llevaremos a una exposición de arte y al teatro.

¡Fíjate en las caras de nuestros amigos! ¿Estarán enfadados? No, posiblemente estarán hablando sobre el cuadro que contemplan. ¿A qué corriente artística pertenecerá este cuadro? Al surrealismo, al impresionismo, al realismo o al... ¿Tú qué crees? Y ¿qué significado tendrá para cada uno de ellos? Si sueñas con ser un músico famoso o un genio de la pintura, quédate con nosotros.

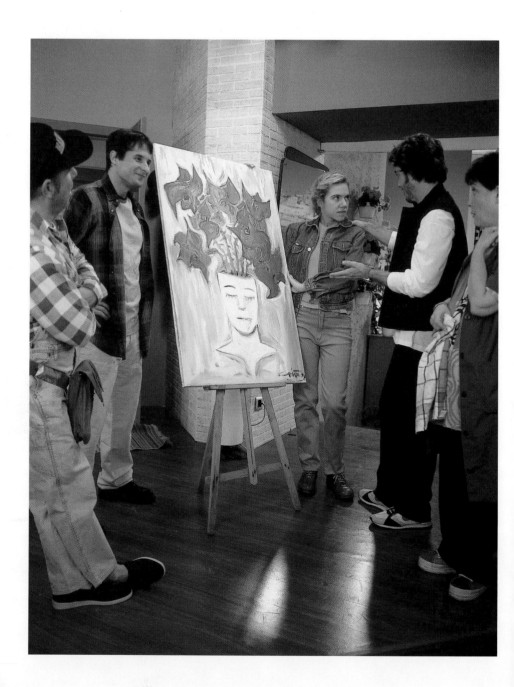

En esta lección vas a aprender:

- A formular hipótesis
- Cómo expresar probabilidad

1a Vamos a escuchar cómo Julián, Lola y Antonio están ensayando una escena en la que hablan sobre arte. Antes, lee el nombre de estos pintores españoles. ¿Has oído hablar alguna vez de ellos? Después, escucha el diálogo y marca sólo los pintores que menciona Julián.

 3

☐ Dalí   ☐ Velázquez   ☐ Picasso   ☐ Goya

b ¿De qué estilos de arte hablan Julián, Lola y Antonio?

☐ abstracto   ☐ surrealista   ☐ expresionista   ☐ islámico
☐ figurativo   ☐ clásico   ☐ impresionista   ☐ contemporáneo

c Julián y Lola tienen opiniones muy diferentes sobre el arte abstracto. Aquí tienes algunas de las afirmaciones que hacen. Escribe el nombre de Julián o Lola al lado de cada opinión según corresponda.

1 A mí no me gusta el arte abstracto. Prefiero el arte figurativo. _____
2 El arte abstracto no se entiende. _____
3 En el arte abstracto no hay nada que entender. Hay que interpretar. _____

🖉 1, 2

d ¿Cómo reacciona Lola cuando Julián le da su opinión sobre el cuadro que observan? Primero completa su intervención y después intenta descubrir qué hace Lola marcando una de las dos opciones.

LOLA: Para ti _____ sólo _____ una mancha, pero para mí expresa la angustia de la época en la que vivimos.

☐ Formula una hipótesis sobre la opinión de Julián respecto al cuadro.

☐ Le pregunta a Julián su opinión sobre el cuadro.

e Lola, al final de la escena, dice que Julián parecía el dueño de una frutería. ¿Por qué crees que hace esta afirmación?

☐ Porque Julián va a trabajar en una frutería.
☐ Porque Julián dice que prefiere un cuadro con una sandía.
☐ Porque a Julián le gusta la fruta.

📝 3

2a Ahora vamos a ver cuánto sabes de música. Antes de leer el artículo, intenta responder a la siguiente pregunta.

¿Cuál de estos dos estilos musicales procede de Cuba? ☐ El son. ☐ El rap.

📝 3

b ¿Por qué crees que el artículo se titula *Cuba: del son al rap*? Marca la respuesta según lo que tú creas.

☐ Porque en la actualidad en Cuba sólo existe el rap; el son ha desaparecido.
☐ Porque en Cuba existen ritmos de todo tipo, desde los más tradicionales, como el son, hasta los más modernos, como el rap.
☐ Porque el son y el rap son los dos únicos estilos musicales que hay en Cuba.

📝 3

c ¡Prepárate antes de leer! A continuación te damos dos listas con las palabras que aparecen destacadas en el artículo. ¿Por qué no intentas relacionarlas? Después, comprueba tu respuesta leyendo.

EL PAIS•es

1 artistas	a aulas
2 ganar un premio	b vitalidad
3 genio	c dotado, con talento
4 ritmos	d jóvenes, caras más púberes
5 alegría de vivir	e ser galardonado
6 nueva generación	f corrientes de la música
7 academia	g músicos

★ DEL SON AL RAP

Cuba: del son al rap

Es posible que *Compay Segundo* haya sido uno de los seres más libres que habitan la isla de Cuba. Compay es un hombre único: uno de esos **artistas** especiales con el poder de canalizar energía ancestral, leyenda viva de Cuba. Un siglo de música le contempla. Su nuevo disco se llama *Lo mejor de la vida*, es probable que porque ahora todo le sonríe: en 1997 **ganó el premio** Grammy con el disco Buena Vista Social Club, dentro de la categoría de música tradicional.

Vive en la isla que fabricó el mambo y el cha-cha-chá, el son y el danzón. Pero donde también hay jazz, trova y rock. En Cuba están presentes todos los **ritmos**: desde los primitivos africanos a los más evolucionados del jazz. Sus **músicos** han conquistado todos los confines y nadie ha conseguido acabar con su **genio** y su **alegría** de vivir.

A pocas millas de Estados Unidos, en la isla más musical del planeta se vive una explosión de ritmo, una **vitalidad** desbordante donde ahora ha aparecido incluso el *rap*. Si el siglo que acabó fue el de Compay, el que comienza debe de ser el de la **nueva generación**, nacida de una tradición riquísima que alimenta las **corrientes de la música** latina, lo que equivale a decir universal.

«En tres días en Cuba he oído más música que en los últimos diez años en Estados Unidos». Quien habla no es un turista cualquiera en un momento de euforia tropical. Se trata de Tommy LiPuma, uno de los productores más **galardonados** por la industria musical norteamericana y flamante presidente de la discográfica GRP. Lo corrobora el guitarrista George Benson: ambos tienen planes para grabar en La Habana.

La música es la principal materia prima de Cuba. Cada día se ven **caras más púberes** tanto en las orquestas de salsa como en piquetes ocasionales de jazz. El censo oficial cifra en unos diez mil el número de músicos profesionales. De la Escuela Nacional de Arte y del Instituto Superior salen los **jóvenes** más **dotados**: combinación de **talento** y preparación académica. Son el Oxford y Cambridge de la educación en el Caribe para la élite artística de la isla. La estrecha relación con los países de Europa oriental facilitó excelentes profesores de música clásica. Así tienen preparación europea, aprenden jazz y asumen la tradición afrocubana: la **academia** y la calle. Por eso, cantantes que han salido de sus **aulas** como Lucrecia o Mayito, de Van Van, pueden escribir una partitura, tocar varios instrumentos y analizar académicamente una obra.

Texto adaptado de *El País de las Tentaciones*, viernes 13 de marzo de 1998, http://www.elpais.es/

d En el artículo se mencionan 9 estilos musicales y tipos de baile
diferentes. Búscalos e intenta completar la lista.

3

1 *el mambo*   2 el _h_-____-____   3 el __n   4 el ___z__   5 el ___z_
6 la ____v_   7 el ___k   8 el __p   9 la __l__

e Ahora, ¿puedes elegir la opción más conveniente para cada caso?

1 Según el artículo, el nuevo disco de Compay Segundo se llama *Lo mejor de la
vida*, porque al artista…
☐ *no le gusta cantar sobre desgracias.*   ☐ *todo le va bien.*
2 En Cuba…
☐ *hay muchos ritmos diferentes.*   ☐ *sólo existen el mambo y el cha-cha-chá.*
3 Profesionales importantes de la industria musical norteamericana…
☐ *quieren ir de vacaciones a Cuba.*   ☐ *tienen planes para trabajar en La Habana.*
4 Los jóvenes músicos de Cuba…
☐ *están muy bien preparados.*   ☐ *tienen poca preparación académica.*

f Julián también ha leído el artículo sobre Cuba. Lee la conversación que
mantiene con Lola, prestando atención a las expresiones destacadas.
¿Para qué crees que sirven?

1, 2

JULIÁN: Lola, ¿sabes que Cuba es la isla más musical del planeta? Se puede escuchar y
bailar todo tipo de música. Mira, he encontrado este artículo en Internet.
LOLA: ¿Por qué no se lo enseñas a Andrew? Seguro que le va a encantar.
JULIÁN: Hablando de Andrew, ¿dónde está? Ya tendría que estar aquí, ¿no?
LOLA: **Es muy probable que aún esté** en la escuela. Quería hablar con Antonio.
JULIÁN: Pues, **no creo que lo haya encontrado**. Antonio está de viaje.
LOLA: En ese caso **estará** con algún amigo, tomando algo.
JULIÁN: Sí, **es posible que se haya entretenido** con algún compañero de clase.
LOLA: Oye, ¿y Begoña? ¿Sabes algo de ella? Yo no la he visto en todo el día.
JULIÁN: No, nada. **Estará** en el cine, tenía unas entradas gratis.
LOLA: ¿Sabes qué? Andrew y Begoña **habrán ido** al cine juntos. Últimamente pasan
mucho tiempo juntos, ¿no crees?

> Los músicos cubanos han
> conquistado todos
> los confines del mundo
> con su alegría de vivir.

☐ Para formular hipótesis.   ☐ Para expresar sorpresa.   ☐ Para mostrar duda.

g Ahora, observa las expresiones destacadas en la conversación
del ejercicio anterior. ¿Puedes completar su estructura?

1, 2

Es muy *probable* ⎫
No _____   ⎬ + _____ ⎫
Es _____   ⎭   ⎬ + [verbo en subjuntivo]
Posiblemente   ⎭

El futuro simple (*estará*) y el futuro compuesto (*habrán ido*) se utilizan también con el
mismo valor que las estructuras de arriba.

3a A continuación, escucharemos un programa de radio sobre los *Grammy*, los premios que se mencionaban en el artículo que has leído. ¿Podrías decir a qué tipo de música están dedicados? Después, escucha y comprueba tu respuesta.

☐ Sólo a la música norteamericana. ☐ Sólo a la música latina. ☐ A la música de todos los países.

b Indica si las siguientes afirmaciones son verdaderas (V) o falsas (F).

1 Faltan aún muchos días para la celebración de la ceremonia de entrega de los premios *Grammy*.
2 La locutora pide atención a los oyentes porque a lo largo del programa habrá muchas sorpresas.
3 Según la locutora, los artistas que finalmente pueden ser galardonados deben estar muy tranquilos.
4 Este año los premios *Grammy* podrían ser un gran éxito para los artistas hispanoamericanos y españoles.
5 Desde hace algún tiempo, en los *Grammy* hay categorías especiales para la música latina.

	V	F
1	☐	☑
2	☐	☐
3	☐	☐
4	☐	☐
5	☐	☐

 1, 2, 10, 13

c Ahora, ¿puedes completar este fragmento de la intervención de la locutora con las expresiones del cuadro? Comprueba tu respuesta escuchando de nuevo el programa.

> con toda seguridad • podrían • preguntaremos a
> ~~nos referimos a~~ • sueñan con • deben de estar

LOCUTORA: **1** *Nos referimos a* la cuadragésima tercera ceremonia de entrega de los premios *Grammy* y por eso hoy hemos preparado un programa especial que **2** _____ os va a encantar. Atención porque a lo largo de la mañana tendremos muchas sorpresas: **3** _____ los críticos musicales más destacados por sus predicciones sobre los ganadores y también entrevistaremos en directo a los artistas hispanoamericanos y españoles que pueden ser galardonados, que **4** _____ muy nerviosos. Muchos de ellos **5** _____ llevarse a casa el preciado galardón. Este año los *Grammy* **6** _____ ser un gran éxito para nuestros artistas, pero, como sucede en celebraciones de este tipo, hasta el último momento puede haber sorpresas.

La cuadragésima tercera ceremonia es la ceremonia n.º 43.

 1, 2, 10, 13

d Presta atención a las expresiones del cuadro del ejercicio anterior y clasifícalas en el lugar adecuado.

1 Verbos con preposición: *Nos referimos a*, _____, _____
2 Para formular hipótesis muy posibles: _____, _____
3 Para formular hipótesis: _____

4a Seguimos con el programa especial sobre los *Grammy*.
Antes de escucharlo, ¿conoces el significado de estas expresiones?

▶ *en directo*
▶ *contrato*
  multimillonario

▶ *compañía*
  discográfica
▶ *ser realista*

▶ *carrera profesional*
▶ *el calor del público*
▶ *dar ánimos*

3

b ¿Con quién crees que hablará ahora la locutora? Recuerda que
en la primera parte del programa anunció algunas sorpresas.

☐ Con uno de los
posibles ganadores.

☐ Con uno de los
organizadores del acto.

☐ Con un oyente del
programa.

c Escucha el programa. Éstas son algunas de las preguntas que la locutora
hace al entrevistado. ¿Puedes completarlas?

1 Eduardo, *imaginemos que* esta noche ganas un *Grammy*.
2 ¿_____ te ofrecen un contrato multimillonario con alguna compañía discográfica
norteamericana? _____ que te piden que quedes a vivir allí.
3 Muy bien. Ahora, _____ que no ganas. ¿Qué pasaría con tu carrera profesional?

d ¿Sabrías decir con qué intención la locutora le hace al entrevistado
las preguntas del ejercicio anterior?

☐ Para preguntarle qué pasaría con su carrera si ganara el premio.
☐ Para preguntarle cómo ha sido su carrera hasta el momento.
☐ Para preguntarle sobre su próxima gira por Latinoamérica.

e Vuelve a escuchar y completa estas intervenciones del final.

4, 5, 6, 7, 8, 9, 11, 12

LOCUTORA: ¿Qué 1 _____ con tu carrera profesional?
EDUARDO: Bueno, yo 2 _____ que mi vida seguirá igual, como hasta ahora. Los
premios son importantes, pero lo que yo valoro más es el calor de mi público.
LOCUTORA: Eduardo, te deseamos toda la suerte del mundo. Tranquilo, mañana ya
3 _____ todo y piensa que la gente de tu país te 4 _____ igual
con o sin premio.

f Fíjate en las expresiones con las que has completado las intervenciones
del ejercicio anterior y responde a estas preguntas.

4, 5, 6, 7, 8, 9, 11, 12

1 ¿Cómo se llama el tiempo que aparece en las dos primeras intervenciones?
☐ *Pretérito indefinido.*   ☐ *Condicional.*   ☐ *Presente.*
2 ¿Y el tiempo que aparece en las dos últimas?
☐ *Imperativo.*   ☐ *Infinitivo.*   ☐ *Futuro.*

1, 2

5a Los periódicos normalmente tienen varias secciones. Lee el artículo que tienes debajo. ¿En cuál de las secciones de la lista crees que podrías encontrar un documento como este? Presta atención al vocabulario, te puede ayudar.

- [ ] Internacional
- [ ] Nacional
- [ ] Deportes

- [ ] Economía
- [ ] Opinión
- [ ] Cultura y espectáculos

- [ ] Anuncios breves
- [ ] Sociedad
- [ ] Televisión y radio

La próxima semana se estrenará *La Málaga de Picasso*, una exposición organizada por el Ayuntamiento de Málaga en colaboración con el Museo Picasso de Barcelona. Cuando el acto llegue a la ciudad condal ya **habrá pasado** por otras ciudades españolas.

Es muy probable que la idea de esta exposición **haya surgido** de la página web que el Área de Turismo de Málaga dedica al más genial de los pintores malagueños.

La exposición propone un recorrido fotográfico y pictórico por los lugares y los edificios que marcaron la vida y la obra del artista. Los visitantes podrán entrar en la casa natal del pintor, declarada Monumento Histórico-Artístico de Interés Nacional en 1983, y pasear por la Plaza de la Merced, lugar donde se conocieron sus padres y donde el pequeño Picasso jugó de niño. ¿**Sería** en esta plaza donde el artista vio volar por primera vez a las palomas que años después pintó en sus cuadros?

El recorrido incluye, además, una visita a la Escuela de Bellas Artes, al Colegio de San Rafael, a la Parroquia de Santiago, a la plaza de toros La Malagueta, al Liceo Artístico y Literario y al Museo Municipal.

La exposición **sorprenderá** al público **con toda seguridad** por su originalidad. Todos los apasionados del mundo del arte **tendrían que asistir** a este acto único que reúne pintura y fotografía en un solo escenario.

www.malagaturismo.com/picasso/   www.tamu.edu/mocl/picasso/news/museue/html

b Ahora piensa en un acto cultural al que te gustaría asistir e intenta escribir un artículo como el anterior. Se puede tratar de una exposición de arte, la celebración de unos premios musicales, etc. Estas preguntas te pueden ayudar a organizar tu texto como el del modelo.

- ¿Cuándo se estrenará el acto?
- ¿Quién o qué organismos lo organizan?
- ¿Por qué otros países o ciudades habrá pasado el acto antes de llegar a la nueva localidad?
- ¿Cuál es el posible motivo del acto?
- ¿De qué trata el acto? ¿En qué consiste?
- ¿Qué podrán hacer los visitantes?
- ¿Cuál crees que será la reacción del público?
- ¿Qué opinión puedes dar para animar a la gente a ir al acto?

Recuerda que puedes utilizar todos los contenidos que has visto en la lección.

Con toda seguridad la exposición sorprenderá al público.

6a Mientras Ana limpiaba el piso de los chicos, se encontró este documento encima de la mesa. Obsérvalo y fíjate en el tipo de información que contiene. ¿Qué tipo de documento es?

☐ Un anuncio sobre un concierto.
☐ Una entrada para asistir a un acto cultural.
☐ Una crítica de una obra de teatro.

RINCÓN DEL ARTE Y LA MÚSICA DE A. Y C.
PRESENTA *FESTIVAL DE NAVIDAD*
En homenaje a todos los alumnos y socios de la entidad
TEATRO PRINCIPAL
DOMINGO 10 DE DICIEMBRE DE 2000 A LAS 19:00H
Fila: 18 Núm.: 7   PRECIO: 3 €
Fila: 18
Núm.: 7   **ENTIDAD CULTURAL RINCÓN DEL ARTE**   3 €

b Ahora, ¿puedes identificar en el documento cada una de las informaciones que tienes a continuación?

🖊 3

1 precio
2 sello de la entidad
3 motivo de la celebración
4 nombre de la entidad que organiza el acto
5 lugar, fecha y hora
6 tipo de acto que se celebra
7 localización del asiento

c Normalmente las palabras tienen más de un significado. El contexto nos ayuda a determinar el significado exacto en cada caso. ¿Sabes qué significa **rincón**? Lee las definiciones que te damos. ¿A cuál de ellas crees que se refiere *El rincón del arte y de la música*?

rincón m. 1 ☐ Ángulo entrante formado por dos paredes o dos superficies: *en ese rincón quedaría perfecta una planta.* 2 ☐ Lugar retirado, escondido: *su rincón favorito está junto al lago.* 3 ☐ Lugar o espacio pequeño: *déjame un rincón para mis libros.* 4 ☐ *coloquial*. Lugar donde se vive o se pasa gran parte del tiempo: *no cambiaría mi rincón por ninguna otra cosa del mundo.*

7 Begoña y Andrew todavía no han llegado y Lola empieza a preocuparse. Lee la conversación e intenta completar con el cuadro las expresiones destacadas. Todas ellas sirven para invitar al interlocutor a formular hipótesis.

🖊 1, 2

algo malo • ~~me pregunto~~ • estará enfadada

LOLA: ¡Ya son más de las doce! *1 Me pregunto* **qué les habrá pasado.**
JULIÁN: Tranquila, Lolita. Habrán ido a tomar algo después del cine.
LOLA: **¿Les habrá ocurrido** 2 _____? Me extraña que no hayan avisado.
JULIÁN: Lola, Andrew y Begoña son adultos y saben lo que hacen. Relájate.
LOLA: Pero es que no lo entiendo. ¿3 _____ **conmigo Begoña?**
JULIÁN: No, no lo creo. Begoña y tú sois muy buenas amigas.

8a *Las bicicletas son para el verano*, publicada en 1984, es una obra de teatro escrita por Fernando Fernán-Gómez, actor, director y escritor español, miembro de la Real Academia Española. La acción de la obra transcurre durante la guerra civil española. ¿Qué sabes tú de este acontecimiento? Distingue las afirmaciones verdaderas (V) de las falsas (F).

V · F

1 La guerra civil española duró cinco años, de 1936 a 1941.
2 Un alzamiento militar en Marruecos, protagonizado por un general llamado Francisco Franco, fue el inicio de la guerra.
3 España estaba dividida en dos bandos: los republicanos y los nacionalistas.
4 Ni las Brigadas Internacionales ni las tropas alemanas e italianas ofrecieron ayuda a los bandos enfrentados durante la guerra.
5 Después de la guerra, muchos españoles emigraron a otros países de Europa y de Hispanoamérica.
6 Muchos republicanos fueron llevados tras la guerra a campos de concentración.
7 Las fuerzas nacionalistas ocuparon Madrid a finales de marzo de 1942 y el general Franco declaró el fin de la guerra.

b Antes de leer, asegúrate de que conoces el significado de las palabras del cuadro.

▶ *trinchera*	▶ *sindicato*	▶ *población civil*
▶ *mina*	▶ *incautar*	▶ *caudillo*
▶ *batalla*	▶ *quinta*	▶ *depuración*
▶ *detener a alguien*	▶ *abastecimiento*	▶ *campos de concentración*

Don Luis: Aquello era el Hospital Clínico. Fíjate cómo ha quedado.

Luis: Eso es una trinchera, ¿no?

Don Luis: Claro. Te advierto que quizá sea peligroso pasear por aquí. Toda esa zona estaba minada.

Luis: Pero ya lo han limpiado todo. Lo he leído en el periódico. ¿Sabes, papá? Parece imposible... Antes de la guerra, un día paseamos por aquí Pablo y yo... Hablábamos de no sé qué novelas y películas... De guerra, ¿sabes? Y nos pusimos a imaginar aquí una batalla... Jugando, ¿comprendes?

Don Luis: Sí, sí...

Luis: Y los dos estábamos de acuerdo en que aquí no podía haber una guerra. Porque esto, la Ciudad Universitaria, no podía ser un campo de batalla... Y a los pocos días, fíjate...

Don Luis: Sí, se ve que todo puede ocurrir... Oye, Luis, yo quería decirte una cosa... **Es posible que me detengan**...

Luis: ¿Por qué, papá?

Don Luis: Pues... no sé... Pero están deteniendo a muchos... Y como yo fundé el sindicato... Y nos incautamos de las Bodegas...

Luis: Pero ¿eso qué tiene que ver? Era para asegurar el abastecimiento a la población civil... Era un asunto de trabajo, no de política. Y aunque lo fuera: el Caudillo ha dicho que los que no tengan las manos manchadas de sangre...

Don Luis: Ya, ya... Si a lo mejor no pasa nada... Pero están deteniendo a muchos, ya te digo, por cosas como ésa... Yo lo que quería decirte, precisamente, es que no te asustaras... **Creo que hacen una depuración** o algo así...

Luis: ¿Y eso qué es?

Don Luis: Pues... todavía no se sabe bien... Llevan a la gente a campos de concentración...

Luis: ¿Como a los de las últimas quintas?

Don Luis: Sí, algo así. Pero por estas cosas **supongo que, al fin, acabarán soltándonos**...

Luis: Papá, hablas como si ya te hubieran detenido.

Don Luis: Bueno, yo lo que quiero decirte es que, si pasa, no será nada importante. Pero que, en lo que dure, tú eres el hombre de la casa. Tu madre y tu hermana calcula cómo **se pondrían** las pobres... Tú **tendrías** que animarlas.

Luis: No sé cómo.

Las bicicletas son para el verano, Fernando Fernán-Gómez.

c Después de leer el fragmento de la obra, ¿puedes responder
a estas preguntas? Elige en cada caso la respuesta correcta.

1 ¿Qué relación hay entre Don Luis y Luis?
☐ Son padre e hijo.
☐ Son amigos.
☐ Son profesor y alumno.

2 ¿En cuál de estos momentos crees que tiene lugar la conversación?
☐ Antes de empezar la guerra.
☐ Durante la guerra.
☐ Después de la guerra.

3 ¿Qué le comunica Don Luis a Luis?
☐ El fin de la guerra.
☐ La posibilidad de que lo detengan.
☐ La muerte de un familiar.

4 ¿A cuál de los bandos enfrentados crees que pertenece Don Luis?
☐ Al de los nacionalistas.
☐ Al de los republicanos.
☐ A ninguno de los dos.

5 ¿Qué medidas toma el gobierno con aquellos que se muestran
contrarios al régimen?
☐ El gobierno detiene y lleva a mucha gente a campos de concentración.
☐ El gobierno mina varias zonas de la ciudad.
☐ El gobierno prepara las próximas elecciones.

d Localiza en el fragmento las hipótesis que formula Don Luis sobre
su futuro. Fíjate en las expresiones destacadas, te pueden ayudar.

1 *Es posible que me detengan...*
2 _____ .
3 _____ .

1, 2

e Presta atención a las dos últimas intervenciones del fragmento. Fíjate
en las expresiones destacadas. ¿Por qué crees que Don Luis utiliza aquí
el condicional?

11, 12

DON LUIS: Bueno, yo lo que quiero decirte es que, si pasa, no será nada importante.
Pero que, en lo que dure, tú eres el hombre de la casa. Tu madre y tu hermana
calcula cómo **se pondrían** las pobres... Tú **tendrías** que animarlas.
LUIS: No sé cómo.

☐ Porque habla de una situación real, que existe ya de hecho.
☐ Porque habla de una situación hipotética, posible.

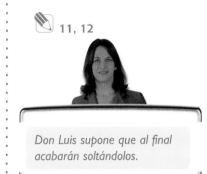

*Don Luis supone que al final
acabarán soltándolos.*

Recursos

INVITAR AL INTERLOCUTOR A QUE FORMULE HIPÓTESIS

Me pregunto qué habrá pasado.
No sé qué habrá pasado. ¿Tú qué crees?
¿Tú qué crees que ha pasado?
¿Estará enfadada conmigo?
¿Estarían enfadados por algo?
¿Habrá ocurrido algo malo?

Es muy probable
que le guste
a Andrew.

FORMULAR HIPÓTESIS

| Posiblemente
Es muy probable
No creo
Puede
Es posible | } + que } + [subjuntivo] | *Posiblemente no haya venido.*
Es probable que no haya venido.
No corras. No creo que haya venido todavía.
Puede que pase esta tarde por tu casa.
Es posible que haya visto a alguien conocido. |

| [futuro]
[futuro compuesto]
[condicional] | *Todavía no ha llegado. Estará trabajando.*
Habrá visto a alguien.
¿Llegó tarde a casa? Saldría tarde del trabajo. |

• Preguntarse por las consecuencias de una situación hipotética:

| ¿Y si...?
Pongamos
Supongamos
Imaginemos | } + que | *¿Y si dice que no? ¿Qué le digo entonces?*
Pongamos que no vienen. ¿Qué haríamos?
Supongamos que no acabarán pronto.
Imaginemos que tienes razón. ¿Cómo lo solucionamos? |

• Introducir hipótesis que el hablante considera muy posibles

| Debe de + [infinitivo]
Tiene que + [infinitivo]
Con toda seguridad | *Debe de estar en casa.*
No sé dónde está. Tiene que estar en casa.
Con toda seguridad llegaremos a las nueve de la noche. |

FUTURO IRREGULAR §24

Ya viste la forma regular de este tiempo en la lección 7 del nivel intermedio.

- En los verbos irregulares cambia la raíz del verbo, pero no las terminaciones. Recuerda que la terminación siempre es:

-é
-ás
-á
-emos
-éis
-an

- Los principales verbos irregulares son:

decir → **diré**...	saber → **sabré**...	venir → **vendré**...
hacer → **haré**...	poder → **pondré**...	tener → **tendré**...
haber → **habré**...	poner → **pondré**...	salir → **saldré**...

CONDICIONAL SIMPLE §16

- Tiene las mismas terminaciones para todos los verbos:

-ía
-ías
-ía
-íamos
-íais
-ían

- Los verbos irregulares son los mismos que en *futuro*, y también sólo cambia la raíz, no las terminaciones:

decir → **diría**...	saber → **sabría**...	venir → **vendría**...
hacer → **haría**...	poder → **podría**...	tener → **tendría**...
haber → **habría**...	poner → **pondría**...	salir → **saldría**...

- Entre otros usos, se utiliza para formular hipótesis sobre un momento pasado:

> 💬 *¿Por qué no llamó a casa?*
> 💬 ***Llamaría*** *cuando estábamos en la calle.*

- Formular hipótesis sobre algo de lo que no estamos seguros en el pasado. Si no queremos expresar probabilidad, se usa el pasado *imperfecto* o *indefinido*.

> *¿**Iría** al concierto ayer?* ↔ *¿**Fue** al concierto ayer?*
> *¿**Estaría** enfadado cuando me lo dijo?* ↔ *¿**Estaba** enfadado cuando me lo dijo?*
> *Yo creía que **iría** a casa.* ↔ *Creo que **fue** a casa.*

- Suavizar afirmaciones o consejos:

> *Yo **diría** que es el mejor pintor del siglo XX.*
> ***Tendrías** que escuchar este disco. Es magnífico.*

- **FUTURO COMPUESTO**
- **VERBOS CON PREPOSICIÓN**

- **FUTURO COMPUESTO** §17
- **VERBOS CON PREPOSICIÓN** §11

¿Irías de paseo conmigo?

Evaluación

1 ¿Puedes completar este correo? Elige en cada caso la opción que te parezca más adecuada.

Para: paula@medalagana.com
Asunto: Sin noticias de Pablo

¡Hola, Paula!

Te escribo porque estoy un poco preocupada. Llevo más de una semana intentando hablar con Pablo, pero no hay manera. ¿Le **1** _____ algo? No creo que **2** _____ ningún problema grave, pero como no responde a ninguno de mis mensajes... ¿Tú **3** _____? Es **4** _____ que tenga más trabajo del habitual; con la preparación de su próxima **5** _____ de cuadros en Bogotá debe de **6** _____ muy ocupado. Sí, **7** _____ toda seguridad será eso. Además, Pablo llevaba muchos años **8** _____ esta oportunidad. ¡No sé por qué me preocupo tanto! ¿**9** _____ a casa mientras yo estaba en el trabajo? No lo sé, igual ha llamado pero no ha dejado ningún mensaje en el contestador.

Cuando él vuelva de Colombia, yo ya **10** _____ para México. Voy a participar en un encuentro de jóvenes **11** _____ hispanoamericanos. ¡No veré a Pablo hasta dentro de un mes! Tengo muchas ganas de hablar con él. La exposición **12** _____ un éxito. Pero, ¿**13** _____ Pablo se queda a vivir allí y ya no vuelve? Bueno, de momento, como no sé nada seguro, es mejor no pensar en esa **14** _____. Esto son sólo hipótesis.

No sé exactamente el día, pero yo **15** _____ que vuelve a finales de la semana que viene. Si hablas con él, ¿puedes saludarlo de mi parte?
Gracias, Paula. Un abrazo y ¡hasta pronto!

Pepa.

1	☐ ocurrir	☐ habrá ocurrido	☐ ocurrió
2	☐ tuvo	☐ tiene	☐ tenga
3	☐ qué crees	☐ qué haces	☐ qué harás
4	☐ supongamos	☐ pongamos	☐ posible
5	☐ concierto	☐ festival	☐ exposición
6	☐ estaba	☐ estar	☐ está
7	☐ con	☐ a	☐ en
8	☐ desconfiando con	☐ fijándose en	☐ soñando con
9	☐ llamar	☐ habrá llamado	☐ llama
10	☐ saldré	☐ habré llegado	☐ habré salido
11	☐ artistas	☐ ritmos	☐ discos
12	☐ fue	☐ es	☐ habrá sido
13	☐ y	☐ y si	☐ y no
14	☐ realidad	☐ oportunidad	☐ posibilidad
15	☐ diría	☐ digo	☐ diré

3

lecciòntres3

¡Vivan los novios!

En escena

Casarse o ser soltero, he aquí la cuestión. ¡Vivan los novios! ¿Existe una edad ideal para casarse? ¿Crees que las tareas domésticas están repartidas por igual entre hombres y mujeres?

¿Te cuidas? ¡Sigues una dieta equilibrada? ¡Practicas deporte de vez en cuando? ¡Llevas una vida sana en todos los aspectos? Cuidarse es importante, aunque también lo es dejarse cuidar. No te vayas. Andrew, Begoña y Lola saben cómo cuidarse y llevar un buen ritmo de vida. De ellos puedes aprender mucho. ¡Síguelos!

¡Vivan los novios!

En esta lección vas a aprender:

• Cómo oponer, contrastar y comparar ideas y propuestas

1a ¿Casarse o quedarse soltera? ¿Tú qué opinas? Lola y Begoña hablan sobre el matrimonio. Antes de escucharlas, imagina a cuál de ellas corresponden las siguientes opiniones. Después, para comprobar tus respuestas, escucha su conversación.

	Begoña	Lola
1 Cree que si su amiga se casa ya no estará en la compañía de teatro.	☐	✓
2 Espera que cuando su compañera sea famosa sigan siendo amigas.	☐	☐
3 Ella se quejará de su vida de casada y su amiga, de su vida de soltera.	☐	☐
4 No imagina a su amiga casada.	☐	☐
5 Piensa que el matrimonio es un mal negocio para la mujer.	☐	☐
6 Nadie le ha pedido que se case con él.	☐	☐

b ¿Qué crees que significa la afirmación "el matrimonio es un mal negocio para la mujer"?

☐ La mujer cuando se casa no puede hacer ningún negocio.
☐ La mujer cuando se casa fracasa en su negocio.
☐ Para la mujer casarse tiene más desventajas que ventajas.

c Ahora lee las siguientes frases e intenta completarlas con la palabra adecuada del cuadro.

 4, 7, 9, 10

> en cambio • ~~pero~~ • mientras que • no… sino
> no… pero • sin embargo

1 A Begoña le gusta la idea de casarse, *pero* a Lola no.
2 Lola _____ quiere casarse, _____ Begoña sí.
3 Begoña cree en el matrimonio, _____ Lola cree que es un mal negocio.
4 A Lola no le gusta el matrimonio, _____ le gustaría que algún chico le pidiera casarse con él.
5 A Begoña, Chema le ha pedido que se case con él, _____ a Lola no se lo ha pedido nadie hasta el momento.
6 Los padres de Begoña _____ están separados _____ divorciados.

d Fíjate en las expresiones del cuadro del ejercicio anterior. ¿Para qué crees que sirven? Marca la opción adecuada.

☐ Para oponer ideas.   ☐ Para expresar opinión.   ☐ Para expresar desacuerdo.

2a Vamos a leer un artículo, pero antes fíjate en el título, *Coser y cantar*. ¿Por qué no intentas adivinar el tema? Elige una de estas posibilidades.

- ☐ Los beneficios económicos de una empresa de costura.
- ☐ La situación de desigualdad de la mujer y el trabajo doméstico.
- ☐ Las aficiones de la gente en su tiempo libre.

b En el artículo aparecen varias expresiones. Antes de leerlo, ¿por qué no te aseguras de que las conoces? Después comprueba tus respuestas leyendo el artículo.

1 Tener apego:	☐ Pegar algo.	☑ Tener cariño por algo.	☐ Tener manía a algo.
2 Alertar:	☐ Avisar de algo.	☐ Llamar a alguien.	☐ Asustar a alguien.
3 Verse abocado:	☐ Estar expuesto algo.	☐ Estar cansado.	☐ Sentir miedo.
4 Asumir:	☐ Entender.	☐ Aceptar.	☐ Sumar.
5 Contribuir a:	☐ Ayudar.	☐ Pagar.	☐ Contar.
6 Contar con:	☐ Restar.	☐ Sumar.	☐ Tener en cuenta.
7 Llevar a cabo:	☐ Transportar algo.	☐ Realizar algo.	☐ Acabar algo.
8 Dejar al descubierto:	☐ Descubrir, mostrar.	☐ Ocultar.	☐ Evitar.

abc .es

Netscape:

Back Forward Reload Home Search Netscape Images Print Security Shop Stop

Go To:

What's Rela

Coser y cantar

El europeo del siglo XXI presume de independencia, apego a la familia y respeto a la igualdad de sexos. Pero resulta que lo que dice e tá muy lejos de ser una realidad cuando el varón tiene que planchar las camisas o coser un botón; en esa hora de la verdad, en la qu hay que poner en práctica la teoría de compartir todas las tareas domésticas. En España las mujeres emplean diariamente un promed de siete horas y media en las tareas domésticas, **mientras que** los hombres dedican tres horas.

Pero estos problemas no son diferentes **en comparación con** el resto de Europa, y por ello la Unión Europea (UE) estudia crear una nu va asignatura en los colegios que enseñe a chicos y chicas a planchar, cocinar, coser, lavar o cuidar un bebé. En nuestro país, un estud ya alertaba de que las niñas en edad escolar se verán abocadas a la misma situación de desigualdad que sus madres. Una conclusió destacada del informe es que «cualquiera que sea la edad y el orden de nacimiento de las hijas, ellas siempre dedican más tiempo al tr bajo doméstico **frente al** que dedican los varones». Eso, entre los que ayudan, pues los jóvenes varones hasta los 18 años rara vez, o nu ca, hacen la cama, limpian la casa, tienden la ropa, cocinan o friegan los platos.

Entretanto, muchos ciudadanos en España asumen la sobrecarga de trabajo de las mujeres. El 91 por ciento de los ciudadanos está de acue do en que tanto el hombre como la mujer deberían contribuir a los ingresos familiares. Esto sin contar con que la «liberación femenina» se está llevando a cabo en muchos casos por una mayor implicación de los hombres, **sino** a través de la contratación de terceros (servic doméstico), personas que padecen con frecuencia situaciones de subempleo y que en abrumadora mayoría son también mujeres.

Se están haciendo notables esfuerzos en España para, al menos, dejar al descubierto la elocuente realidad social. Y para que se valore **agotador que es** este trabajo no pagado. Ya **no sólo** se trata de cuestiones cotidianas que se ignoran mientras se tienen resueltas y q sólo se valoran cuando recaen sobre los propios hombros, **sino** que tras la fregona subyacen fundamentos económicos de important capital. Si se consideraran esas horas laboradas, pero no remuneradas, a un 80 por ciento del precio de las horas pagadas, el Produc Interior Bruto (PIB) de España se incrementaría en un 102 por ciento.

Texto adaptado de *ABC, Especiales*, noviembre de 2000, http://www.abc.

c Intenta descubrir en el artículo las nueve tareas domésticas que
se mencionan. Atención: aunque algunas aparecen repetidas, en la lista
tú sólo tienes que escribirlas una vez.

1 *planchar las camisas*   4 _____   7 _____
2 _____   5 _____   8 _____
3 _____   6 _____   9 _____

d Ahora seguro que ya puedes contestar a estas preguntas.

1 ¿De qué presume el europeo del siglo XXI?
De independencia, apego a la familia y respeto a la igualdad de sexos.
2 ¿Cuántas horas dedican las mujeres a las tareas domésticas? ¿Y los hombres?
_____.
3 ¿Qué estudia crear la Unión Europea (UE) en los colegios?
_____.
4 ¿Cuál es el problema de los chicos hasta los 18 años con relación a las tareas
domésticas? _____.

e Completa las frases que tienes a continuación con la expresión
correspondiente del cuadro.

en comparación con • se parece a • frente a • comparando con
distinta de • a diferencia de

1 La situación de desigualdad de la mujer en España no es diferente *en comparación
con* el resto de Europa.
2 En cuanto a las tareas domésticas, las mujeres trabajan muchas más horas
_____ las que trabajan los hombres.
3 _____ los niños, las niñas ayudan en casa con las tareas domésticas.
4 La situación que viven las mujeres en España _____ la que viven las
mujeres del resto de países de Europa.
5 La situación de desigualdad de las mujeres en Europa no es muy _____
la que viven las mujeres de otros países del mundo.
6 _____ los hombres, las mujeres trabajan mucho más en casa.

f ¿Para qué sirven las expresiones del cuadro del ejercicio anterior?

☐ Para expresar alegría.   ☐ Para comparar ideas.   ☐ Para expresar duda.

g Fíjate en la frase que tienes a continuación y en el destacado.
¿Cuál crees que es la intención del autor del artículo?

*Y para que se valore **lo agotador que es** este trabajo no pagado.*
☐ Llamar la atención del lector sobre la dureza del trabajo doméstico.
☐ Manifestar que el trabajo doméstico no es nada cansado.

El 91% de la población cree
que hombres y mujeres
deben contribuir a la
economía familiar.

🖎 4, 7, 9, 10

🖎 1, 12

Lo mejor de Begoña es su
simpatía.

3a Hace poco Chema le mandó un regalo a Begoña por correo: un anillo
de compromiso. Andrew está un poco preocupado, teme que esto cambie
los sentimientos de Begoña hacia él. Antes de escuchar cómo habla con
Julián, ¿podrías distinguir las afirmaciones verdaderas (V) de las falsas (F)?

1 Begoña le confesó a Andrew que seguía enamorada de Chema.
2 Begoña no se quita el anillo de Chema ni para dormir.
3 Julián cree que la solución es comprarle un anillo más caro a Begoña.
4 Andrew se quiere casar.
5 Julián no se quiere casar.
6 Julián piensa que el amor está por encima del matrimonio.

V	F
	✓

 4, 7, 9, 10

b ¿Qué consejo le da Julián a su amigo? ¿Y cómo reacciona Andrew? Vuelve
a escuchar cómo hablan los chicos y presta atención a sus intervenciones
finales. ¿Puedes completarlas?

JULIÁN: Le tendrás que comprar un anillo **1** _más caro._
ANDREW: **2** _____ yo no me quiero casar.
JULIÁN: ¿No? Yo tampoco. ¿Qué es el matrimonio **3** _____ amor?

 4, 7, 9, 10

c Ahora, presta atención al diálogo del ejercicio anterior y descubre
qué se expresa en cada caso.

En la frase n.° ___ se compara el matrimonio con el amor.
En la frase n.° ___ se manifiesta oposición al hecho de casarse.
En la frase n.° _1_ se afirma la necesidad de comprar un anillo más caro que el que
tiene Begoña.

 1, 12

d Completa las frases de la columna de la izquierda con las expresiones
del cuadro. Luego relaciona las dos columnas.

> lo caro que es • lo de • ~~lo peor~~ • lo del anillo

1 Andrew se imagina _lo peor_. Piensa → a **Lo** se utiliza para referirse a las
que Begoña se casará al final con   características de un adjetivo de forma
Chema.   abstracta.

2 Andrew le cuenta a Julián _____   b **Lo** se emplea para expresar con
Begoña, necesita hablar con alguien.   intensidad a una cualidad.

3 Julián sabe algo de _____ de   c **Lo** se usa para referirse a un tema
Begoña, pero no conoce todos los   conocido por la persona con quien se
detalles.   está hablando.

4 Julián no sabe _____ el anillo   d **Lo** se utiliza para referirse explícitamente
que Chema le ha regalado a Begoña.   a un tema que la otra persona ya conoce.

4a Vamos a escuchar cómo hablan dos vecinas del piso de los chicos. Las dos se encuentran en la puerta del ascensor. Antes de escuchar la conversación asegúrate de que conoces las siguientes palabras. Si desconoces alguna, consulta las soluciones.

▶ *rebajas* ▶ *llenita* ▶ *morir* ▶ *afectada* ▶ *cuidarse* ▶ *insistir*

b En la conversación se menciona el nombre de tres personas. Escúchala y di a quién de ellas se refiere cada una de las siguientes frases.

1 *María* no encuentra nada que le quede bien.
2 _____ la ve muy bien.
3 _____ y _____ están preocupadas por su vecina Pili.
4 _____ no tiene a nadie, sólo a sus vecinas.
5 _____ siempre ha sido una mujer fuerte.

4, 7, 9, 10

c Aquí tienes algunas de las intervenciones que aparecen en la conversación. Intenta completarlas con las expresiones del cuadro. Después, escucha de nuevo cómo hablan las dos vecinas para comprobar tus respuestas.

de lo que yo pensaba • lo más duro • más llenita • igual que
tanto como • más afectada • igual de mayor que • no es tan fácil como

1 MARÍA: Creo que estoy **un poco** *más llenita* **de lo que estaba** el año pasado, pero **como** _____ siempre.
2 MARÍA: Yo ya **no hablo con ella** _____ **antes**.
3 ROSA: Sí, sí, la he visto y la verdad es que **está peor** _____, pero es normal, cualquiera en su lugar estaría igual.
4 MARÍA: Por lo que me cuentas Pili **está** _____ **de lo que yo creía**, y eso que siempre ha sido una mujer muy fuerte...
5 ROSA: No, María, que Pili es _____ tú y que yo.
6 MARÍA: Ah, sí, tienes razón. De todas formas, _____ **de esta situación**, como te digo, es que no tiene a nadie.
7 ROSA: Sí, pero a veces **ayudar** _____ **parece**, no sabes si es mejor visitarla todos los días o esperar a que ella pida ayuda.

d ¡Vamos a reflexionar! Fíjate en las estructuras con las que has completado las intervenciones del ejercicio anterior. ¿Para qué crees que se utilizan?

☐ Para expresar alegría.
☐ Para comparar.
☐ Para manifestar sorpresa.

4, 7, 9, 10

1, 2, 3,
4, 5, 7,
9, 10, 12

5a Daniel es un chico español que lleva estudiando en Estados Unidos un tiempo. Ésta es la carta que le ha escrito a un amigo suyo contándole su experiencia. Antes de leerla, ¿de qué temas crees que le hablará a su amigo?

☐ Política   ☐ Gente joven   ☐ Comida   ☐ Arquitectura
☐ Animales   ☐ Familia   ☐ Medios de transporte

> Querido Javier:
> En tu último mensaje me preguntas si EE.UU. es muy diferente de España. Pues sí, lo es.
> Para empezar, **lo de la comida rápida** no me gusta nada. Menos mal que en casa me puedo preparar mi tortilla de patatas, aunque, claro, no **es tan buena como** la de mi madre. Una cosa que me choca bastante es que para desayunar **comen muchísimo más que nosotros**. ¿Tú podrías comerte un filete con patatas por la mañana? Pues ellos sí, y como si fuera la cosa más normal del mundo.
> Bueno, tú dices que yo camino poco, pero es que aquí viven pegados a su coche; sólo les falta vivir dentro de él. Por cierto, **pregunté según me dijisteis** sobre los precios de los coches y sí, efectivamente, comprar un coche **es mucho más barato de lo que yo pensaba**.
> Respecto a la familia, me da la impresión de que nosotros le damos **mucha más** importancia que los norteamericanos. Parece que aquí el concepto de familia **no es tan fuerte como** en España. Aquí lo normal es que los jóvenes, a partir de los 18 años, se vayan de casa de sus padres para estudiar o a trabajar en otro Estado del país.
> Bueno, Javier, me gustaría contarte más cosas sobre EE.UU., pero dentro de una hora empieza mi clase de inglés y no quiero llegar tarde, que aquí son muy puntuales.
> Espero que vaya todo muy bien,
> Daniel

b ¿Te gusta recorrer mundo? ¿Has viajado mucho? Respondiendo a las preguntas del cuestionario descubrirás el tipo de viajero que eres. Después, mira el resultado en las soluciones.

Cuando vas de viaje...	a: nunca	b: normalmente	c: siempre
1 te informas sobre el lugar de destino.	○	○	○
2 te adaptas a los horarios del lugar.	○	○	○
3 deseas relacionarte con los nativos.	○	○	○
4 preguntas todo lo que no sabes acerca del país.	○	○	○
5 te adaptas al tipo de alimentación.	○	○	○
6 llevas equipaje ligero para poder desplazarte sin dificultad.	○	○	○

c Tú también tienes mucho que contar. ¿Por qué no escribes una carta o un correo electrónico a un amigo explicándole tu experiencia en algún país extranjero que conozcas? Aquí tienes algunas pautas que te pueden ayudar.

• Compara alguno de estos aspectos con tu país: comida (tipo, cantidad, horarios, etc.), medios de transporte, estructura social (tipo de familia, jóvenes, etc.) y estilo de vida, sistema político, situación económica y otras cosas que te interesen o te sorprendan.

• No olvides que puedes usar los recursos que has visto en la lección.

Los españoles no utilizan demasiado el coche. En cambio, los estadounidenses lo necesitan todos los días.

6 **a** ¿Has pensado en casarte dentro de poco? Si es así, estos dos anuncios sobre banquetes de boda te pueden resultar útiles. Observa con detalle los servicios que te ofrecen y marca con una cruz donde corresponda.

4, 8

	Ninguno de los dos	SÍ, QUIERO	RESTAURANTE ALVARIÑO MATARÓ
1 Local climatizado	☐	✓	☐
2 Pistas de tenis	☐	☐	☐
3 Menús a gusto del cliente	☐	☐	☐
4 Una hora de aparcamiento gratuito	☐	☐	☐
5 Amplios jardines	☐	☐	☐
6 Menú a base de pescado	☐	☐	☐

b Uno, antes de decidirse, siempre compara diferentes opciones. ¿Por qué no comparas los servicios que ofrecen los dos restaurantes? Fíjate en los posibles elementos a comparar.

4, 7, 9, 10

1 Vistas panorámicas / local climatizado (mientras que)
El restaurante Alvariño _tiene vistas panorámicas, mientras que el restaurante Sí, quiero tiene local climatizado._

2 Amplios jardines / aparcamiento gratuito (sin embargo)
El restaurante Alvariño _____
_____

3 Menú a base de pescado / menús a su gusto (en cambio)
El restaurante Sí, quiero _____
_____

4 Se adapta al presupuesto / presupuesto establecido (mientras que)
El restaurante Alvariño _____
_____

7a En los fragmentos que hemos seleccionado de *La casa de Bernarda Alba* y *La colmena* las mujeres son las protagonistas. Los autores son Federico García Lorca, poeta y dramaturgo español, y Camilo José Cela, del que ya te hablamos en la primera lección.
Antes de empezar a leer, ¿a qué género crees que pertenece cada una de las obras?

	Poesía	Novela	Teatro
1 *La casa de Bernarda Alba*	☐	☐	☐
2 *La colmena*	☐	☐	☐

b Antes de leer, ¿por qué no te aseguras de que conoces estas palabras y expresiones? Únelas con su definición.

1 *viuda*
2 *respetar el luto*
3 *el ajuar*
4 *recién casada*
5 *estar hecha una ruina*
6 *ser una desdichada*

a conjunto de muebles, objetos y ropa que la mujer aporta al matrimonio.
b persona que se ha casado hace poco.
c tener consideración por la muerte de alguien
d tener mal aspecto.
e persona a quien se le ha muerto su cónyuge y no ha vuelto a casarse.
f ser infeliz, desgraciado.

BERNARDA: Niña, dame un abanico.
ADELA: Tome usted.
BERNARDA: ¿Es éste el abanico que se da a una viuda? Dame uno negro y aprende a respetar el luto de tu padre.
MARTIRIO: Tome usted el mío.
BERNARDA: ¿Y tú?
MARTIRIO: Yo no tengo calor.
BERNARDA: Pues busca otro, que te hará falta. En ocho años que dure el luto no ha de entrar en esta casa el viento de la calle. Haceros cuenta que hemos tapiado con ladrillos puertas y ventanas. Así pasó en casa de mi padre y en casa de mi abuelo. Mientras, podéis empezar a bordaros el ajuar. En el arca tengo veinte piezas de hilo con el que podréis cortar sábanas y embozos. Magdalena puede bordarlas.
MAGDALENA: Lo mismo me da.
ADELA: Si no quieres bordarlas, irán sin bordados. Así las tuyas lucirán más.
MAGDALENA: Ni las mías ni las vuestras. Sé que yo no me voy a casar. Prefiero llevar sacos al molino. Todo menos estar sentada días y días dentro de esta sala oscura.
BERNARDA: Eso tiene ser mujer.

MAGDALENA: Malditas sean las mujeres.
BERNARDA: Aquí se hace lo que yo mando. Ya no puedes ir con el cuento a tu padre. Hilo y aguja para las hembras. Látigo y mula para el varón.

La casa de Bernarda Alba, Federico García Lorca.

❧

Sonsoles tiene debilidad en la vista, tiene los párpados rojos; parece siempre que acaba de estar llorando. A la pobre, Madrid no le prueba. De recién casada estaba hermosa, gorda, reluciente, daba gusto verla, pero ahora, a pesar de no ser vieja aún, está ya hecha una ruina. A la mujer le salieron mal sus cálculos, creyó que en Madrid se ataban los perros con longanizas, se casó con un madrileño, y ahora que ya las cosas no tenían arreglo, se dio cuenta de que se había equivocado. En su pueblo, en Navarredondilla, provincia de Ávila, era una señorita y comía hasta hartarse; en Madrid era una desdichada que se iba a la cama sin cenar la mayor parte de los días.

La colmena, Camilo José Cela.

c Después de leer los dos fragmentos, contesta a las siguientes preguntas.

1 Una de las dos obras tiene por subtítulo *Drama de mujeres en los pueblos de España.*
¿Cuál de ellas crees que es?
☑ *La casa de Bernarda Alba.* ☐ *La colmena.*

2 ¿Cuál crees que es el tema de *La casa de Bernarda Alba?*
☐ La vida en la ciudad en comparación con la vida en los pueblos.
☐ La condición de la mujer en la sociedad española de la época.
☐ Los problemas de familia.

3 ¿Cuál de estas tres mujeres protagonistas representa el poder?
☐ Bernarda. ☐ Magdalena. ☐ Sonsoles.

4 ¿Cuál de estas frases manifiesta una actitud más autoritaria?
☐ *Niña, dame un abanico.* ☐ *Yo no tengo calor.* ☐ *Aquí se hace lo que yo mando.*

5 Según Bernarda, ¿cuánto tiempo van a estar de luto?
☐ Tres meses. ☐ Ocho años. ☐ Cinco años.

6 ¿En qué frase encontramos una actitud de rechazo a la condición de ser mujer?
☐ *Eso tiene ser mujer.* ☐ *Lo mismo me da.* ☐ *Malditas sean las mujeres.*

7 ¿Para cuál de estas tres mujeres el matrimonio no es tal y como esperaba?
☐ Bernarda. ☐ Magdalena. ☐ Sonsoles.

d A veces, cuando hablamos, utilizamos expresiones populares que contienen
consejos o reflexiones de tipo moral. Fíjate en esta frase que emplea
Bernarda: *Hilo y aguja para las hembras. Látigo y mula para el varón.*
Por el contexto, ¿podrías decir qué opina ella sobre la situación de la mujer?

☐ Hay un trabajo para la mujer ☐ Hombres y mujeres tienen que
y otro para el hombre. ocuparse por igual del trabajo doméstico.

e ¿Por qué no completas las frases con ayuda del cuadro?

el ajuar • está hecha una ruina • quedarse viuda • respetar el luto
es una recién casada • es una desdichada

Aquí se hace lo que yo digo —dice Bernarda.

1 Mi abuela, antes de casarse, estuvo meses confeccionándose *el ajuar.*
2 Para _____ tendría que vestir de negro.
3 Pues se casó hace dos días, o sea que apenas _____
4 Aún es joven, pero con todo lo que ha sufrido, _____, no sé si se va
a recuperar.
5 El año pasado se le murió el marido. Ella nunca imaginó _____ tan pronto.
6 Desde que se murió su padre no ha vuelto a ser feliz, _____.

Recursos

EXPRESAR OPINIÓN, CONTRASTE Y COMPARACIÓN DE IDEAS

> 💬 *En los últimos quince años, la sociedad no ha cambiado mucho.*
> 💬 *Sí, en cambio la familia ha cambiado mucho.*
>
> 💬 *En España es normal tener sólo un hijo.*
> 💬 *Sí, mientras que en mi país es normal tener cuatro.*

OPOSICIÓN

Lo que plantea este artículo es muy interesante.

Cierto, lo difícil es el vocabulario que emplea.

- Para expresar oposición de ideas:

Pero No … pero	*Nací en Valladolid, **pero** vivo en Santander.* ***No** nací en Santander, **pero** vivo aquí desde hace muchos años.*

- Primero niega lo que se acaba de decir y después presenta la información nueva:

No … sino	***No** nací en Santander, **sino** en Valladolid.*

- Indica que dos informaciones nuevas son distintas:

En cambio Sin embargo Mientras que	*En Bilbao, la vida es muy cara. **En cambio**, en Jaen la vida es más barata.* *En Alemania, la gente se acuesta a las once. **Sin embargo**, en España se acuesta a las doce.* *Algunas personas son vegetarianas, **mientras que** la mayoría no lo es.*

LO

- Se usa para referirse de forma abstracta a las características de un *adjetivo*. Este *adjetivo* sólo puede ir en su forma masculina:

Lo + [adjetivo]	*Tranquilo, **lo difícil** ya se ha acabado.*

- Sirve para referirse a un tema que no es necesario detallar porque ya lo conocen los interlocutores. También se usa si no se quiere nombrar directamente algo:

Lo de + [nombre]	***Lo de Isabel** es increíble.*

- Para referirse explícitamente a algo ya conocido:

Lo de + [infinitivo]	***Lo de salir** tarde no me parece una buena idea.*

- Para expresar una cualidad con intensidad:

Lo + { [adjetivo] [adverbio] } + que + [verbo]	*¿Ves **lo bonito que es** este restaurante?* *No te imaginas **lo mal que hizo** el examen.*

COMPARACIÓN

- Éstas son algunas expresiones para comparar:

En comparación con	*En comparación con tu ciudad, la vida aquí es más tranquila.*
Comparando con	*Comparando con los demás, lo que haces está muy bien.*
A diferencia de	*A diferencia de Sandra, yo nunca he hablado mal de ti.*
Frente a	*Las mujeres dedican más tiempo al trabajo del hogar frente al que dedican los hombres.*
Parecerse a	*La vida aquí se parece bastante a la de tu ciudad.*
Es distinto/a a	*La vida aquí es distinta a la de tu ciudad.*
Es distinto/a de	*El aire en el campo es distinto del de la playa.*

- Expresar comparaciones de superioridad o inferioridad:

[verbo] + { más / menos } + ([nombre]) + de + [artículo] + que + [verbo]

*Gasta **más** dinero **del que** gana.*
*Trabajo **menos** horas **de las** que trabajaba antes.*
*Trabaja **menos de lo que** dice.*

Es + { más / menos } + [adjetivo] + de lo que + [verbo]

*Irene **es más** lista **de lo que** piensas.*
*Es menos peligroso **de lo que** parece.*

Es + { mejor / peor } + de lo que + [verbo]   *Es mejor de lo que pensaba.*

Lo + { más / menos } + [adjetivo] + de   *Lo más interesante de este trabajo es viajar.*
*Viajar es **lo más interesante de** este trabajo.*

- Expresar comparaciones de igualdad:

Es igual de + { [adjetivo] / [adverbio] } + que   *Es igual de alto que yo.*

[verbo] + { tanto como / lo mismo que / igual que }

*Viajo **tanto como** antes.*
*Viajo **lo mismo que** tú.*
*Trabajo **igual que** antes.*

- Expresar que una acción influye en otra de forma progresiva:

Cuanto + { más / menos } + [verbo], + { más / menos } + [verbo]

Cuanto más trabajo, más dinero gano.
Cuanto más trabajo, menos descanso.

- SUBORDINADAS MODALES
- *UNO, UNA, CUALQUIERA*
- AGRUPACIONES DE INDEFINIDOS

§

- SUBORDINADAS MODALES §48
- *UNO, UNA, CUALQUIERA* §38
- AGRUPACIONES DE INDEFINIDOS §39

Cuanto más la leo, más me gusta la postal que me escribió Julián.

1 Ana ha escrito una carta a Rosa contándole cómo le va la vida. El problema es que se han perdido algunas palabras. ¿Nos ayudarías a escribir la carta otra vez? Escoge la más adecuada de las tres opciones.

Querida Rosa:

¡Qué alegría recibir noticias tuyas!
Hay que ver cómo pasa el tiempo; tú soltera y sin compromiso y yo, **1** _____, ya estoy casada y con un hijo. ¡Madre mía! Oye, **2** _____ y sin compromiso es broma, ¿eh? Que ya sé que luego tú te enfadas y... Aparte, con Fede te va **3** _____ creías, ¿no?

Por cierto, **4** _____ por las noches lo llevo bien. **5** _____ amigas mías que, como yo, están casadas, yo salgo **6** _____ ellas. **7** _____ claro, también se entiende que **8** _____ no pueda salir si no tiene una madre **9** _____ la mía, que no le importa quedarse las noches del sábado cuidando del niño.

10 _____ la madre de Álex nos puede ayudar **11** _____ que la mía porque su marido está enfermo desde hace tiempo.

¡Ah! Le comenté lo del ordenador a Julián, tal y **12** _____ me dijiste, y dice que lo mirará, **13** _____ si conoces a **14** _____ que entienda sobre el tema, pregúntale, porque a veces **15** _____ sólo no ve el problema, ¿vale?

Bueno, chica, me toca prepararle el biberón al niño. Espero saber de ti muy pronto.
Besos,
Ana.

1 ☐ en cambio	☐ pero	☐ mientras
2 ☐ lo que soltera	☐ lo de soltera	☐ lo soltera
3 ☐ más mejor de lo que	☐ poco mejor de lo que	☐ mucho mejor de lo que
4 ☐ lo de salir	☐ la salida	☐ lo de que salgo
5 ☐ La diferencia	☐ A diferencia de	☐ En diferencia a
6 ☐ bastante más que	☐ muy más que	☐ bastante más de
7 ☐ aún	☐ sino	☐ pero
8 ☐ uno	☐ una	☐ alguien
9 ☐ tan dispuesta como	☐ muy dispuesta como	☐ más dispuesta como
10 ☐ A pesar	☐ En cambio	☐ En comparación
11 ☐ menos	☐ más	☐ igual que
12 ☐ como	☐ si	☐ sin
13 ☐ pero	☐ en cambio	☐ sino
14 ☐ alguien más	☐ nadie más	☐ poco más
15 ☐ una	☐ cualquiera	☐ uno

1 Elige la mejor opción para cada caso.

1 — Por favor, date prisa que llegamos tarde a la reunión.
  — Tranquila, no creo que los demás _____ todavía.
  - ☐ han llegado
  - ☐ llegaran
  - ☐ hayan llegado

2 — Me he enterado de algo que no te vas a creer.
  — ¿_____ Isabel? Ayer me lo contó Pepi. Es increíble, ¿verdad?
  - ☐ De lo   ☐ Lo de   ☐ De la

3 — El concierto se ha suspendido. No sé qué habrá pasado. _____.
  — El cantante tendrá problemas de voz.
  - ☐ ¿Tú qué haces?
  - ☐ ¿Tú que sabes?
  - ☐ ¿Tú qué crees?

4 — Los jóvenes sólo pensáis en salir con los amigos y divertiros.
  — No, no es verdad que a los jóvenes sólo nos _____ pasarlo bien.
  - ☐ interese   ☐ interesaron   ☐ interesan

5 — ¿Ya has decidido qué vas a hacer con el trabajo nuevo que te han ofrecido?
  — _____, me interesa mucho, pero por otro tengo que viajar a menudo.
  - ☐ Y por esa razón
  - ☐ Por un lado
  - ☐ Sin duda alguna

6 Cuando decidamos comprar las entradas para el concierto, ya las _____ todas.
  - ☐ habrán vendido
  - ☐ venderían
  - ☐ han vendido

7 Mi marido trabaja en casa _____ yo. Nos hemos repartido las tareas domésticas.
  - ☐ que lo mismo
  - ☐ mejor de lo que
  - ☐ tanto como

8 La desigualdad femenina es un problema muy grave, _____ la situación de la mujer en la sociedad está mejorando poco a poco.
  - ☐ a diferencia de
  - ☐ mientras que
  - ☐ sin embargo

9 La vida de soltera es menos interesante _____ piensan las mujeres casadas.
  - ☐ de lo que
  - ☐ que lo de
  - ☐ lo de que

10 Creo que me he _____ ese cantante. ¡Es tan guapo y canta tan bien!
  - ☐ empeñado en
  - ☐ enamorado de
  - ☐ acordado de

Así puedes aprender mejor

¿Qué haces para recordar las palabras nuevas? ¿Las anotas en un cuaderno? ¿Revisas de vez en cuando este cuaderno? ¿Intentas usarlas después en otro contexto? ¿Intentas recordar su pronunciación? Si las escribes en un cuaderno, ¿sólo anotas su traducción? ¿Las organizas de alguna forma? Observa que puedes poner ejemplos en español para recordar mejor cómo se usan las palabras.

Palabra	Traducción	Ejemplo
debido a que	_____	Muchos jóvenes viven con sus padres **debido a que** su trabajo es eventual.
premio	_____	En 1997 ganó el **premio** Grammy con el disco...
sin embargo	_____	_____

Intenta completar el último ejemplo. ¿Te parece útil este sistema?

Diario de aprendizaje

Lo que me ha parecido más interesante de estas tres lecciones ha sido

y también que

He observado que la cultura española e hispanoamericana es diferente a la mía porque

Me ha costado esfuerzo

Cuando escucho conversaciones en español me siento

En las próximas lecciones tengo que practicar más

2 A cada una de estas frases se le ha perdido una palabra; nuestros amigos las han encontrado. ¿Te atreves a escribir las frases completas colocando la palabra perdida en su lugar correcto?

1 Yo, eso de salir hasta las seis de la mañana de vez en cuando no veo mal. **lo**

_____

2 ¿A tus padres no les parece bien vayas a vivir con tu novia? **que**

_____

3 Creo la competitividad entre los jóvenes es muy dura. **que**

_____

4 Encontrar un buen trabajo no es fácil como piensan algunos padres. **tan**

_____

5 No entiendo el arte abstracto me gusta. **pero**

_____

6 No sabe nunca si es mejor casarse o quedarse soltera. **una**

_____

7 ¿Te acuerdas los chicos de *Picadillo de Circo*? ¡Pues ahora son famosos! **de**

_____

8 El concierto toda seguridad habrá sido un éxito. **con**

_____

9 Lo comer sano está muy bien, pero si comes fuera de casa es muy difícil. **de**

_____

10 ¿Por qué te empeñas decir que te quedarás soltera?

_____

3 ¿Puedes completar el texto con las expresiones del cuadro?

> sin duda alguna • domésticas • soltera • piensa en • No crees que
> lavar la ropa • lo mejor es • más • inconformistas • mientras que

Ahora ya conoces un poco más a nuestros amigos. Son jóvenes, simpáticos, dinámicos e **1** _____. Todos son muy diferentes: Begoña sólo **2** _____ casarse, Lola, en cambio, es una **3** _____ convencida. ¿Y los chicos? Andrew baila rap, **4** _____ Julián prefiere los ritmos más latinos, como el cha-cha-chá. A veces compartir piso es **5** _____ difícil de lo que parece. Las tareas **6** _____ son cosa de ambos sexos, pero a los chicos lo de planchar, **7** _____ y hacer la cama no les gusta demasiado. ¿Por qué será?
Pero **8** _____ que a pesar de sus diferencias son muy buenos compañeros.
¿**9** _____ aprender español con ellos es una buena oportunidad?
10 _____, en su compañía te divertirás mucho.

bloquedos2

leción4
leción5
leción6

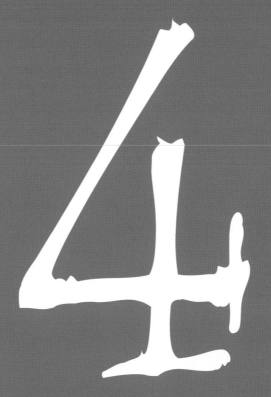

leccióncuatro4

¿Cómo nos relacionamos?

¿Cómo nos relacionamos?

Mantener buenas relaciones con otros países es imprescindible para la economía de un país.

Las relaciones internacionales son muy importantes en la política nacional.

¿Sabes qué países forman parte de Mercosur, el Mercado Común del Sur? Argentina, Brasil, Paraguay y Uruguay. ¿Crees que existen buenas relaciones entre España y Latinoamérica? ¿Te interesaría saber más sobre relaciones entre países? Parece que Begoña y Julián también están interesados en este tema. Vamos a conocer un poco más sobre todo esto con nuestros amigos.

• A juzgar y valorar ideas y propuestas
• Cómo reforzar ideas y señalar secuencia lógica

1a Vamos a escuchar a Lola, Julián y Andrew hablando sobre la Navidad. Antes de escuchar la conversación lee estas palabras y relaciónalas con su significado.

1 Hacerse rico
2 Turrón
3 Portal de Belén
4 Encargar
5 Reyes Magos

a Lugar donde según la Biblia nació Jesucristo.
b Solicitar un producto que queda reservado.
c Conseguir una situación económica muy buena.
d Reyes de Oriente que acudieron a adorar a Jesucristo recién nacido.
e Dulce típico de Navidad.

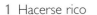

b Ahora escucha y di si estas frases son verdaderas (V) o falsas (F).

1 Lola dice que tienen que encargar el cava para la fiesta de Nochebuena.
2 Los Reyes Magos llegaron al portal de Belén porque les guió una estrella.
3 Lola quiere hacerse rica comprando acciones del negocio del turrón.

V F
☐ ☐
☐ ☐
☐ ☐

c Vuelve a escuchar la conversación. ¿Puedes contestar a estas preguntas?

1 ¿Cómo habría ido Julián al portal de Belén?
Habría ido en caballo.

2 ¿Para quién es el turrón que lleva Andrew?
_____

3 ¿Para qué les lleva Andrew el turrón?
_____

4 ¿Es verdad que Lola quiere ir a medias en el negocio del turrón con los padres de Andrew?
_____

5 Lola le dio a Andrew su primer trozo de turrón. ¿Eso le da derecho a hacerse rica, según Andrew?
_____

6 ¿Qué relación hay entre los árabes y el turrón?
_____

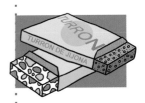

Lección 4 — En prensa

 6

2a Aquí tienes algunas palabras que aparecen en el texto que vas a leer a continuación. Asegúrate de que las conoces todas. Si desconoces alguna, mira en las soluciones. Allí encontrarás el significado de todas.

▶ *tras*   ▶ *vencer*   ▶ *fortalecimiento*   ▶ *advertir*
▶ *desafío*   ▶ *acordar*   ▶ *equidad*   ▶ *percepción*
▶ *integrar*   ▶ *cumbre*   ▶ *protocolo*

ƀ Vamos a reflexionar un poco sobre estás preguntas antes de leer el texto.

¿Con qué propósito crees que se hizo la primera cumbre iberoamericana?
¿Qué objetivos crees que tienen los países iberoamericanos después de la desaparición de las dictaduras?
¿Qué se advirtió en la declaración de Guadalajara?
¿Qué diferencias crees que hay entre lo que piensa mucha gente y lo que en verdad se consigue en estas cumbres?
¿Qué piensas sobre las inversiones que se realizan?

La Prensa WEB

Las cumbres en el tiempo

Durante la última década del siglo XX, las naciones iberoamericanas, tras la caída de las dictaduras, se han visto ante varios desafíos: mejorar los sistemas democráticos, respetar los derechos humanos, integrar la región, establecer intercambios comerciales y superar los problemas sociales.

Los «líderes» de los países de lengua y cultura ibérica a ambos lados del Atlántico se reunieron por primera vez en Guadalajara, México, en 1991 **con el propósito de** hacer sentir el papel de la comunidad iberoamericana en el mundo como una unidad cultural, económica y política con un peso específico. **Así**, los 21 presidentes latinoamericanos y los jefes de Estado de España y Portugal acordaron reunirse cada año en lo que llamaron Conferencia Iberoamericana de Jefes de Estado y de Gobierno, en distintas ciudades del continente y de la península Ibérica.

Los temas de la democracia, los derechos humanos, el comercio y los problemas sociales han centrado las agendas; **de esta forma** las cumbres se han convertido en un espacio de diálogo y reflexión sobre posiciones políticas y temas específicos.

En la Declaración de Guadalajara se advirtió que la comunidad iberoamericana se asienta en la democracia, en el respeto a los derechos humanos y las libertades fundamentales. En reuniones posteriores, los presidentes de las naciones iberoamericanas han defendido la necesidad de impulsar el diálogo norte-sur, el fortalecimiento del comercio y el crecimiento económico con «equidad social», han reiterado el respeto por el estado de derecho, el pluralismo político, la libertad de expresión y la necesidad de luchar contra la corrupción.

Estas reuniones de gobernantes levantan dudas y críticas sobre las soluciones que proponen. **Mucha gente tiene la impresión de que** la mayor parte de las iniciativas presentadas en las cumbres no ha pasado más allá del papel.

Pese a las percepciones populares, **la verdad es que** en estas cumbres hay más que protocolo. Hay proyectos e ideas que poco a poco van venciendo las resistencias de fronteras y dificultades presupuestarias. Unos 30 millones de dólares al año **han sido invertidos** en cooperación iberoamericana, a través de unos 15 programas y proyectos que se encuentran en marcha, muchos de los cuales se iniciaron tras la segunda cumbre en Madrid en 1992, año del V Centenario del Encuentro de Dos Mundos. La educación y en menor medida la cultura **han sido** muy **beneficiadas** por la cooperación surgida de las cumbres iberoamericanas.

Texto adaptado de *La Prensa Web*, Panamá, 16 de noviembre de 2000, http://www.sinfo.net/prensa

1, 2, 3

c Después de leer el texto, contesta a las siguientes preguntas.

1 ¿Con qué propósito se hizo la primera cumbre?
Querían hacer sentir el papel de la comunidad iberoamericana en el resto del mundo como una unidad económica, cultural y política.

2 ¿Qué objetivos tienen estos países después de la desaparición de las dictaduras?
_____

3 ¿Cuáles son los temas más importantes que se tratan en las cumbres?
_____

4 ¿Qué diferencias hay entre lo que cree la gente y lo que en verdad se consigue?
_____

5 ¿Qué dice el texto sobre las inversiones que se han realizado?
_____

d Estas expresiones aparecen resaltadas en el texto. Fíjate en su significado dentro del contexto e intenta completar estas frases con ellas. ¡Atención!, deberás transformar alguna.

3

> así • la verdad es que • de esta forma • tener la impresión de que
> ~~con el propósito de~~

1 20.000 personas se reunieron *con el propósito de* manifestarse.
2 El presidente aseguró que era mentira. Sin embargo, todos _____ mentía.
3 Es necesario que todos los jefes de gobierno asistan a las cumbres; _____ todos los países podrán estar representados.
4 Aunque mucha gente no cree en estas cumbres, _____ gracias a ellas se han puesto en marcha muchos proyectos.
5 El presidente se puso enfermo _____ que no fue a la reunión.

Según La Prensa Web, *muchos proyectos de cooperación se iniciaron tras la cumbre de Madrid en 1992.*

e Hemos agrupado las expresiones del *ejercicio 2d* y hemos añadido alguna más con el mismo uso. ¿Podrías completar las explicaciones con las expresiones a las que corresponden?

De esta forma... / Así...
Con el propósito de... / Con la intención de...

La verdad es que... / Lo que pasa es que...
Tener la impresión de que... / Estar convencidos de que...

1 Se utilizan para añadir información que confirma o refuerza lo que se acaba de decir: *De esta forma... / Así...*
2 Se emplea para reforzar la idea que se va a decir: _____
3 Se usan para hacer juicios y valoraciones: _____
4 Indican el propósito de lo referido en la oración principal: _____

Con buen oído Lección 4

Con buen oído

 6, 13

3a Vamos a escuchar cómo tres miembros de una ONG hablan sobre sus proyectos. ¿Sabes qué es una ONG? Señala la definición que te parezca más correcta.

☐ Grupo político que busca ayudas económicas para los países pobres.
☐ Asociación sin ánimo de lucro, que promueve acciones en países pobres para ayudar a su desarrollo.
☐ Empresa que dedica un tanto por ciento de sus beneficios a la ayuda al tercer mundo.

b Ahora, escucha y señala cuáles de estas expresiones aparecen en la conversación.

☐ Lo que conviene es que...
☐ Estoy convencido de que...
☐ No hace falta que...
☐ Tengo la impresión de que...

☐ No importa que...
☑ Lo que se podría hacer...
☐ Yo también lo veo así.
☐ Lo que pasa es que...

c Aquí tienes algunas expresiones más. ¿Puedes decir cuáles de las expresiones anteriores relacionarías con éstas?

1 Es igual que...   *No importa que...*
2 Creo que...   _____
3 No es necesario que...   _____
4 Estoy de acuerdo.   _____
5 Estoy seguro de que...   _____
6 Lo que sucede es que...   _____
7 Otra posibilidad sería...   _____
8 Lo que iría mejor es que...   _____

 13

d Aquí tienes un fragmento de una de las intervenciones de Inma, pero las frases están desordenadas. Vuelve a escuchar la conversación y ordénalas. Luego lee la intervención y señala las palabras que utiliza para ordenar el discurso.

☐ En primer lugar, se podría destinar a la creación de una escuela de agricultura en Colombia.
☐ Finalmente podríamos invertirlo en una escuela en El Salvador. Tenemos que decidir qué es más urgente.
☒ Tenemos una suma importante de dinero y tenemos que decidir para qué vamos a utilizarla. Hay varias posibilidades.
☐ Después, también se puede utilizar para formar a más enfermeras y enfermeros para los hospitales rurales de México.

Está claro que es injusto que los países pobres no reciban la ayuda que necesitan.

68 sesenta y ocho

4a Antes de escuchar la conversación en la que Begoña, Julián y Lola están jugando con unos amigos, vamos a fijarnos en estas palabras. ¿Podrías decir cuál de las dos palabras de la derecha es un sinónimo?

12

absurdo	☐ estúpido	☑ ilógico
colonizar	☐ conquistar	☐ ayudar
surgir	☐ aparecer	☐ salir
mezclar	☐ combinar	☐ separar
rasgo	☐ carácter	☐ característica
alianza	☐ pacto	☐ reunión
cooperar	☐ organizar	☐ colaborar

b Completa las frases haciendo la misma transformación verbal en todas ellas. Luego escucha el audio y comprueba si lo has hecho bien.

2, 5

1 Beatriz dice que el país tiene una cultura propia porque no (colonizar, el país) *fue colonizado* por ninguna otra civilización.
2 El secreto de la invisibilidad (descubrir, el secreto) _____ por una joven mezclando algunas plantas.
3 Los habitantes del Norte (expulsar, los habitantes) _____ de los territorios del Sur porque tenían un rasgo físico diferenciador.

c Vuelve a escuchar el audio; fíjate en las frases anteriores. ¿Quiénes realizan la acción de los verbos? Anótalo.

1 *Ninguna otra civilización.*   2 _____   3 _____

d ¿Sabes qué tipo de estructura verbal hemos utilizado? Márcala.

☐ subjuntivo   ☐ pasiva   ☐ perífrasis verbal

e Ahora lee estas frases extraídas de la conversación. Fíjate en los verbos destacados, mira si son correctos o incorrectos y corrígelos.

9, 10

1 Para que no **surgen** nuevas enfermedades no tienen ningún contacto con otros países. *surjan*
2 Los del Sur los han echado para que no **desaparecerán** los rasgos característicos de su comunidad. _____
3 Los del Norte, para vengarse, han construido un muro que separa el país en dos con la intención de que los del Sur no **puedan** pasar. _____
4 Y lo han hecho invisible para que no **saben** exactamente dónde está._____
5 Para que las alianzas y la cooperación **se hagan** realidad van a abrir sus puertas. _____
6 Las puertas tienen que estar abiertas para que la gente se **moverá** libremente. _____

9, 10, 12, 13, 15, 16

5a Leyendo el título de este texto, ¿de qué crees que trata? Marca una de las opciones y luego lee el texto para saber si es correcta.

- ☐ Equipamiento urbano.
- ☐ ¿Los bancos tratan igual a todo el mundo?
- ☐ Dificultades para trabajar en un banco.

¿Bancos para todos?

Desde hace unos años la economía nacional va bien. O al menos eso es lo que dice el gobierno. Se crean muchas empresas nuevas y nuevos puestos de trabajo. Pero la pregunta es: ¿tiene todo el mundo las mismas oportunidades a la hora de abrir una empresa? Los jóvenes con iniciativa pero sin capacidad económica siempre están al final de la cola. El impedimento más importante es, por lo tanto, el dinero.

Los jóvenes, o no tan jóvenes, con un buen sueldo y un buen aval **son recibidos con gusto** por los bancos. El resto pierde una buena parte de su tiempo buscando el capital necesario para empezar el negocio.

Los que tienen suerte y encuentran a un posible mecenas tienen que saber venderse muy bien, **con el propósito de que** la persona en cuestión vea futuro en sus ideas. **Por poco** interés que tenga por el negocio, si se le sabe convencer, utilizando las palabras adecuadas y mostrando un absoluto convencimiento del éxito del negocio, ya se tiene casi todo ganado.

Probablemente, a la larga, más importante que el dinero, es la creatividad. Los que de verdad la poseen, no importa cómo consigan el dinero, tienen muchas posibilidades de éxito. Los otros, aunque dispongan de todo el dinero del mundo, tienen más puntos para el fracaso.

En definitiva, el riesgo siempre existe, aunque es importante saber que el dinero viene y va, pero la creatividad está o no está.

Y si sale mal, no hay que desanimarse, sino que hay que volverlo a intentar.

b Ahora indica si estas afirmaciones son verdaderas (V) o falsas (F).

	V	F
1 Según el gobierno, la economía nacional va bien.	☐	☐
2 El número de puestos de trabajo ha aumentado.	☐	☐
3 Los jóvenes con capacidad económica siempre están al final de la cola.	☐	☐
4 Los bancos ayudan a la gente que tiene un buen sueldo.	☐	☐
5 Las personas con creatividad tienen más posibilidades para fracasar.	☐	☐

 6

c En tu país, ¿todo el mundo tiene las mismas oportunidades a la hora de abrir una empresa? ¿Por qué no escribes un texto parecido al que acabas de leer y explicas qué sucede en tu país? Si quieres puedes utilizar estas ideas:

1 Presentación del tema:
El estado de la economía en tu país.
Número y tipo de empresas que se abren cada año (aproximadamente).

2 Argumentos:
Cualidades o situación apropiada para crear una empresa.
Pasos que se tienen que seguir para conseguirlo.

3 Conclusión:
Vale la pena arriesgarse.
Soluciones si te sale mal.

6a Las siglas son palabras que se forman a partir de la letra inicial de varias
palabras, y los acrónimos, a partir de dos o más letras.
Fíjate en los dos ejemplos que te ofrecemos e intenta adivinar las siglas
de las distintas organizaciones. Si no encuentras alguna de ellas,
mira las soluciones.

 11, 12, 15

Comisión **E**conómica **P**ara **A**mérica **L**atina y el Caribe: _C E P A L_
MERcado **CO**mún del **SUR**: _MER CO SUR_

1 Organización de Países Exportadores de Petróleo: __ __ __ __
2 Unión Económica Monetaria: __ __ __
3 Organización Internacional del Trabajo: __ __ __
4 Inversión Extranjera Directa: __ __ __

b ¿Sabes qué significan estas siglas? Lee el documento para encontrar
la respuesta.

 12

IRELA: _____

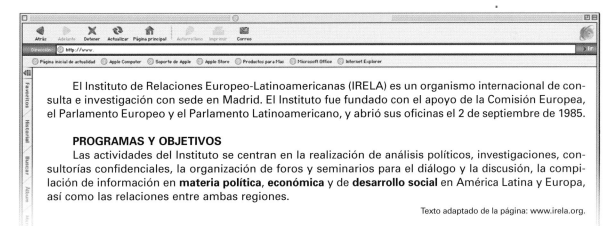

El Instituto de Relaciones Europeo-Latinoamericanas (IRELA) es un organismo internacional de consulta e investigación con sede en Madrid. El Instituto fue fundado con el apoyo de la Comisión Europea, el Parlamento Europeo y el Parlamento Latinoamericano, y abrió sus oficinas el 2 de septiembre de 1985.

PROGRAMAS Y OBJETIVOS
Las actividades del Instituto se centran en la realización de análisis políticos, investigaciones, consultorías confidenciales, la organización de foros y seminarios para el diálogo y la discusión, la compilación de información en **materia política**, **económica** y de **desarrollo social** en América Latina y Europa, así como las relaciones entre ambas regiones.

Texto adaptado de la página: www.irela.org.

c Ahora, intenta relacionar los títulos de los informes que ha elaborado
esta organización con alguno de los temas destacados en el texto.

1 Las negociaciones Unión Europea-Mercosur: el largo camino hacia la liberalización
comercial.

_____

2 La cooperación cultural, educativa y universitaria en el marco de las relaciones
entre la Unión Europea, América Latina y Caribe.

_____

3 Aspectos políticos de la relación Unión Europea-América Latina y Caribe.

_____

6, 7, 8, 13

7a ¿Conoces algo de literatura latinoamericana? A continuación tienes unos cuantos escritores latinoamericanos y una de sus obras. Señala los que conozcas.

- ☐ Isabel Allende, *Paula*.
- ☐ Mario Vargas Llosa, *Los cachorros*.
- ☐ Julio Cortázar, *Rayuela*.
- ☐ Pablo Neruda, *20 poemas de amor y una canción desesperada*.
- ☐ Gabriel García Márquez, *Cien años de soledad*.
- ☐ Mario Benedetti, *Primavera con una esquina rota*.

b Vamos a leer un fragmento de la novela *El coronel no tiene quien le escriba*, de Gabriel García Márquez, escritor colombiano que en 1982 recibió el Premio Nobel de Literatura. Fíjate en el título. ¿De qué crees que trata la obra? Señala lo que creas que es correcto. Después lee el texto y comprueba si has acertado.

- ☐ La soledad y el olvido.
- ☐ El trabajo.
- ☐ El patriotismo.

El médico abrió los periódicos.

—Todavía el problema de Suez —dijo, leyendo los titulares destacados—. El occidente pierde terreno.

El coronel no leyó los titulares. Hizo un esfuerzo para reaccionar contra su estómago. "Desde que hay censura los periódicos no hablan sino de Europa", dijo. "Lo mejor será que los europeos se vengan para acá y que nosotros nos vayamos para Europa. Así sabrá todo el mundo lo que pasa en su respectivo país."

—Para los europeos América del Sur es un hombre con bigotes, con una guitarra y un revólver —dijo el médico, riendo sobre el periódico—. No entienden el problema.

El administrador le entregó la correspondencia. Metió el resto en el saco y lo volvió a cerrar. El médico se dispuso a leer dos cartas personales. Pero antes de romper los sobres miró al coronel. Luego miró al administrador.

—¿Nada para el coronel?

El coronel sintió el terror. El administrador se echó el saco al hombro, bajó el andén y respondió sin volver la cabeza:

—El coronel no tiene quien le escriba.

El coronel no tiene quien le escriba,
Gabriel García Márquez.

c Vuelve a leer el texto y busca sinónimos de estas palabras.

1 Correo: *correspondencia*
2 Títulos: _____
3 Distinguido, señalado: _____
4 Correspondiente: _____
5 Introducir: _____

d Ahora responde a estas preguntas sobre el texto.

1 ¿Por qué proponen el intercambio de habitantes con Europa?
☐ Porque los europeos tienen más libertad.
☐ Para conocer mejor su cultura.
☑ Para poder saber cada uno lo que pasa en su país.

2 ¿Qué situación política crees que hay en su país, sabiendo que no existe libertad de expresión?
☐ Un gobierno democrático.
☐ Un gobierno represivo.
☐ Un gobierno liberal.

3 Según el médico, ¿qué es América del Sur para los europeos?
☐ Un hombre con barba y una pistola.
☐ Un hombre con bigotes, con una guitarra y un revólver.
☐ Una mujer que canta.

4 Según el médico, ¿los europeos entienden el problema?
☐ No del todo.
☐ Sí, lo entienden.
☐ No, no lo entienden.

5 El coronel hace tiempo que espera correspondencia. ¿Cómo crees que se siente al ver que no recibe ninguna carta?
☐ Siente pena y tristeza.
☐ No se preocupa.
☐ Se alegra.

e Estas frases explican lo que pasa en el texto. Están desordenadas, ¿puedes ordenarlas?

☐ Proponen intercambiarse con los habitantes de Europa para que todos puedan enterarse de las noticias de sus propios países.
☐ El administrador, sin volver la cabeza, dijo que el coronel no tenía quien le escribiera.
☐ Preguntó si no había nada para el coronel.
☐ El médico recibió su correspondencia pero antes de abrirla se dio cuenta de que no había nada para su amigo, el coronel.
☐ 1 El médico y el coronel hablan mientras leen el periódico.
☐ Sólo se pueden leer noticias del extranjero porque las nacionales han sido censuradas por el gobierno.

Desde que hay censura los periódicos no hablan sino de Europa – dijo el coronel.

JUZGAR Y VALORAR

💬 *Esta idea puede ayudarnos.*
💬 **Es verdad. Puede ser** *muy útil.*

💬 *Lo que han propuesto no es la mejor manera de trabajar en equipo.*
💬 **Es cierto. Estoy convencido de que** *hay otras soluciones.*

Lo que + {
se podría
se debería
tienes que
habría que
} + hacer es + [infinitivo]

💬 **Lo que se debería hacer** *es comunicar mejor a los ciudadanos nuestras propuestas.*
💬 *Sí, se debería intentar.*

Encuentro
Considero
Opino
} + que + esta propuesta + verbo+ [adjetivo/adverbio]

Esta/s propuesta/s

Este/os argumento/os
+ {
las/s lo/s encuentro
la/s los/s considero
opino que + [verbo]
} + [adjetivo/adverbio]

💬 **Considero que** *esta propuesta es muy apropiada.*
💬 *Sí, yo también* **la encuentro** *muy apropiada.*

No importa que + [subjuntivo]

Tranquilo, **no importa que** *te* **equivoques.**

No hace falta que + [subjuntivo]

No hace falta que *lo* **termines** *ahora todo.*

Encuentro que todos deberíais ayudarme a organizar la fiesta de carnaval de la comunidad.

EXPRESIONES PARA REFORZAR IDEAS

- Estas expresiones permiten insistir en lo dicho o añadir nueva información sobre lo dicho:

Es más	*Él lo sabía.* **Es más**, *él mismo me lo dijo.*
En realidad	*Hemos tomado la mejor solución.* **En realidad** *no teníamos otra alternativa.*
De esta forma	*Tenemos que dialogar entre nosotros.* **De esta forma** *podemos convivir.*

- Para reforzar la idea que se va a decir:

La verdad es que	*La verdad es que han tomado la mejor decisión posible.*
Lo que pasa es que	*Ya sé que no tienes todo lo que necesitas.* **Lo que pasa** *es que no hay presupuesto para comprar nada más.*
Si queremos	*Si queremos hacer algo bien, tenemos que trabajar mucho.*

- Refuerza la idea siguiente quitando importancia a la anterior:

De todas maneras	*Piensa y decide algo, pero* **de todas maneras**, *habrá que consultarlo después con el jefe.*

- Para reforzar la idea anterior advirtiendo de la idea contraria:

De lo contrario	*Tenemos que cooperar ahora.* **De lo contrario**, *las consecuencias serán imprevisibles.*

- Para llamar la atención sobre un dato:

Fíjate que	*Has hecho bien.* **Fíjate que** *nadie te ha dicho cómo hacerlo mejor.*

PALABRAS PARA SEÑALAR SECUENCIA LÓGICA

- Las expresiones más usadas para ordenar las ideas en el discurso son:

> *Al principio / En primer lugar*
> *Antes / Previamente*
>
> *Cuando/ En cuanto*
> *Por último / Finalmente*
>
> *Luego*
> *Después*
> *A continuación*

- CONSTRUCCIONES PASIVAS
- ALGUNAS LOCUCIONES ADVERBIALES

 §

- CONSTRUCCIONES PASIVAS §40
- SUBORDINADAS FINALES §49
- ALGUNAS LOCUCIONES ADVERBIALES §9

Estoy segura de que no sospechan nada.

Es más, yo creo que les vamos a dar una sorpresa enorme.

Evaluación

1 Completa estos diálogos con la expresión adecuada.

1 No voy a ver la televisión nunca más, _____ no me entristeceré. Estoy cansada de tantas desgracias. Te la vendo. ¿La quieres comprar?
   No, gracias.
   ☐ *lo que conviene*   ☐ *así*   ☐ *la verdad es que*

2 ¿Por qué has dejado la ONG?
   Pues no lo sé, porque _____ me encantaba trabajar allí.
   ☐ *de lo contrario*   ☐ *de este modo*   ☐ *la verdad es que*

3 Mi hijo está muy deprimido. No sale de casa.
   No te preocupes, _____ consigas que salga de casa mejorará.
   ☐ *antes*   ☐ *en cuanto*   ☐ *primero*

4 ¿Qué le digo a Juan?
   _____ dile que lo sientes mucho y después le dices que no volverá a pasar.
   ☐ *Primero*   ☐ *Luego*   ☐ *A continuación*

5 Creo que deberíamos enviar a más gente al sur del país.
   _____, porque el Sur es la parte más necesitada.
   ☐ *Yo también lo veo así*   ☐ *Estoy convencido de que*   ☐ *No hace falta*

6 Oye, ¿dónde está tu hermano?
   No lo sé, pero _____ no va a venir.
   ☐ *yo también lo veo así*   ☐ *tengo la impresión de que* ☐ *más aún*

7 Por favor, dejemos ya de discutir. _____ es que decidamos pronto lo que vamos a hacer.
   Eso, sólo nos quedan un par de horas.
   ☐ *Estoy convencido de que* ☐ *No hace falta es que*   ☐ *Lo que conviene*

8 Te hemos escogido con la intención de que _____ los problemas urgentes.
   De acuerdo, haré todo lo que pueda.
   ☐ *solucionas*   ☐ *soluciones*   ☐ *solucionar*

9 Los secuestrados _____ en libertad a las seis de la tarde.
   Sí, pero aún no han detenido a los secuestradores.
   ☐ *fue puesto*   ☐ *fueron puestas*   ☐ *fueron puestos*

10 Las famosas ruinas _____ por un habitante de la zona.
   Sí, ya lo sabía.
   ☐ *fueron descubierto*   ☐ *fueron descubiertas*   ☐ *fue descubiertas*

11 La _____, Organización de Naciones Unidas, ha aprobado la propuesta.
   Perfecto, cuanto antes empecemos a trabajar, mejor.
   ☐ *ONG*   ☐ *ONU*   ☐ *ONP*

12 ¡Cuánto dinero!
   Sí, es para que no _____ problemas cuando llegues allí.
   ☐ *tienes*   ☐ *tendrás*   ☐ *tengas*

Ahora:

- Puedo juzgar y valorar idas y propuestas
- Conozco expresiones para reforzar ideas y para señalar una secuencia lógica

He aprendido otras cosas:

_____
_____
_____
_____
_____

Consulta nuestra dirección en la web:
www.esespasa.com

5

lección cinco 5

¡Mañana es fiesta!

Todos los países del mundo tienen sus fiestas populares. Cada cultura expresa de esta forma tan especial el sentido de pertenecer a un grupo.

¡Mañana es fiesta!

Nuestros simpáticos amigos están celebrando Fin de Año. Una fiesta muy importante en España. ¡Cambiamos de año! ¡Qué bien! ¡Año nuevo, vida nueva! ¿Es importante Fin de Año en tu país? ¿Qué se hace? ¿Piensas que en España se hace lo mismo que en tu país? ¿Cuáles son las fiestas más importantes de tu país? En esta lección vamos a hablar de fiestas populares.

En esta lección vas a aprender:

- A hacer recomendaciones y pedir consejo
- Cómo hacer cumplidos y reaccionar ante un cumplido
- A ceder la elección al interlocutor
- Maneras de recordar algo a alguien

1a En la escena que vas a escuchar, Begoña y el director están ensayando. El director está triste y Begoña se da cuenta de ello. Antes de escuchar, asegúrate de que conoces el significado de estas palabras y expresiones. Si desconoces alguna, mira las soluciones.

▶ *sublime*   ▶ *Nochevieja*
▶ *tener planes*   ▶ *comerse las uvas*

b Ahora escucha a Begoña y al director y luego indica si las siguientes frases son verdaderas (V) o falsas (F).

1 Al director le ha gustado mucho la interpretación de Begoña.
2 Ni al director ni a Begoña les emociona García Lorca.
3 El director le propone montar un espectáculo con textos de Lorca.
4 Begoña y sus amigos celebran una fiesta mañana.
5 El director tiene muchos planes para celebrar Nochevieja.
6 A Begoña y sus amigos les gustaría que el director se comiera las uvas con ellos.

c Vuelve a escuchar la conversación, fíjate en las siguientes intervenciones del director y anota la reacción de Begoña.

1 DIRECTOR: Has estado sublime.   2 DIRECTOR: Es una idea genial.
   BEGOÑA: _____   BEGOÑA: _____

d Ahora vuelve a fijarte en las intervenciones anteriores. ¿Qué hace el director? ¿Y Begoña? Lee y marca la opción correcta en cada caso.

DIRECTOR
☐ Felicita a Begoña, la elogia, le hace varios cumplidos.
☐ Se enfada con Begoña.
☐ Se muestra indiferente.

BEGOÑA
☐ No responde.
☐ Quita importancia a los elogios, a los cumplidos del director.
☐ Se ríe.

🖊 **4, 5, 6,
8, 12**

2a Aquí tienes un artículo sobre el carnaval en Montevideo, la capital de Uruguay. Antes de leerlo, vamos a fijarnos en el título: *Carnavales eran los de antes.* ¿Qué crees que significa? Lee y marca la opción correcta.

☐ Los carnavales de antes eran mejores que los de hoy en día.
☐ En la actualidad no se celebran los carnavales.
☐ Los carnavales de hoy son como los de antes.

b Ahora vamos a comprobar cuánto sabes acerca del carnaval. Lee y marca las opciones que creas correctas.

1 El Carnaval es:

	SÍ	NO
una fiesta pagana.	☐	☐
una fiesta religiosa.	☐	☐

2 Por Carnaval la gente…

	SÍ	NO
se disfraza.	☐	☐
baila.	☐	☐
hace desfiles.	☐	☐
se divierte.	☐	☐
come turrón.	☐	☐

OBSERVA

Carnavales eran los de antes

En los comentarios estereotipados compite muchas veces con el fútbol por el lugar de «máxima fiesta popular». ¿Qué significa, en realidad, el Carnaval para los montevideanos? Los datos indican que, habitualmente, el interés por el Carnaval es más alto que por el fútbol, **aunque** hablar de Carnaval es, para muchas personas, rememorar un pasado que se percibe como superior a la actualidad. Es común escuchar la frase que sintetiza ese pensamiento: «Carnavales eran los de antes».

Hubo un tiempo en que los carnavales eran realmente populares; todos se sentían partícipes de la fiesta de febrero. Montevideo se alumbraba con gigantescos carteles de luces de colores, la gente se agolpaba para ver pasar el desfile de los enormes cabezudos, los hermosos carros alegóricos, las comparsas y los lubolos (blancos que se visten de negros).

El otro gran centro de fiesta estaba en los tablados donde los humoristas y los parodistas contaban sus chistes. En aquella época feliz sin televisión, no había diversión más sana y más barata que caminar unas cuadras para asistir a la función del tablado. Era una semana de noches largas, de ventanas abiertas a la noche de verano y a la música. Una semana de diversión que eliminaba como por arte de magia diferencias sociales y jerarquías. El Carnaval unía a todos.

Esa tradición que españoles, franceses y especialmente italianos trajeron a estas playas, por alguna razón prendió de manera mucho más firme en Montevideo que en Buenos Aires o cualquier otra ciudad. Hay en Uruguay una tradición carnavalera centenaria, que fue incluso recogida internacionalmente. Se unía con las festividades de finales de año, en especial con los bailes de disfraces que se organizaban en torno al 6 de enero. Desde ese momento la venta de disfraces, antifaces y máscaras de todo género continuaba durante todo el mes de enero.

El Carnaval tenía como virtud que a todos igualaba en el común disfrute de la alegría y el desenfreno. La consigna era hacer todo aquello que durante el resto del año estaba prohibido, y hacerlo a la vista de todos. El Carnaval conservó siempre una crítica política dirigida contra todo el poder.

A pesar de que el Carnaval del Uruguay se llama la «máxima fiesta popular» hoy es una fiesta en retroceso. Influye evidentemente la variedad de posibilidades de entretenimiento de que goza un ciudadano hoy en día. En los tiempos dorados del Carnaval, la alternativa era quedarse en casa a escuchar la radio. En la actualidad un ciudadano dispone de televisión, vídeo, cable y otras formas de diversión que le resultan más atractivas que asistir a la actuación de un conjunto de parodistas o de una murga.

Texto adaptado de *El Observador*, Uruguay, 4 de febrero de 1999, http://www.observa.com.uy/

c Lee el texto y contesta a las siguientes preguntas.

1 ¿Qué frase sintetiza la idea de que los Carnavales en el pasado eran mejores que en la actualidad? *Carnavales eran los de antes.*
2 ¿Qué hacía la gente? _____
3 ¿Cuánto duraban las fiestas? _____
4 ¿Se mantenían las diferencias sociales durante estas fiestas? _____
5 ¿Cuál era la consigna del Carnaval? _____
6 En la actualidad, el Carnaval se encuentra ¿en auge o en retroceso? ¿Por qué?
_____

Haced caso, id al carnaval de Montevideo.

d Lee el texto de nuevo e intenta sustituir las palabras destacadas por las que te proponemos a continuación. Indica cuáles te sirven y cuáles no.

	1 aunque		2 a pesar de que	
	SÍ	NO	SÍ	NO
aun	☐	✓	☐	☐
pese a que	☐	☐	☐	☐
y eso que	☐	☐	☐	☐

URUGUAY

MONTEVIDEO

e Ahora completa las siguientes frases con la forma verbal adecuada.

1 Iremos de excursión **a pesar de que** (hacer) *haga* mal tiempo.
2 **Aun** (ser) _____ una oportunidad fantástica, no la acepto.
3 Juan se ha divorciado **a pesar de que** (tener) _____ un hijo.
4 Pedro y Paloma consiguieron el crédito **pese a** los impedimentos que el banco les (poner) _____.
5 **A pesar de** (estudiar) _____ toda la tarde, no aprobó el examen.
6 **Aunque** hoy (tener) _____ mucho trabajo y no lo puedo terminar, saldré pronto de la oficina.
7 María no ha tenido tiempo de hacer la compra, **y eso que** (salir) _____ pronto del trabajo.
8 **Aun** (ir) _____ en coche, no conseguiremos llegar a tiempo.
9 **Aunque** me (tocar) _____ la lotería mañana, iré a trabajar.
10 **Pese a** (salir) _____ a las seis de la tarde, llegaron a las once de la noche.

f Ahora fíjate en los destacados del ejercicio anterior y marca si las siguientes frases son verdaderas (V) o falsas (F).

V	F

1 **A pesar de que** y **aunque** pueden ir con subjuntivo y con indicativo . ✓ ☐
2 **Aun** no puede ir seguido de gerundio. ☐ ☐
3 **Pese a** y **a pesar de** pueden ir con subjuntivo e infinitivo. ☐ ☐
4 **Y eso que** va seguido de indicativo. ☐ ☐

 2, 4, 8

3a Elena y Martín son un matrimonio que hablan del pasado. Antes de escuchar la conversación, relaciona estas palabras con su significado.

1 Chochear

2 Bodas de plata

3 Comparsa

4 Semana Santa

5 Cursi

a Conjunto de personas que en los días de Carnaval van vestidas con trajes de una misma clase.

b Que pretende ser elegante o refinado sin serlo, resultando ridículo.

c Fiesta religiosa que se celebra la última semana de Cuaresma.

e Tener debilitadas las facultades mentales por efecto de la edad.

d Celebración de 25 años de matrimonio.

b Ahora escucha la conversación e indica si las siguientes frases son verdaderas (V) o falsas (F).

1 Martín está viendo las fotos de los carnavales del año pasado.
2 Elena no se acuerda de los carnavales de 1985.
3 Martín recuerda que fueron de viaje de novios a Tenerife.
4 Al final, Elena lo recuerda todo.
5 Martín se puso enfermo.
6 Elena le aconseja a Martín que pida ayuda para solucionar su problema de falta de memoria.

Yo también había apuntado la fecha en la agenda.

c ¿Te atreves a completar estas frases eligiendo la opción correcta?

1 Martín está pensando en su próximo aniversario de boda y se da cuenta de que...
☐ ya han pasado.   ☐ falta un año.   ☐ faltan dos meses.

2 Elena reacciona diciéndole: "_____"
☐ No, no es verdad.   ☐ Tú memoria es cada vez peor.   ☐ No, ¡qué va!

3 Y Elena también le dice: "_____"
☐ Yo que tú habría apuntado la fecha.   ☐ Son mañana.   ☐ Estás equivocado.

4 El consejo que Elena le da es sobre una situación...
☐ presente.   ☐ pasada.   ☐ futura.

5 La forma verbal que Elena emplea es...
☐ habría apuntado.   ☐ apunto.   ☐ apuntaré.

6 Esta nueva forma verbal se llama...
☐ *presente de indicativo.*   ☐ *condicional compuesto.*   ☐ *pretérito perfecto.*

d Ahora di si la siguiente afirmación es verdadera o falsa.

El condicional compuesto se utiliza para expresar un consejo sobre una situación pasada.

4 a Laura va a cenar a casa de su amiga Julia. Antes de escuchar la conversación vamos a reflexionar sobre qué se hace cuando vas a cenar a casa de un amigo.

 1, 9, 10, 11

1 ¿Es frecuente elogiar a la anfitriona o al anfitrión? _____

2 Si es la primera vez que vas a una casa o en la casa han hecho reformas, ¿es normal elogiarla? _____

3 Y la persona que recibe el elogio, ¿le quita importancia? _____

b Escucha la conversación y contesta a las preguntas.

1 ¿Qué le dice Julia a Laura después de saludarla? *Le dice que está muy guapa.*

2 ¿Cómo reacciona Laura? _____

3 ¿Y Julia? _____

4 ¿Cómo es la casa de Julia según Laura? _____

5 ¿Dónde quiere ir de vacaciones Laura? _____

6 ¿Por qué le pide consejo a Julia? _____

c Ahora vuelve a escuchar la conversación, fíjate en las siguientes frases y clasifícalas.

~~¡Qué guapa estás!~~
Pues es muy viejo.
¿Tú crees?

¿En serio? Tú sí que estás guapa con este vestido.
Tienes una casa preciosa.
Está mejor que la última vez que vine.

HACER UN CUMPLIDO
¡Qué guapa estás!
_____
_____

REACCIONAR ANTE UN CUMPLIDO
_____
_____
_____

d A continuación tienes algunas frases que aparecen en la conversación. Vuelve a escuchar el diálogo, fíjate en las frases seleccionadas y complétalas. Luego indica en cuáles se pide una recomendación y en cuáles se da.

1 Como tú ya has estado allí, ¿*qué* me *recomiendas* que *vea*?

2 ¡Ay, Cuba! Me gustaría ir otra vez. Bueno, a ver, yo _____ _____ lugar _____ a La Habana directamente.

3 Lo _____ es que _____ al Hotel Inglaterra. Está muy bien.

4 ¿Y...? En _____ caso, tú ¿_____ ahora?

5 Sí, sí, yo _____ _____ que _____ ya porque en Navidad se llena.

6 ¡Ah! Y sobre todo, sobre todo, te _____ que _____ a la *Bodeguita del Medio* y bebas un mojito. Hazme _____, no te arrepentirás.

7 ¡Ah! Eso, que no se me olvide. Tengo que ir a Santiago y no _____ qué _____; si ir en avión o en tren. ¿Qué _____?

Se pide: *1,* _____   Se da: _____

5a En Navidad mucha gente escribe postales a sus amigos y familiares. ¿Para qué crees que lo hacen? Marca la opción correcta y luego lee la postal para comprobar tu respuesta.

☐ Para desearles unas fiestas luminosas.
☐ Para invitarles a cenar.
☐ Para felicitarles las fiestas.

¡Hola, familia!

Pepe y yo os deseamos una Feliz Navidad y un Próspero Año Nuevo. Tened cuidado con el turrón y con los polvorones; ya sabéis que engordan muchísimo. Y también tened cuidado con el cava, que enseguida se sube a la cabeza.
Esperamos que los Reyes Magos no se olviden de vosotros y os traigan salud, amor, trabajo y todo aquello que les hayáis pedido.

Recibid un fuerte abrazo.

María y Pepe

b Ahora, ¿te apetece escribir una postal de Navidad a un amigo o familiar? La postal anterior te puede servir como modelo. A continuación te damos unas pautas que te pueden ayudar:

- **Saludo:**
  Queridos mamá y papá:
  Querido Juan:
  Hola, familia:
- **Deseos para Navidad y advertencias:**
  Te deseo Felices Fiestas.
  Espero que pases una Feliz Navidad y tengas un Feliz Año Nuevo.
  Ojalá los Reyes Magos te traigan todo lo que les has pedido.
  ¡Cuidado con el turrón y con el cava!
- **Despedida:**
  Feliz Navidad.
  Próspero año Nuevo.
  Recibe un abrazo.
  Besos y abrazos.
  Besos.
  Abrazos.
- **Firma:**
  María y Pepe.
  María y familia.

 4, 8

6 a Ahora, vamos a hablar sobre una de las fiestas más importantes de la Navidad para los españoles: Los Reyes Magos. ¿La conoces? Completa las frases con la información del cuadro.

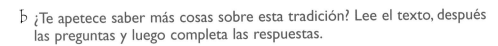

6 • camello • tres • regalos • Melchor, Gaspar y Baltasar

1 Los Reyes Magos son *tres.*
2 Se llaman _____.
3 Los Reyes Magos llegan en _____.
4 La noche del 5 de enero dejan los _____ en las casas.
5 El día de Reyes es el _____ de enero.

> *Voy a escribir una carta a los Reyes Magos para que me traigan todo lo que necesito.*

b ¿Te apetece saber más cosas sobre esta tradición? Lee el texto, después las preguntas y luego completa las respuestas.

Los Reyes Magos y la estrella mágica

Según el evangelista san Mateo, nada más nacer Jesús llegaron unos magos de Oriente a Jerusalén, preguntando dónde había nacido el rey de los judíos. En aquella época, se llamaba magos a los intérpretes de las estrellas, y así, estos magos confirmaron que su viaje estaba motivado por la aparición de una estrella en el cielo de Oriente, que ellos interpretaban como el signo del nacimiento del rey de los judíos en algún lugar próximo a Jerusalén.

San Mateo no da cuenta del número de estos magos ni de sus nombres, ni tampoco les cita como «reyes».

La realeza de los magos, sus nombres y su significado simbólico dentro del cristianismo fue difundida en Occidente entre 1170 y 1178. A partir del siglo XIV, las figuras de los tres reyes fueron sólidamente asimiladas por el folklore italiano, alemán y francés, y más tarde por el español.

Los tres regalos que ofrecieron al Niño: oro, incienso y mirra (según el relato de Mateo) fueron interpretados en correspondencia con las Tres Personas de Cristo, oro para el Padre (como Rey); incienso para el Espíritu Santo; y la mirra, que era un ungüento funerario, para el Hijo, en relación con su sacrificio en la Cruz.

La importancia de tales regalos ha convertido a los magos en protagonistas de una fiesta centrada en la distribución «mágica» de presentes en la noche de cada 5 de enero.

Texto adaptado de la revista Tot.

1 Según san Mateo, ¿qué pasó nada más nacer Jesús? *Llegaron* unos *magos.*
2 ¿Desde dónde venían? Desde _____.
3 ¿A quién se llamaba mago en aquella época? A la persona que sabía _____ las _____.
4 ¿Qué motivó el viaje de estos magos? Una _____.
5 ¿Hacia dónde les condujo? Hacia _____.
6 ¿Desde cuándo las figuras de los tres reyes se recogen en el folklore italiano, alemán y francés? Desde el siglo _____.
7 ¿Con qué llegaron los magos? Con _____ para el Niño.
8 ¿Con cuántos? Con _____.
9 Los tres regalos se interpretaron en correspondencia con las Tres personas de Cristo, ¿para quién era el oro? Para el _____.
10 ¿Y el incienso y la mirra? El incienso para el _____ _____ y la mirra para el _____.

La lengua es arte

7a Aquí tienes un fragmento de la famosa obra de Cela, *La colmena*. En este texto Filo habla con Julita sobre un problema que tiene su hermano Martín. Roberto, el marido de Filo, va a pedir consejo al señor Ramón. Antes de leer el texto, comprueba cuánto sabes acerca de Cela y su obra *La colmena*.

1 Camilo José Cela es de Galicia, nació en 1916.
2 Es miembro de la Real Academia Española.
3 Nunca ha ganado el Nobel.
4 *La colmena* narra la vida cotidiana en el Madrid de posguerra, de 1943.
5 *La colmena* no tuvo éxito.

b Ahora asegúrate de que conoces el significado de las siguientes palabras. Relaciona la palabra con la definición y luego lee el texto.

1 Infalible
2 Convenir
3 Rezar
4 Apuros
5 Presentarse
6 Sin más ni más
7 Andar escapando
8 Cabal

a Decir oraciones religiosas.
b Estar huyendo.
c Que no puede fallar o equivocarse. Seguro, cierto.
d Se dice de la persona íntegra.
e Ser útil, provechoso.
f Dificultades, conflictos, aprietos.
g Sin reparo ni consideración; precipitadamente.
h Comparecer en algún lugar o acto.

—Yo no sé lo que hacer, mi marido ha salido a ver a un amigo. Mi hermano no hizo nada, yo se lo aseguro a usted; eso debe ser una equivocación, nada es infalible, él tiene sus cosas en orden... Julita no sabe lo que decir.

—Eso creo yo, seguramente es que se han equivocado. De todas maneras, yo creo que convendría hacer algo, ver a alguien... ¡Vamos, digo yo!

—Sí, a ver qué dice Roberto cuando venga. Filo llora más fuerte, de repente. El niño pequeño que tiene en el brazo, llora también.

—A mí lo único que se me ocurre es rezar a la virgencita del Perpetuo Socorro, que siempre me sacó de apuros.

Roberto y el señor Ramón llegaron a un acuerdo. Como lo de Martín, en todo caso, no debía ser nada grave, lo mejor sería que se presentase sin más ni más. ¿Para qué andar escapando cuando no hay nada importante que ocultar? Esperarían un par de días —que Martín podía pasar muy bien en casa del señor Ramón— y después, ¿por qué no?, se presentaría acompañado del capitán Ovejero, de don Tesifonte, que no es capaz de negarse y que siempre es una garantía.

—Me parece muy bien, señor Ramón, muchas gracias. Usted es un hombre muy cabal.

—No, hombre, no, es que a mí me parece que sería lo mejor.

—Sí, eso creo yo. Créame si le aseguro que me ha quitado usted un peso de encima...

La colmena, Camilo José Cela.

c Después de leer el texto marca la opción correcta.

1 Filo está muy _____.
  ☐ alegre
  ☑ preocupada
  ☐ feliz
2 Filo habla con _____.
  ☐ Julita
  ☐ Roberto
  ☐ Martín
3 Martín está _____.
  ☐ en apuros
  ☐ contento
  ☐ cansado
4 Julita está de acuerdo con _____.
  ☐ Filo
  ☐ Ramón
  ☐ Roberto
5 A Roberto _____ los consejos del señor Ramón.
  ☐ le parecen bien
  ☐ no le gustan
  ☐ no le interesan
6 Martín puede pasar un par de días en _____.
  ☐ la cárcel
  ☐ casa del señor Ramón
  ☐ casa de Julita
7 Roberto piensa que el señor Ramón es un hombre muy _____.
  ☐ pesimista
  ☐ serio
  ☐ cabal

d Ahora vamos a ver qué recomendaciones da Julita a Filo y qué recomendaciones da el señor Ramón a Roberto. Completa las frases con las palabras del cuadro. ¡Cuidado! Tienes que transformar los verbos en *condicional simple*.

| presentarse • ser • convenir • ser • esperar |

1 Julita cree que _convendría_ hacer algo, ver a alguien...
2 Según el señor Ramón lo mejor _____ que Martín se presentase sin más ni más.
3 Ellos _____ un par de días.
4 Luego Martín _____ acompañado del capitán Ovejero.
5 Al señor Ramón le parece que _____ lo mejor.

Quitar un peso de encima significa: *librarse de una preocupación o de una molestia.*

HACER RECOMENDACIONES Y PEDIR CONSEJOS

• Para dirigirse a alguien manifestando por qué se le pide consejo o se le sugiere algo:

> *Oye*, *tú que ya has estado en Barcelona*, *¿dónde me recomiendas que coma?*
> *Tú que tienes prisa*, **es mejor que salgas** *ahora mismo.*
> *A ti que te gustan los dulces*, **te aconsejo que pruebes** *este pastel.*
> *Tú que eres mayor*, **no permitas que te hable** *así.*

Lo mejor es ⎫ Es mejor ⎭ + que+ [subjuntivo]	*Lo mejor es que **llames** por teléfono ahora.* *Es mejor que **vayas** pronto.*
Lo que puedes hacer es ⎫ Deberías ⎭ + [infinitivo]	*Lo que puedes hacer es **venir** a mi casa a dormir.* *Está claro que **deberías pedir** ayuda.*
Yo en tu lugar ⎫ [condicional simple] Yo que tu ⎭ + [condicional comp.]	*Yo en tu lugar le **diría** la verdad.* *Yo que tú le **habría dicho** la verdad.*

• ***Yo que tú*** y ***yo en tu lugar*** se utilizan para aconsejar. El hablante se pone en el lugar del otro para enfatizar.

Te { aconsejo recomiendo sugiero }	+ { que+ [subjuntivo] [nombre] }	*Te aconsejo que **pruebes** este pastel.* *Te recomiendo el hotel Cisne.* *Te sugiero que lo **hagas** bien.*

• Para recomendar algo de forma muy insistente:

No permitas + que + [subjuntivo]	*Es intolerable cómo grita.* **No permitas que** *te **hable** así.*
No dejes + { que + [subjuntivo] de + [infinitivo] }	*Es intolerable cómo grita.* **No dejes que** *te **hable** así.* *Cuando estés en La Coruña,* **no dejes de visitar** *a tu prima.*
Hazme caso, + [imperativo]	*Estos coches dan muchos problemas de mecánica.* **Hazme caso, compra** *el otro.*

CEDER LA ELECCIÓN AL INTERLOCUTOR

> 💬 *¿Cuándo vamos a ir a Córdoba?*　　　💬 *¿Vamos en tren o en coche?*
> 💬 *Cuando quieras.*　　　　　　　　　💬 *Como quieras.*

[verbo] + { como cuando adonde el que lo que }	+ { quieras prefieras te guste }	*Lo podemos hacer **como quieras**.* *Ven a casa **cuando quieras**.* *Vamos **adonde quieras**.* *Puedes quedarte **el que** más **te guste**.* *Dime **lo que quieras**.*

Lo que puedes hacer es leer este capítulo.

HACER CUMPLIDOS Y REACCIONAR ANTE UN CUMPLIDO

- Una forma de cortesía es elogiar a una persona, o algo relacionado con ella: su casa, su ropa, su hijo, su trabajo, etc. Es más común con una persona a la que no se ve desde hace tiempo, o cuando se va invitado por primera vez a una casa.

- La persona que recibe el cumplido debe quitarle importancia como forma de modestia, o elogiar a la persona que ha hecho el cumplido:

> 🗨 *Tienes una casa preciosa.*
> 🗨 *Qué guapa estás.*
> 🗨 *Estás mejor que la última vez.*
> 🗨 *Esto que has hecho está muy bien.*
> 🗨 *La comida estaba muy buena.*
> 🗨 *Tienes una hija muy simpática.*

> 🗨 *¿En serio?*
> 🗨 *¿Tú crees?*
> 🗨 *¿De veras?*
> 🗨 *No creas. No tiene importancia.*
> 🗨 *Pues es muy sencilla de hacer.*
> 🗨 *La tuya sí es agradable.*

- **PEDIR INFORMACIÓN**

§

- **CONDICIONAL COMPUESTO** §17
- **FRASES CONCESIVAS** §53

RECORDAR ALGO A ALGUIEN

> 🗨 **¿Te acuerdas** de lo que dijo Fernando?
>> 🗨 Pues no, no **me acuerdo**.
>
> 🗨 Fernando dijo que hay que grabar los datos en el CD. ¿**Recuerdas**?
>> 🗨 Ah, sí, ahora **me acuerdo**.
>
> 🗨 Seguro que **recuerdas que** me voy de viaje.
>> 🗨 Ah, ¿sí?, pues no, no lo **recordaba**.
>
> **Te recuerdo** que mañana es el último día. Espero que no te hayas olvidado.

Os dije que hoy teníamos ensayo general. ¿Recordáis?

Ah, ¿sí?, pues no lo recordábamos.

$$\left.\begin{array}{l}\text{Acuérdate de}\\\text{Recuerda}\end{array}\right\} + \left\{\begin{array}{l}\text{[nombre]}\\\text{[infinitivo]}\\\text{[que + verbo]}\end{array}\right.$$

> **Acuérdate del informe** *para mañana.*
> **Acuérdate de venir** *a las nueve.*
> **Recuerda que tienes** *que venir a las nueve.*
> **Recuerda el informe** *de Hacienda.*
> **Recuerda cerrar** *las ventanas.*

Lección 5 | Evaluación

Ahora:

- Sé hacer recomendaciones y pedir consejos
- Cómo hacer cumplidos y reaccionar ante un cumplido
- Conozco maneras de recordar algo a alguien

He aprendido otras cosas:

_____
_____
_____
_____

Consulta nuestra dirección en la web:
www.esespasa.com

1 Lee los diálogos o frases y elige la opción correcta.

1 ● Oye, tú que has estado en Sevilla, ¿cuándo me recomiendas que _____?
   ● Yo en tu lugar, _____ en abril.
   ☐ *vaya / iría* ☐ *vayas / vas* ☐ *voy / irías*

2 Aun _____ temprano de la oficina, no llegaría a tiempo.
   ☐ *salir* ☐ *salía* ☐ *saliendo*

3 ● ¡Qué _____ estás!
   ● ¿De _____? Tú sí que estás guapa.
   ☐ *guapa / crees* ☐ *fea / serio* ☐ *guapa / veras*

4 Pese a algunos informes negativos, Pedro _____ el trabajo.
   ☐ *consigues* ☐ *consiga* ☐ *consiguió*

5 ● ¿Desde _____ sabes el resultado del examen?
   ● _____ hace una semana.
   ☐ *qué / Desde* ☐ *cuándo / Desde* ☐ *cómo / De*

6 ● Ayer estuve con Carmen, pero no le conté nada de lo de Pedro.
   ● Yo se lo _____.
   ☐ *habría contado* ☐ *contaría* ☐ *había contado*

7 ● Mamá, ¿puedo bajar a la calle a jugar?
   ● No, lo _____ es que _____ en la terraza.
   ☐ *mejor / jugaría* ☐ *mejor / juegas* ☐ *mejor / juegues*

8 ● ¿_____ cuándo te quedarás en Madrid?
   ● Hasta el _____ que viene.
   ☐ *Hasta / mes* ☐ *De / mes* ☐ *Con / semana*

9 ● Juan, _____ de traerme los apuntes de gramática.
   ● Sí, no te preocupes, mañana te los traigo.
   ☐ *acuerda* ☐ *acuérdate* ☐ *recuerda*

10 Estas _____ Olga ha engordado tres kilos y eso que no _____ turrón.
   ☐ *Navidades / ha comido* ☐ *verano / comió* ☐ *fiestas / haya comido*

11 ● Tienes una casa _____.
   ● ¿En _____? La tuya sí que es bonita.
   ☐ *preciosa / veras* ☐ *preciosa / crees* ☐ *preciosa / serio*

12 Ricardo fue a visitar a Lola al hospital a pesar de que _____ enfadados.
   ☐ *están* ☐ *estén* ☐ *está*

13 _____ el sábado _____ que trabajar y no sabemos a qué hora vamos a terminar, iremos a la fiesta de Jesús.
   ☐ *Aun / tenemos* ☐ *Aunque / teníamos* ☐ *Aunque / tenemos*

14 _____ caso, no vayas al cine el domingo por la tarde.
   ☐ *Hazme* ☐ *Dame* ☐ *Hagas*

6

lecciónseis6

¡Ciudadan@s del mundo!

En escena

¡Ciudadan@s del mundo!

A nuestros amigos les preocupa lo que pasa en el mundo. ¿Y a ti? ¿Qué piensas sobre la globalización? Todos somos emigrantes, ¿no te parece?

Lola está en contra de la experimentación con animales.
¿Tú colaboras en alguna organización no gubernamental?
Hay muchas maneras de ser solidario: dando asistencia médica, proporcionando alimentos y ropa, construyendo escuelas... Y también haciendo reír a la gente.
Si no conoces la terapia de la risa, quédate con nosotros y nunca perderás el buen humor.

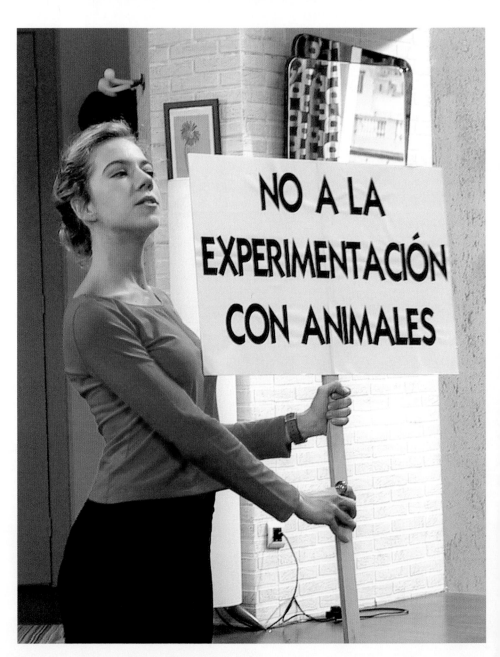

NO A LA EXPERIMENTACIÓN CON ANIMALES

En esta lección vas a aprender:

- Cómo expresar extrañeza, asombro y desinterés
- A lamentarte
- Maneras de sugerir algo a alguien

1a Todos podemos hacer algo para mejorar el mundo. Vamos a ver qué hacen nuestros amigos. Antes de escuchar la escena, intenta adivinar la definición de las expresiones del cuadro.

> tirar algo a la basura • ~~experimentar con animales~~
> organización no gubernamental • firmar un manifiesto
> estar a favor o en contra de algo

1 Utilizar animales para probar la eficacia y las propiedades de un producto.
   experimentar con animales

2 Manifestar apoyo o rechazo respecto a algún proyecto o idea. _____

3 Poner la firma en un escrito en que se hace pública una declaración de principios de interés general. _____

4 Deshacerse de algo. _____

5 Agrupación social independiente que pretende ayudar con sus proyectos a gente necesitada. _____

b Escucha el audio y fíjate en el refrán que utiliza Ana al entrar en el piso de los chicos. Por el contexto, ¿sabes qué quiere decir Ana?

A quien madruga, Dios le ayuda.

☐ Si uno se levanta temprano pude hacer muchas cosas durante el día.
☐ Es mejor quedarse en la cama hasta tarde que madrugar.

c Vuelve a escuchar la escena. Presta atención a la reacción de Ana al ver que Lola tira los productos a la basura. Primero, completa las intervenciones y después, intenta adivinar qué expresan.

ANA: ¿Tiras *1* _____ sin abrir, muchacha?
LOLA: Sí.
ANA: ¿Qué *2* _____? ¿Te sobra *3* _____?

☐ Duda.
☐ Asombro.
☐ Acuerdo.

d ¿Qué le parece raro a Ana?

☐ Que la gente firme manifiestos.
☐ Que la gente tire las cosas aunque estén nuevas.
☐ Que la gente se levante temprano.

 8, 9, 10, 12, 13

2_a Antes de leer el artículo, ¿qué te sugieren a ti las palabras del cuadro? Intenta encontrar la definición correcta para cada una de ellas.

> ser tolerante • no tener documentos • ~~inmigrante~~
> movimientos migratorios • choque de culturas
> reacciones xenófobas • respetar los derechos humanos

1 Persona que llega a un país distinto del propio para establecerse en él. *inmigrante*
2 Respetar las opiniones, creencias y formas de vida de los demás. _____
3 Tener consideración por los derechos que cualquier ser humano tiene. _____
4 No tener papeles que legalicen la situación de uno en un país extranjero. _____
5 Desplazamientos de población de un país a otro por causas económicas, políticas o sociales. _____
6 Encuentro en el que personas de culturas diferentes entran en contacto y reciben un fuerte impacto emocional. _____
7 Comportamientos que manifiestan odio u hostilidad hacia los extranjeros. _____

♭ A los emigrantes también se les llama los "sin papeles" ¿Con qué otras dos expresiones se hace referencia a ellos en el artículo? Léelo para encontrarlas.

1 _____   2 _____

Clarín.com
Periodismo en Internet

Tristezas del desarraigo

En Latinoamérica la tolerancia se torna frágil y el respeto por los derechos humanos, utópico, cuando se atraviesan ciertos límites geográficos. Eso sucede en el caso de personas de origen boliviano, paraguayo y peruano, sin documentos o con ellos, que **buscan** en la Argentina **una sociedad que** los **acoja** y se encuentran con serios obstáculos en el respeto de sus derechos humanos. El acceso a la salud, a la educación y al mundo del trabajo se complica cuando se ven arrojados a un camino pleno de obstáculos para llegar al ansiado DNI.

En torno de esta problemática, la Plataforma Sudamericana de Derechos Humanos, Democracia y Desarrollo elaboró un frondoso documento titulado *Los derechos humanos de los migrantes*. La ONG citada investigó y analizó la **situación que viven** los hombres y mujeres latinoamericanos desde el momento en que parten de su país de origen hasta que llegan a uno nuevo.

«La Argentina para los bolivianos significaba una fuente segura de trabajo, ahorro y cierto ascenso social». La Argentina es la primera meta, después Estados Unidos, Brasil, Chile y Europa. «Con una diversidad geográfica parecida a un regalo de los dioses, Bolivia es un país deshabitado y en permanente fuga», indica el informe en clave de preocupación por el destino de ese país. **Lamentablemente**, algo similar ocurre en Perú, que dio origen a una diáspora de 1.900.000 peruanos, de los cuales unos setenta mil están en nuestro país.

Los movimientos migratorios en América Latina no son un fenómeno de esta época, sino que comenzaron en el siglo XIX. Fueron variando de acuerdo con los vaivenes económicos, políticos y sociales que sufrieron países del Cono Sur. **Por desgracia, la situación que se vive** en la Argentina no es muy distinta de la que padecen los migrantes en otras latitudes. En Europa, Estados Unidos, Japón y también en países como Chile, México o Costa Rica el choque de culturas provoca reacciones xenófobas en las que suele señalarse a los recién llegados como chivos expiatorios de los problemas que sufre el país al que arriban. Sin embargo, al menos en la Argentina «se ha desmitificado al inmigrante como responsable de la desocupación, la ilegalidad y la delincuencia». El capítulo del informe sobre la Argentina puntualiza los aspectos en los que los migrantes se ven sometidos a distintas situaciones denigrantes, como dificultar el acceso a la salud y a la educación, no recibir atención médica y la negación de remedios de atención especializada, según denunció la Defensora del Pueblo de la Ciudad de Buenos Aires.

Texto adaptado de *Clarín digital*, Argentina, 22.10.00

c Seguro que puedes responder a estas preguntas.

1 ¿Qué organización no gubernamental se menciona en el artículo?
   La Plataforma Sudamericana de Derechos Humanos, Democracia y Desarrollo.

2 ¿Sobre qué tema elaboró un informe esta organización?
   _____.

3 ¿Qué buscaban los bolivianos y otros emigrantes en Argentina?
   _____.

4 Según el artículo, ¿qué tipo de factores explican los movimientos migratorios?
   _____.

5 Excepto en Argentina, ¿cuál es la imagen general que la gente tiene de los emigrantes en muchos países?
   _____

d ¿Cuál te parece que es la intención del autor en estas frases?

1 **Lamentablemente**, algo similar ocurre en Perú, que dio origen a una diáspora de 1.900.000 peruanos, de los cuales unos setenta mil están en nuestro país.

2 **Por desgracia**, la situación que se vive en la Argentina no es muy distinta de la que padecen los migrantes en otras latitudes.

☐ Lamentarse por la situación que viven los inmigrantes.
☐ Manifestar desinterés por la situación que viven los inmigrantes.

e Aquí tienes algunas frases del artículo. Fíjate en las expresiones destacadas y elige la opción más adecuada para cada caso.

1 Eso sucede en el caso de personas de origen boliviano, paraguayo y peruano, sin documentos o con ellos, que buscan en la Argentina **una sociedad que los acoja**.

2 La ONG citada investigó y analizó **la situación que viven** los hombres y mujeres latinoamericanos desde el momento en que parten de su país de origen hasta que llegan a uno nuevo.

3 **La situación que se vive** en la Argentina no es muy distinta de la que padecen los migrantes de otras latitudes.

4 Suele señalarse a los recién llegados como chivos expiatorios de **los problemas que sufre** el país al que arriban.

En la frase 1 el verbo va en...   ☐ indicativo   ☐ subjuntivo
En las frase 2, 3 y 4 el verbo va en...   ☐ indicativo   ☐ subjuntivo

Es increíble que Bolivia sea un país tan deshabitado.

f Ahora presta atención a la primera frase del ejercicio anterior. ¿Por qué crees que allí se usa esa forma verbal y no otra?

☐ Porque los emigrantes no saben si la sociedad argentina los acogerá.

☐ Porque los emigrantes saben que la sociedad argentina los acogerá.

2, 12, 13

> *Chicos, sería una buena idea que fuéramos todos a la manifestación.*

3a Mónica esta mañana ha ido a una manifestación. Ignacio, su compañero de piso, le pregunta cómo le ha ido. Antes de escuchar cómo hablan, ¿cuál crees que puede haber sido el motivo de la manifestación? Después escucha para comprobar tu respuesta.

☐ Mostrar apoyo a los inmigrantes que hay en la ciudad.
☐ Protestar contra la experimentación animal.
☐ Reclamar una mejora de las condiciones laborales de los jóvenes.

b Vuelve a escuchar la conversación. ¿Por qué no completas este fragmento con la ayuda del cuadro?

> ¿De veras? • Nunca había visto algo así
> ~~Ha sido increíble~~ • ¿No me digas?

IGNACIO: Y ¿cómo ha ido? ¿Había mucha gente?
MÓNICA: *1 Ha sido increíble.* 2 _____. Había muchísima gente, de aquí e inmigrantes de todas partes, chinos, pakistaníes, árabes,..., hombres, mujeres e incluso niños.
IGNACIO: 3 _____. 4 _____.
MÓNICA: Como lo oyes. Es que no hay derecho, pobres. Vienen aquí buscando trabajo y un lugar para vivir, y ¿qué se encuentran? Intolerancia, xenofobia,...

c Fíjate en las expresiones del cuadro del ejercicio anterior y en el contexto en que aparecen. ¿Qué crees que expresan? Elige la opción más adecuada.

☐ Asombro, sorpresa. $\quad$ ☐ Desinterés, indiferencia. $\quad$ ☐ Lástima, pena.

d Según Mónica, ¿cuál de las expresiones que tienes a continuación suele usar la gente joven cuando habla sobre la inmigración?

☐ ¡Cuánto lo siento! $\quad$ ☐ ¡Qué mala pata! $\quad$ ☐ ¡Qué lástima!
☐ ¡Así es la vida! $\quad$ ☐ ¡Qué le vamos a hacer!

e Compara las actitudes de Mónica e Ignacio. ¿Qué piensa cada uno de ellos respecto al problema de la inmigración?

1 Mucha gente colabora con organizaciones no gubernamentales y cada día hay más concienciación. _____

2 Nadie emigra de su país por gusto. _____

APOYO A INMIGRANTES

4 a Inma está preparando un trabajo sobre la globalización. Ahora está hablando con Pedro, un amigo. Antes de escuchar, ¿qué aspecto de la globalización crees tú que va a tratar? Después, comprueba tu respuesta escuchando la conversación.

☐ Las causas económicas y políticas de la globalización.
☐ El proceso de la globalización y la revolución tecnológica.
☐ Las consecuencias de la globalización en la vida cotidiana de la gente.

b Ahora vuelve a escuchar la conversación. Presta atención a la reacción de Pedro ante los comentarios de su amiga. ¿Puedes completar sus intervenciones con la ayuda del cuadro?

> me trae sin cuidado • qué más da • ~~qué bien~~ • me es indiferente

1 Inma le dice que tiene que hacer un trabajo sobre la globalización.
   PEDRO: Pues *qué bien*.
2 Inma dice que el tema de la globalización le apasiona.
   PEDRO: Pues a mí _____.
3 Inma le dice que él se pasa el día conectado a Internet.
   PEDRO: Sí, pero lo hago porque me divierte. Lo demás _____.
4 Inma le dice que hoy en día todos podemos hacer pública nuestra opinión.
   PEDRO: ¿Y _____ lo que piense gente que vive a miles de kilómetros de aquí?

c Teniendo en cuenta el ejercicio anterior, ¿cuál crees que es la actitud de los dos amigos respecto al tema de la globalización?

☐ Los dos están muy interesados.
☐ A ninguno de los dos les interesa en absoluto el tema.
☐ A Inma le apasiona, pero a Pedro le da lo mismo.

d Lee esta lista de palabras. Todas ellas son de la misma familia. ¿Por qué no intentas relacionar cada una con la definición que le corresponde? El ejemplo te puede ayudar.

1 globalización
2 global
3 globo
4 globalizar
5 globalidad
6 globalmente

a Totalidad, conjunto.
b De manera global.
c Integrar, incluir en un planteamiento global.
d El planeta Tierra.
e Tomado en conjunto, sin separar las partes.
f Integración de una serie de cosas en un planteamiento global.

12, 13

5a ¿Conoces la organización Médicos Sin Fronteras? Lee este texto e intenta adivinar con qué finalidad se escribió.

☐ Informar de los resultados del último informe de la organización.
☐ Presentarse y animar a la gente a que colabore con la organización.
☐ Recoger fondos para el próximo proyecto en Centroamérica.

Esta Navidad tus mejores deseos llegarán muy lejos, tan lejos como haga falta

También en estos días de paz, Médicos Sin Fronteras irá donde haga falta, sea donde sea. Como siempre.

Nos conoces, ¿verdad? Somos una ONG de acción humanitaria que ayuda a las víctimas de las catástrofes naturales, epidemias, y conflictos armados, piensen como piensen y sean del color que sean. Además, denunciamos las situaciones injustas de que somos testigos, porque creemos que callar nos convertiría en cómplices.

Lo estamos haciendo desde 1971 y, desgraciadamente, no nos faltarán ocasiones para continuar. ¿Estás con nosotros?

Ya contamos con el apoyo de más de 150.000 socios y colaboradores en territorio español y estamos presentes en más de 80 países. Pero necesitamos tu apoyo para continuar actuando con total independencia. Si apuestas por una acción humanitaria libre, por encima de la política, por encima de intereses económicos y por encima del poder, hazte socio de Médicos Sin Fronteras.

Muchas gracias.

Información extraída de www.msf.es

---

b En el texto aparece un sinónimo de "lamentablemente". ¿Sabes de qué expresión se trata? Búscala y escríbela debajo.

_____

c Médicos Sin Fronteras ayuda a las víctimas de diferentes conflictos piensen como piensen y sean del color que sean. ¿Qué significa esto?

☐ Ayuda a cualquier víctima, sin importarles su ideología o país de origen.
☐ Sólo ayuda a las víctimas de raza no blanca.
☐ Sólo ayuda a las víctimas según su ideología política.

d ¿Has pensado alguna vez en crear tú mismo una ONG? ¿Por qué no escribes un texto de presentación de tu organización? ¡Usa la imaginación! Fíjate en el texto modelo de arriba y sigue estas pautas:

• ¿De qué tipo de organización se trata? ¿Qué causas defiende?
• ¿Cómo y cuándo surgió la idea de crear la organización? ¿Con cuántos socios cuenta?
• ¿En qué países trabaja? ¿Cuáles son sus principios de actuación?
• ¿Por qué motivos alguien puede hacerse voluntario, socio o colaborador de tu organización?

6 ¿Te gusta hacer reír a la gente? ¿Crees que se puede utilizar la risa con fines terapéuticos? Payasos Sin Fronteras es una organización fundada en 1993 que utiliza actividades artísticas y socioeducativas. ¿Qué tipo de ayuda crees que ofrece?

☐ Promueve proyectos arquitectónicos, urbanísticos y medio ambientales en los países en vías de desarrollo.

☐ Mejora la situación psicológica de niños, niñas y adolescentes de países y zonas en conflicto.

☐ Presta atención médica a las víctimas de catástrofes naturales y conflictos armados.

7 a Los chicos están muy interesados en la organización Payasos Sin Fronteras. Lee el diálogo para conocer sus ideas. Fíjate en las expresiones que aparecen destacadas. ¿Para qué crees que sirven?

BEGOÑA: Chicos, **¿y si** *participáramos* con Payasos Sin Fronteras? Nosotros somos artistas y tenemos un montón de buenos espectáculos.

LOLA: **Lo mejor sería que** *llamara* alguno de nosotros antes de ir para concertar una cita con ellos. Ahora ya somos una compañía de teatro profesional y tenemos que comportarnos con seriedad.

ANDREW: Yo creo que **sería conveniente que** *fuéramos* todos. Podríamos llevarles fotos de alguna de nuestras actuaciones en la escuela, ¿qué os parece?

BEGOÑA: Genial, además tú, Julián, tienes mucha experiencia como payaso.

JULIÁN: Cierto. También **sería buena idea que** *vieran* alguna de las grabaciones.

LOLA: Y Andrew es un experto en la terapia de la risa, ¿verdad, Andrew?

ANDREW: Claro que sí, no hay nada más bonito que hacer reír a un niño.

☐ Para manifestar desinterés. ☐ Para expresar asombro. ☐ Para sugerir ideas.

He decidido colaborar con la organización Payasos Sin Fronteras.

b Ahora presta atención a las formas verbales que aparecen junto a las expresiones destacadas. ¿A qué modo verbal pertenece?

☐ Al indicativo.   ☐ Al subjuntivo.

5, 6

8a En lecciones anteriores ya has leído fragmentos de *La colmena*, de Camilo José Cela. Ahora vamos a leer también un fragmento de *El tragaluz*, una obra de teatro de Antonio Buero Vallejo. La acción de las dos obras transcurre en el Madrid de la posguerra.
¿Sabes qué es un tragaluz? Elige la opción más adecuada.

☐ Ventana abierta en un techo o en la parte superior de una pared.
☐ Animal de color azul que vive en las montañas.
☐ Aparato que sirve para controlar la intensidad de la luz.

b ¿Puedes relacionar las definiciones con sus expresiones?

1 No prestar atención a algo, distraerse.
2 Hacer algo que supone un peligro.
3 Hacerse religiosa.
4 Empezar a dedicarse a la prostitución.
5 Desgracia, acontecimiento inevitable.
6 Plan para hacer algo.
7 Producirse algo con mucha rapidez
8 Sustancia que se inyecta en caso de enfermedad.

a proyecto
b echarse a la vida
c meterse (a) monja
d atropellarse
e fatalidad
f inyección
g hacer una barbaridad
h descuidarse

Victoria lleva ya mucho rato llorando y en su cabeza los proyectos se atropellan unos a otros: desde meterse monja hasta echarse a la vida, todo le parece mejor que seguir en casa. Si su novio pudiera trabajar, le propondría que se escapasen juntos; trabajando los dos, malo sería que no pudiesen reunir lo bastante para comer. Pero su novio, la cosa era bien clara, no estaba para nada más que para estarse en la cama todo el día, sin hacer nada y casi sin hablar. ¡También era fatalidad! Lo del novio, todo el mundo lo dice, a veces se cura con mucha comida y con inyecciones; por lo menos, si no se curan del todo, se ponen bastante bien y pueden durar muchos años, y casarse, y hacer vida normal. Pero Victoria no sabe cómo buscar dinero. Mejor dicho, sí lo sabe, pero no acaba de decidirse; si Paco se enterase, la dejaría en el momento, ¡menudo es! Y si Victoria se decidiese a hacer alguna barbaridad, no sería por nada ni por nadie más que por Paco.

La colmena, Camilo José Cela.

ENCARNA: Me gustaría conocer a tus padres.
VICENTE: Ya me lo has dicho otras veces.
ENCARNA: No te estoy proponiendo nada. Puede que no vuelva a decírtelo. Pero... si tuviésemos un hijo, ¿lo protegerías?
VICENTE: ¿Vamos a tenerlo?
ENCARNA: No.
VICENTE: ¿No?
ENCARNA: ¡No!
VICENTE: Descuidarse ahora sería una estupidez mayúscula...
ENCARNA: Pero si naciera, ¿lo protegerías?
VICENTE: Te conozco, pequeña, y sé a dónde apuntas.
ENCARNA: ¡Aunque no nos casásemos! ¿Lo protegerías?
VICENTE: Si no vamos a tenerlo es inútil la pregunta. Vámonos.

El tragaluz, Antonio Buero Vallejo.

c Ahora responde a las preguntas con la opción más adecuada.

1 ¿Qué le pasa a Victoria?
☐ Está preocupada porque no sabe de dónde sacar dinero.
☐ Ha decidido hacerse monja.
☐ Está triste porque su novio la ha dejado por otra.

2 Y a su novio, Paco, ¿qué le pasa?
☐ No le gusta trabajar.
☐ Victoria cree que sale con otra chica.
☐ Está enfermo y por eso no puede trabajar.

3 ¿Qué opciones se plantea Victoria para salir de la situación en la que se encuentra?
☐ Ninguna porque no cree que sea posible encontrar una solución.
☐ Desde hacerse religiosa hasta dedicarse a la prostitución.
☐ Escaparse de casa sola.

4 ¿Qué le pregunta Encarna a Vicente?
☐ Si protegería a su hijo si lo tuviesen.
☐ Si se quiere casar con ella.
☐ Si sus padres la quieren conocer.

d ¿Qué te parece que tienen en común las dos protagonistas femeninas de los fragmentos? Fíjate bien en sus intervenciones. Tener en cuenta el contexto histórico en el que transcurre la acción también te puede ayudar.

☐ Recuerdan cómo era su vida antes de la guerra.
☐ Hacen planes para un futuro muy próximo con sus respectivos novios.
☐ Piensan en posibilidades que por la situación que viven son poco probables.

e Fíjate en las expresiones destacadas en los dos fragmentos. ¿Puedes completar esta estructura con estos dos elementos: condicional y si?

_____ + imperfecto de subjuntivo + _____

Una estupidez mayúscula es una torpeza muy grande.

f Después de haber leído el fragmento, ¿a qué crees que puede aludir el título de la obra de teatro El tragaluz? Piensa en el contexto histórico.

☐ La alegría de los vencedores en la guerra y el recuerdo nostálgico de aquel hecho.
☐ La marginación de los que perdieron en la guerra y la esperanza en el futuro.

EXPRESAR ASOMBRO O EXTRAÑEZA

- Asombro:

> 🗨 *¡Qué viento tan fuerte!*
> > 🗨 **¡Es increíble!** *Nunca había visto algo así.*
>
> 🗨 *Me han dicho que Ignacio ha tenido trillizos.*
> > 🗨 **¿De veras?** / **¡No me digas!** / **Es asombroso.**

- Extrañeza:

> 🗨 *Tenemos que pagar 42 euros de teléfono.*
> > 🗨 **¿Tanto? Qué raro.**
>
> 🗨 *No me funciona el ordenador.*
> > 🗨 **¿De verdad? No lo entiendo.**

Qué / Es + { extraño / raro } + que+ [subjuntivo]

Me { extraña / sorprende / asombra } + que+ [subjuntivo]

Qué extraño que no haya llegado.
Es raro que no dijera nada.

Me { extraña / sorprende / asombra } *que no haya llegado.*

¡Es increíble! Esta piedra tan grande pesa poquísimo.

EXPRESAR DESINTERÉS

> 🗨 *¿Sabes que he visto a Carmen?*
> > 🗨 **¡Ah!**
>
> 🗨 *Ha ganado el Madrid dos a cero.*
> > 🗨 **Pues qué bien.**
>
> 🗨 *Si no hablas, pensará que eres un antipático.*
> > 🗨 **Me da lo mismo / Me trae sin cuidado/ Me da igual.**

- Expresar indiferencia hacia una elección:

> 🗨 *¿Quieres ir al cine o al teatro?*
> > 🗨 **Me da lo mismo / Me es indiferente / Me da igual / Qué más da.**

EXPRESAR LÁSTIMA, LAMENTARSE

¡Qué lástima!   *¡Qué le vamos a hacer!*   *¡Qué mala pata!*
¡Cuánto lo siento!   *¡Así es la vida!*

Por desgracia
Desgraciadamente
Lamentablemente
Lamento que + [subjuntivo]

Por desgracia, no se puede hacer nada más.
Desgraciadamente, no se puede hacer nada más.
Lamentablemente, no le puedo decir nada más.
Lamento que todo haya ido tan mal.

SUGERIR

Lo mejor sería que
Sería buena idea que } + [imp. subj.]
Sería conveniente que

Lo mejor sería que fueras a hablar con
Sería buena idea que fuéramos todos.
Sería conveniente que tuvieras algo más de
paciencia.

¿Y si + { [imp. subj.]
[presente indicativo]

¿Y si organizáramos una fiesta de bienvenida?
¿Y si organizamos una fiesta de bienvenida?

§
- IMPERFECTO DE
  SUBJUNTIVO §15
- SUBORDINADAS ADJETIVAS
  EN INDICATIVO Y
  SUBJUNTIVO §46

SUBORDINADAS CONDICIONALES § 52

Si no fuera porque tengo tanto trabajo, *iría al cine.*

- Expresa una idea improbable o irreal:

Si + [imp. subj.] + { [condicional]
[condicional comp.]

Si fuera rico, *iría* a Australia.
Si lo supiera, te lo *habría dicho*.

- Expresa una condición improbable:

En caso de que + [subjuntivo]   *En caso de que llame,* dile que estoy ocupado.

- En muchas ocasiones no se dice la frase completa, sino sólo la primera parte; porque se presenta como algo más bien remoto, poco probable.

💬 *¿Vienes con nosotros?*
　　💬 *Si pudiera…*

Si no fuera porque siempre tengo prisa, comería mucho más sano.

Si supieras cocinar…

Evaluación

1 Lee esta noticia del periódico e intenta completarla eligiendo en cada caso la opción más adecuada.

SOLIDARIDAD EN LA CALLE

Miles de personas se manifestaron ayer **1**_____ los inmigrantes, quienes se mostraron sorprendidos por la gran respuesta: **2**_____. Gracias a nuestra protesta, a la ciudadanía ya no **3**_____ nuestra situación", declaró uno de los manifestantes. "Si vosotros **4**_____ inmigrantes, os **5**_____ que la gente os tratara como personas, ¿verdad? Eso es lo que queremos nosotros", manifestó otro. Al acto, convocado por sindicatos, partidos de izquierda, asociaciones de inmigrantes y **6**_____ sociales y religiosas, acudieron tanto ciudadanos como inmigrantes de todas las nacionalidades. "**7**_____ para todos", "No más **8**_____ " y "Ninguna persona es **9**_____" fueron algunos de los lemas de la manifestación.

Al final del recorrido se leyó un **10**_____ en el que los "sin papeles" reclamaban la regularización de su situación. Las autoridades presentes manifestaron que **11**_____ los inmigrantes finalizaran la huelga de hambre iniciada el pasado mes de enero para que las negociaciones continuaran con normalidad.

12_____, a pesar de la gran movilización ciudadana, no se prevé encontrar una solución favorable para todos a corto plazo.

El acto reivindicativo terminó con un festival musical organizado por voluntarios **13**_____ participaron un total de 25 artistas que quisieron colaborar con sus actuaciones con la protesta de los inmigrantes.

1	☐ a favor de	☐ en contra de	☐ a pesar de
2	☐ Es mayor	☐ Es una pena	☐ Es asombroso
3	☐ le trae indiferente	☐ le trae sin cuidado	☐ le trae igual
4	☐ seréis	☐ fuerais	☐ sois
5	☐ gustó	☐ gusta	☐ gustaría
6	☐ derechos	☐ organizaciones	☐ culturas
7	☐ Papeles	☐ Lucha	☐ Problemas
8	☐ extranjeros	☐ xenofobia	☐ paz
9	☐ ilegal	☐ legal	☐ trabajo
10	☐ cuento	☐ manifiesto	☐ manifestación
11	☐ una idea	☐ ¿y si?	☐ sería conveniente que
12	☐ ¡Qué raro!	☐ Es asombroso	☐ Lamentablemente
13	☐ en el que	☐ como donde	☐ por el que

Ahora:

• Puedo expresar asombro, extrañeza y desinterés
• Sé cómo lamentarme.
• Soy capaz de sugerir algo a otros

He aprendido otras cosas:

_____
_____
_____
_____

Consulta nuestra dirección en la web:
www.esespasa.com

1 Elige la opción más adecuada para cada caso.

1 🗨 ¿Qué te parece el acuerdo internacional sobre medio ambiente?

🗨 Me parece estupendo, pero _____ no se va a cumplir.

☐ *no importa que*   ☐ *tengo la impresión de que*   ☐ lo *que habría que hacer*

2 🗨 Lola, Toni organiza una fiesta para la verbena de San Juan en su casa.

🗨 ¿_____ lo sabías? Yo ya he quedado con los vecinos del tercero.

☐ *Con qué*   ☐ *Hacia dónde*   ☐ *Desde cuándo*

3 Chicos, sería buena idea que _____ en la campaña que organiza la escuela a favor de los niños del barrio.

☐ *participarais*   ☐ *participaréis*   ☐ *habéis participado*

4 🗨 Lola, ¿qué te parece la idea de exportar turrón a Estados Unidos?

🗨 _____ que es una idea fantástica.

☐ *Lo que se podría*   ☐ *De lo contrario*   ☐ *Opino*

5 🗨 La comida de Navidad estaba muy buena, Ana.

🗨 _____, pues es muy fácil de preparar, no tiene ninguna dificultad.

☐ *¿En serio?*   ☐ *¿Recuerdas?*   ☐ *Lo que quieras*

6 Buscamos alguna institución oficial que _____ con la escuela en la campaña de recogida de regalos para el día de Reyes.

☐ *colabora*   ☐ *colabore*   ☐ *colaborará*

7 🗨 Chicas, ¿cuándo vamos a preparar la fiesta de Nochevieja?

🗨 _____ queráis. Nosotros ya hemos pensado algunas ideas.

☐ *Cuando*   ☐ *Adonde*   ☐ *Como*

8 🗨 Lázaro, ¿nunca has vuelto al pueblo de tus padres?

🗨 No, mis padres vendieron la casa _____ nací y se vinieron a vivir aquí.

☐ *en el que*   ☐ *en la que*   ☐ *con la que*

9 🗨 Me voy para la escuela. ¿Necesitáis algo?

🗨 _____ preguntarle a Antonio si la escuela organizará carnaval este año.

☐ *Acuérdate de*   ☐ *Recuerda que*   ☐ *Recuérdale*

10 🗨 Ana, ¿tú qué harías si te tocara la lotería esta Navidad?

🗨 Si tuviera suerte y me tocara, haría un viaje, pero no _____ de trabajar.

☐ *dejaría*   ☐ *dejar*   ☐ *dejara*

11 El piso _____ antes de que los chicos vinieran aquí a vivir.

☐ *reforma*   ☐ *ha reformado*   ☐ *fue reformado*

Así puedes aprender mejor

¿Sobre qué temas te gusta leer?

☐ ciencia y tecnología   ☐ coches   ☐ deportes

☐ naturaleza   ☐ novela   ☐ _____

Es más fácil comprender textos sobre temas que nos interesan. También son más fáciles los textos acerca de los que ya tenemos alguna información.

Antes de leer selecciona textos en español que te sean más fáciles de comprender. De esta forma estarás más motivado para la lectura y aprenderás español más rápido.

Diario de aprendizaje

Cuando escribo un texto

hago antes un borrador

Cuando leo no consulto

continuamente

el diccionario

Después de escuchar,

miro las transcripciones

de los ejercicios de

audio porque me gusta

fijarme en la

pronunciación

Desde que he

empezado este curso he

aprendido (mucho /

bastante / poco)

En las próximas

lecciones creo que tengo

que poner más atención

en _____

2 Nuestros amigos han encontrado la palabra que falta en cada una de las siguientes frases; escríbelas de nuevo colocando en el lugar correcto la palabra que se había perdido.

1 En la cumbre se habló primer lugar de los derechos de los niños y niñas. **en**
_____

2 Los estudiantes se han reunido manifestar su apoyo a los inmigrantes. **para**
_____

3 Yo en lugar hablaría con Ana sobre el alquiler de este mes. **tu**
_____

4 ¿Por tengo que ir para llegar a la plaza del Ayuntamiento? **dónde**
_____

5 A pesar que llueva, celebraremos la verbena como siempre. **de**
_____

3 ¿Puedes completar el texto con las expresiones del cuadro?

> populares • a favor de • donde
> solidaridad • cuándo • internacionales • a medias
> estudiaran • experimentan • mucho gusto
> organizaciones • se acuerdan de
> la verdad es que • eso que

¿Crees que la convivencia en el piso de los chicos es tranquila? ¿Hasta **1** _____ piensas que durará? Nuestros amigos tienen muy buenas relaciones; y **2** _____ proceden de culturas diferentes. Si los cuatro no **3** _____ teatro en la misma escuela, nunca se habrían conocido. Además les unen muchas cosas, como la **4** _____: Julián firma manifiestos **5** _____ todo tipo de causas, Begoña colabora con **6** _____ no gubernamentales, Andrew está preocupado por las relaciones **7** _____ entre España y Estados Unidos, **8** _____ quiere montar un negocio de exportación de turrón, y a Lola le preocupan los productos de empresas que **9** _____ con animales.

También les gustan mucho las fiestas **10** _____, y cuando en el piso organizan alguna celebración siempre **11** _____ Ana, Lázaro y Antonio.

No te quedes **12** _____ y continúa aprendiendo español a su lado, ellos te acompañarán con **13** _____. No permitas que los pequeños problemas te desanimen. Aprende español con nuestros amigos como, cuando y **14** _____ quieras.

bloquetres3

Índice

7

lecciónsiete**7**

www.medalagana.com

En escena

Vivimos en una sociedad dominada por el desarrollo tecnológico. Pero el avance tiene aspectos positivos y negativos. ¿Cuál es tu opinión? Cuéntanosla.

Nuestros amigos tienen actitudes diferentes frente a la sociedad de la información. Internet, módem, página web, redes,... Andrew te puede ayudar con todas estas palabras porque la informática es su gran pasión. Si tienes problemas técnicos, resuélvelos con él de una vez por todas. Ana y Lázaro prefieren la comunicación cara a cara. Y tú, ¿crees que la tecnología está al alcance de todos?

www.medalagana.com

- Expresiones para reclamar, protestar y expresar quejas
- Cómo reaccionar ante una protesta o una reclamación
- A describir objetos

1a Andrew y Ana están hablando sobre tecnología. Antes de escucharlos, asegúrate de que conoces el significado de las palabras y expresiones. Si tienes algún problema, consulta las soluciones.

1, 2, 3, 4, 10

▶ *visitar una página web*
▶ *pedir un imposible*
▶ *la red*

▶ *conectarse*
▶ *más sabe el diablo por viejo que por diablo*

b Escucha la conversación y distingue las frases verdaderas (V) de las falsas (F).

	V	F
1 Andrew está preparando la página web de la compañía.	✓	☐
2 Ana no podrá visitar la página porque no tiene ordenador.	☐	☐
3 Andrew entiende perfectamente que Ana no tenga ordenador.	☐	☐
4 Ana prefiere visitar a los chicos en persona que utilizar Internet.	☐	☐
5 Andrew piensa que Ana siempre se equivoca.	☐	☐

c Vuelve a escuchar la conversación. Presta atención a la reacción de Andrew. ¿Recuerdas qué dice? Completa la intervención.

ANDREW: ¿_____ _____ _____? La red es el futuro.

d ¿Qué crees que manifiesta Andrew con su reacción?

☐ Tristeza   ☐ Protesta   ☐ Alegría

e Andrew ha tenido algunos problemas con el ordenador. Lee estas frases e intenta adivinar cuál es la actitud de Andrew. Después, puedes marcar si las expresiones destacadas van seguidas de indicativo (I) o subjuntivo (S).

	I	S
1 **¿Cómo es que** *va* tan lenta la conexión?	☐	☐
2 **No puede ser que** *funcione* tan mal este ordenador.	☐	☐
3 **¿Cómo es posible que** *esté* otra vez estropeado el ratón?	☐	☐
4 **¿Cómo puede ser que** *tarde* tanto tiempo para enviar un correo?	☐	☐

☐ Se alegra de que su ordenador funcione tan bien.
☐ Se sorprende de tener problemas con el ordenador y se queja.

6, 9

2a ¿Has oído hablar alguna vez de la biotecnología? Antes de leer el artículo, ¿por qué no compruebas qué sabes a cerca de esta ciencia? Decide si las siguientes afirmaciones son verdaderas (V) o falsas (F).

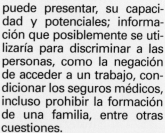

	V	F
1 La biotecnología es la ciencia que estudia el desarrollo de las plantas.	☐	☐
2 La clonación permite duplicar organismos a partir de una única célula.	☐	☐
3 La clonación no permite curar ningún tipo de enfermedad.	☐	☐
4 El ADN contiene la información genética del ser humano.	☐	☐
5 No importa saber dónde están ni qué función tienen los genes humanos.	☐	☐
6 La ingeniería genética permite diagnosticar enfermedades genéticas.	☐	☐

b ¿Cómo crees que han reaccionado los científicos ante el avance de la biotecnología? Después lee el texto para comprobar tu respuesta.

☐ No hay por qué preocuparse. El uso de la biotecnología no supone ningún peligro para la especie humana.

☐ Hay que hacer un uso responsable de la biotecnología. Si se utiliza mal, puede poner en peligro los derechos de las personas.

☐ Hay que alegrarse por los animales y por las plantas. La biotecnología ha mejorado su calidad de vida.

EXCELSIOR
Edición Internet

Biotecnología, el paso al futuro

Una esperanza de solución a problemas como la contaminación del ambiente, la falta de alimentación, la producción de medicamentos y la cura de enfermedades congénitas ha llegado con el desarrollo de la biotecnología, es decir, el conocimiento del material genético de los organismos vivos para su manipulación. Gracias a la biotecnología tenemos plantas genéticamente más resistentes a la sequía, o vacas productoras de proteínas contra la diabetes, y qué decir de aquellas frutas más nutritivas. Más impresionante todavía es la clonación, técnica usada para obtener células y duplicar animales.

El desarrollo de la clonación **servirá para** ayudar a curar enfermedades como el cáncer, el Alzheimer y el Parkinson mediante la extracción de células enfermas, manipulación y posterior reimplantación en seres humanos.

Un reto para los investigadores es aprender a leer la secuencia del ADN (ácido desoxirribonucleico), que **es como una especie de libro** donde se contiene la información genética del ser humano en sus 23 pares de cromosomas. El ADN **tiene forma de** hélice y **está hecho** de genes. Cada una de nuestras características físicas y predisposición a padecer enfermedades están determinadas por alguno de los genes. De ahí la importancia de saber con exactitud dónde están y qué función tiene cada uno de los genes en el organismo humano.

La ingeniería genética va a permitir señalar la predisposición a padecer enfermedades de origen genético, lo cual permitirá ayudar a las personas antes de que presenten la enfermedad, o tratar de curarlas con terapia génica. Una vez conocida toda la secuencia del material genético humano podremos diseñar estrategias para hacer llegar el material genético a regiones específicas del genoma y sustituir el gen equivocado por el gen normal.

A pesar de sus virtudes, la comunidad científica ha coincidido en que con la biotecnología mal empleada peligran las libertades fundamentales de las personas. Al conocer el interior genético de un individuo, se podrá saber qué tipo de enfermedades genéticas puede presentar, su capacidad y potenciales; información que posiblemente se utilizaría para discriminar a las personas, como la negación de acceder a un trabajo, condicionar los seguros médicos, incluso prohibir la formación de una familia, entre otras cuestiones.

La biotecnología es una realidad al servicio de la humanidad. Federico Mayor Zaragoza, exdirector de la UNESCO, pronunció estas sabias palabras: «El futuro del siglo XXI estará determinado por la genética y la informática. El destino de la especie humana dependerá del uso que les dé el mismo hombre».

Texto adaptado de *Excelsior, Edición Internet*, http://www.excelsior.com.mx/ *Fin de siglo*, México, 27 febrero, 1999.

 1, 2, 3, 9

c En el artículo se explica qué y cómo es el ADN. Después de leerlo, seguro que puedes contestar a estas preguntas.

1 ¿Para qué servirá el desarrollo de la clonación?
   Servirá para ayudar a curar enfermedades.

2 ¿A qué es comparable el ADN?
   _____.

3 ¿De qué tiene forma el ADN?
   _____.

4 ¿De qué está hecho el ADN?
   _____.

d ¿Qué estructuras se usan para definir, describir o explicar lo que es el ADN? Fíjate en las expresiones destacadas en el artículo. Como puedes ver, no todas las estructuras son iguales ni expresan lo mismo. Une cada estructura con lo que expresa.

El genoma es como una especie de mapa de los humanos.

1 SUSTANTIVO + sirve para + INFINITIVO
2 SUSTANTIVO + está hecho de + SUSTANTIVO
3 SUSTANTIVO + tiene forma de + SUSTANTIVO
4 SUSTANTIVO + es como una especie de + SUSTANTIVO

a comparación
b forma
c material
d utilidad

e Presta atención a las estructuras del ejercicio anterior. Todas van seguidas de un sustantivo menos la primera, *sirve para*. De estas formas verbales que aparecen aquí, ¿cuál dirías que sigue la regla anterior?

☐ Ayudando   ☐ Ayudado   ☐ Ayudar

f ¿Para qué crees que sirven estas estructuras?

☐ Para describir un objeto.   ☐ Para describir una situación.
☐ Para contar una historia.   ☐ Para describir a una persona.

g Completa las frases con alguna de las expresiones del cuadro.

está compuesto por • se parece a • es • ~~se usará para~~

1 La clonación *se usará para* ayudar a curar enfermedades.
2 El ADN _____ una especie de libro.
3 El ADN _____ helicoidal.
4 El ADN _____ genes.

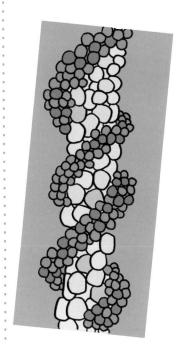

3a Dos compañeros de trabajo están hablando en la oficina. ¿Podrías marcar el tema del que van a hablar? Después, comprueba tu respuesta escuchando su conversación.

6, 13

☐ Los problemas con la familia.   ☐ Los problemas con el dinero que ganan.
☐ Los problemas técnicos en la oficina.   ☐ Los problemas con los compañeros.

11

b Hemos seleccionado algunas de las intervenciones anteriores. ¿Te atreves a completarlas con ayuda del cuadro? Luego, comprueba tus respuestas escuchando de nuevo el diálogo.

> a partir de • a punto de • de momento • a la hora de
> cuanto antes • de repente • a eso de • de un momento a otro
> en • a primera hora • de pronto

1 FRANCISCO: Porque llevo un día... *A primera hora* de la mañana estaba leyendo el correo electrónico y el ordenador se ha bloqueado.
2 FRANCISCO: Iba a responder a un correo y, _____, ha aparecido una cosa en la pantalla y el ordenador se ha apagado, así, _____.
3 MATILDE: Si falla el correo, _____ podemos tener algún problema con la conexión a Internet.
4 FRANCISCO: Pues, _____, nada porque _____ las dos va a venir el técnico, justo _____ comer, así que hoy comeré tarde, pero _____ esté arreglado mejor. Por cierto, ¿qué hora es?
5 MATILDE: Las dos menos cuarto. El técnico estará _____ llegar.
6 FRANCISCO: Me han dicho que _____ un par de horas lo tendrán solucionado, que llame _____ las cuatro.

c Fíjate en las expresiones del cuadro del ejercicio anterior. ¿Para qué crees que sirven en este caso? El contexto te puede ayudar.

☐ Para hablar del tiempo meteorológico.   ☐ Para hablar del tiempo cronológico.

☐ Para hablar de problemas técnicos.

12

d Presta atención a la última intervención de Matilde. ¿Por qué crees que utiliza el se?

MATILDE: Ayer envíe unos paquetes por correo, pero uno **se** ha perdido y esta mañana he tenido que ir a correos para intentar recuperarlo.

☐ Matilde no sabe a quién o a qué se debe la pérdida del paquete.
☐ Matilde confiesa que ella fue la que perdió el paquete ayer.
☐ Matilde sabe perfectamente que la pérdida del paquete es culpa de correos.

4a Macarena es una joven investigadora andaluza. Hoy es su primer día en una universidad española. Antes de escuchar, ¿en qué orden crees que tendrán lugar estas acciones? Después comprueba tu respuesta.

- [1] Macarena y la persona que la recibe, Nieves, se presentan.
- [ ] Nieves le presenta un compañero de trabajo a Macarena.
- [ ] Macarena y Nieves hablan un poco sobre varios temas: el tiempo, la comida,...
- [ ] Nieves le enseña a Macarena la planta donde trabajará, para situarla.

b ¿*Ser* o *estar*? Completa estas frases con alguno de los dos verbos. Después, comprueba tus respuestas escuchando de nuevo la conversación.

1 Soy de un pueblo que __está__ cerca de Málaga.
2 Allí el verano _____ muy caluroso, mucho más que en Madrid.
3 La gente _____ muy agradable.
4 Y la comida _____ muy buena.
5 Mira, esto _____ la sala de reuniones.
6 Todas las conferencias _____ aquí.
7 Hoy en día Internet _____ indispensable para cualquier tipo de investigación.
8 Carlos, te presento a Macarena; _____ andaluza.
9 En realidad _____ profesor de Física.
10 Pero aquí _____ de programador.
11 Últimamente, Carlos _____ muy ocupado y no tiene tiempo para nada.

c Identifica cada una de las frases del ejercicio anterior con uno de los siguientes usos de *ser* y *estar*. Fíjate en qué casos usas *ser* y en qué casos, *estar*. Si tienes alguna duda, consulta en *Recursos*.

			SER	ESTAR
____	a	Para identificar y definir.	☐	☐
____	b	Para identificar la procedencia.	☐	☐
____	c	Para indicar la profesión.	☐	☐
____	d	Para indicar una actividad profesional temporal.	☐	☐
_1_	e	Para indicar el lugar de algo.	☐	✓
____	f	Para indicar el lugar en el que se celebra un acto.	☐	☐
____	g	Para calificar desde la perspectiva del hablante.	☐	☐
____	h	Para indicar una cualidad considerada provisional.	☐	☐
____	i	Para indicar una cualidad considerada permanente.	☐	☐
____	j	Para describir cualidades propias del objeto.	☐	☐
____	k	Para describir una cualidad apreciada en el objeto.	☐	☐

¡No puede ser que mi conexión a Internet sea tan lenta!

d Vuelve a escuchar la conversación. Ahora presta atención a estas tres expresiones. ¿Puedes adivinar su significado por el contexto?

1 **Meter la pata:** ☐ Equivocarse. ☐ Tropezar con algo. ☐ Tocarse la pierna.
2 **Hasta las tantas:** ☐ Hasta luego. ☐ Hasta muy pronto. ☐ Hasta muy tarde.
3 **Echar una mano:** ☐ Tirar la mano. ☐ Ayudar a alguien. ☐ Saludar con la mano.

5

6, 7

2, 3, 10

5a Aquí tienes la carta que ha enviado un usuario a una compañía telefónica. Antes de leerla, fíjate a quién va dirigida e intenta adivinar la finalidad con que ha sido escrita. Después comprueba tu respuesta.

☐ Felicitar a la compañía por el buen servicio recibido.
☐ Quejarse por los problemas técnicos de su móvil y el servicio de la compañía.
☐ Denunciar la pérdida de su teléfono móvil y pedir gratis otro nuevo.

Servicio de reclamaciones

Soy un usuario que hace dos semanas compró un teléfono móvil en una de las tiendas oficiales de su compañía y, desde ese día, no he tenido más que dolores de cabeza.

Cada día aparece un nuevo problema técnico y, como ustedes comprenderán, **no puede ser que el usuario se tenga que preocupar** constantemente de lo que le pasa a su móvil. Para mi actividad profesional el móvil es una herramienta indispensable y no estoy dispuesto a esperar más tiempo para que resuelvan la situación.

Para empezar, no puedo recargar el móvil con la tarjeta que adquirí en la misma tienda donde realicé la compra; lo tengo que cargar siempre con la tarjeta de crédito. En varias ocasiones he llamado al Servicio de Atención al Cliente, pero siempre está ocupado. **¿Cómo es posible que no haya** ni un solo operador disponible?, me pregunto. **¡No hay derecho!** Estar más de una hora al teléfono para intentar resolver algo tan sencillo...; **¡esto es una vergüenza!**

Además, aunque en ningún momento solicité la instalación del servicio de contestador automático, no hay manera de que me lo cancelen. **¡Ya está bien!** Si ya he llamado más de tres veces para cancelar el servicio, **¿cómo es que todavía sigue activado?** Y, por si fuera poco, tengo que pagar para escuchar los mensajes. La verdad es que empiezo a pensar que **esto es una tomadura de pelo.**

Les pido que intenten facilitar las cosas al usuario y que arreglen mis problemas **de una vez por todas.** En caso de que no sea así, me veré obligado a abandonar su compañía y a buscar otra que me ofrezca mejor calidad en el servicio.

Finalmente, les adjunto mi dirección y el modelo y número del móvil para que resuelvan **de una vez** todos los problemas técnicos que les he detallado.

Atentamente,
Diego Prado

b Ahora, fíjate en las expresiones destacadas. ¿Cómo te parece que está el usuario respecto a la actuación de la compañía telefónica?

☐ Está un poco molesto.   ☐ Está algo despistado.   ☐ Está muy molesto.

c Intenta identificar en la carta estos dos tipos de expresiones.

Para protestar de forma muy enérgica:
1 *¡No hay derecho!*   3 _____
2 _____   4 _____

Para indicar impaciencia:
1 *De una vez por todas*
2 _____

d ¡Ahora tú! Ponte en el lugar del usuario, piensa en que tu teléfono móvil no tiene cobertura. Tienes que controlar el tono. Puedes utilizar las expresiones que conoces para protestar de forma muy enérgica. Sigue el orden que te indicamos.

1 Explica el motivo de tu reclamación.
2 Menciona todos los problemas técnicos.
3 Exige la solución de tu problema.
4 Adjunta la información necesaria.

6a A menudo tenemos problemas con la tecnología. ¿Por qué no intentas relacionar cada palabra con su significado? Después, en la ilustración, sitúalas en el lugar que les corresponde.

1, 4

> antena • auricular • tecla • teclado
> micrófono • indicador • pantalla

1 Dispositivo o señal que comunica o pone de manifiesto un hecho. *Indicador*
2 Parte o dispositivo que se aplica al oído para recibir sonido. _____
3 Pieza que se pulsa para iniciar el funcionamiento de un mecanismo. _____
4 En los aparatos electrónicos, parte que permite visualizar imágenes o caracteres. _____
5 Conjunto ordenado de teclas de un aparato o instrumento musical. _____
6 Aparato que transforma las ondas sonoras en corrientes eléctricas para aumentar su intensidad, transmitirlas y registrarlas. _____
7 Dispositivo de formas muy diversas que, en los emisores y receptores de ondas electromagnéticas, sirve para emitirlas o recibirlas. _____

a _____

b _____

c *indicador* luminoso

d _____

e _____ de volumen

f _____ alfanumérico

g _____

b ¿En qué tipo de documento crees que puede aparecer una ilustración como la de arriba? Marca la opción correcta.

☐ Manual de instrucciones   ☐ Prospecto de medicamento   ☐ Folleto publicitario

7 Diego Prado ha recibido respuesta a su reclamación. Léela y fíjate en las expresiones destacadas. ¿Cuál crees que es el objetivo de la compañía?

2, 8, 13

Estimado cliente:
En nombre de la compañía, nuestras más sinceras disculpas por las molestias ocasionadas. Lamentamos de verdad no haberle atendido como cualquiera de nuestros clientes se merece por el hecho de haber confiado en nuestros servicios.
No se preocupe por nada. Con los datos que nos adjuntó en su carta arreglaremos todos sus problemas.

Si te dicen: "¿Me echas una mano?", recuerda que te están pidiendo ayuda.

☐ Ofrecer al usuario el nuevo sistema de tarifas para evitar problemas.
☐ Disculparse por los problemas causados y proponer una solución.
☐ Detallar el motivo de la reclamación para proponer problemas.

La lengua es arte

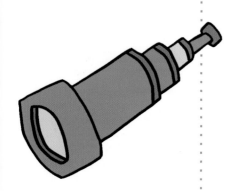

8a Vamos a leer un fragmento de la novela *Cien años de soledad*, del colombiano Gabriel García Márquez, uno de los premios Nobel de la literatura hispana. Pero antes asegúrate de que conoces estas palabras. Si tienes alguna duda, consulta las soluciones. Después, estarás preparado para leer el texto.

▶ *gitano*   ▶ *descubrimiento*   ▶ *imán*   ▶ *disuadir*
▶ *concebir*   ▶ *real*   ▶ *invento*   ▶ *aparato*
▶ *lupa*   ▶ *demostración*

b ¿Has disfrutado de la lectura? Pues ahora indica si las siguientes frases son verdaderas (V) o falsas (F).

		V	F
1	Los gitanos tenían un catalejo y una lupa.	✓	
2	Con la lupa, la gente podía ver a la gitana muy cerca.		
3	Los gitanos no demostraron la validez de sus descubrimientos.		
4	José Arcadio ya había fracasado en la demostración de otros inventos.		
5	José Arcadio pensó en utilizar la lupa como un juego para los niños.		
6	Melquíades animó a José Arcadio a llevar a cabo la demostración.		
7	José Arcadio sufrió quemaduras al demostrar los efectos de la lupa.		
8	La mujer de José Arcadio incendió la casa.		

En marzo volvieron los gitanos. Esta vez llevaban un catalejo y una lupa del tamaño de un tambor, que exhibieron como el último descubrimiento de los judíos de Ámsterdam. Sentaron una gitana en un extremo de la aldea e instalaron el catalejo a la entrada de la carpa. Mediante el pago de cinco reales, la gente se asomaba al catalejo veía a la gitana al alcance de su mano. «La ciencia ha eliminado las distancias», pregonaba Melquíades. «Dentro de poco, el hombre podrá ver lo que ocurre en cualquier lugar de la tierra, sin moverse de su casa». Un mediodía ardiente hicieron una asombrosa demostración con la lupa gigantesca: pusieron un montón de hierba seca en mitad de la calle y le prendieron fuego mediante la concentración de los rayos solares. José Arcadio Buendía, que aún no acababa de consolarse por el fracaso de sus imanes, concibió la idea de utilizar aquel invento como un arma de guerra. Melquíades, otra vez, trató de disuadirlo. Pero terminó por aceptar los dos lingotes imantados y tres piezas de dinero colonial a cambio de la lupa.

(...)

Tratando de demostrar los efectos de la lupa en la tropa enemiga, se expuso él mismo a la concentración de los rayos solares y sufrió quemaduras que se convirtieron en úlceras y tardaron mucho tiempo en sanar. Ante las protestas de su mujer, alarmada por tan peligrosa inventiva, estuvo a punto de incendiar la casa.

(...)

«En el mundo están ocurriendo cosas increíbles –le decía a Úrsula–. Ahí mismo, al otro lado del río, hay toda clase de aparatos mágicos, mientras nosotros seguimos viviendo como los burros».

Cien años de soledad, Gabriel García Márquez.

c Busca en el fragmento la frase donde se describe el tamaño de los objetos que llevaban los gitanos. Escríbela y después intenta completar la estructura.

 9

1 _____

2 SER + del + _____ + _____ + [un objeto]

d Por el contexto, ¿qué crees que quiere decir la expresión: "*Al alcance de la mano*"?

☐ Muy cerca   ☐ Muy lejos   ☐ Muy pronto

e ¿Cuál te parece que es la actitud de Melquíades y José Arcadio con respecto a los avances científicos? Localiza en el fragmento las intervenciones en que ambos opinan sobre la ciencia y selecciona la opción correcta. ¿Estás de acuerdo con ellos?

☐ Están admirados por los avances científicos.
☐ Se muestran indiferentes a la ciencia.
☐ Están en contra del progreso científico.

José Arcadio Buendía quería usar la lupa como arma de guerra.

f ¿Qué crees que quiere decir José Arcadio cuando le dice a su mujer: "*nosotros seguimos viviendo como los burros*"?

☐ Los avances de la ciencia han llegado a donde ellos viven.
☐ Viven gracias a la cría y venta de burros.
☐ Los avances de la ciencia no han llegado a donde viven ellos.

g ¿Recuerdas el vocabulario? Vamos a verlo. Completa las frases con las palabras del cuadro.

demostración • concebir • aparato • imán
gitanos • lupa • descubrimiento

1 Todas las ecuaciones matemáticas necesitan una *demostración*.
2 Las palabras del diccionario eran tan pequeñas que tuve que usar una _____ para verlas bien.
3 El _____ de la penicilina fue en 1945.
4 La gravedad de la Tierra actúa como un _____.
5 Para que el _____ funcione lo tienes que enchufar.
6 Los _____ son un pueblo que tiene su propia cultura.
7 Para _____ una buena idea hay que pensar con mucha calma.

RECLAMAR, PROTESTAR Y EXPRESAR QUEJAS

¿Cómo es que + [indicativo]

No puede ser
Cómo es posible } + que + [subj.]

¿Cómo puede ser?
¿Cómo es posible?

*¿**Cómo es que** todavía no está arreglado? Dijeron que vendrían ayer.*
*Lo compré el mes pasado. **No puede ser que** ya no **funcione**.*
***Pero cómo es posible que esté** cerrado a las diez.*
*El ordenador es nuevo y ya se ha estropeado. ¿**Cómo puede ser?***
*El ordenador es nuevo y ya se ha estropeado. ¿**Cómo es posible?***

• Protestar de forma muy enérgica:

No hay derecho
¡Ya está bien!
¡Hay que ver!

¡Desde luego...!
¡Será posible!
¡Esto es una vergüenza!

Esto es una tomadura de pelo.

• Expresa impaciencia por algo que el hablante espera que se produzca:

De una vez por todas
De una vez

*A ver si arreglan la nevera **de una vez por todas**.*
*¡Dos horas de retraso! A ver si sale el avión **de una vez**.*

¡No puede ser que haya perdido la cartera!

EXPRESIONES

• Para encontrar en el diccionario el significado de una expresión tienes que buscarla por una de las palabras que la componen. En las que tienes a continuación hemos destacado las palabras por las que deberías buscarlas:

dar la **gana**

*No me **da la gana** venir a trabajar el sábado. No es justo.*

echar una **mano**

*Si estás muy ocupado te **echo una mano**.*

importar un **bledo**

*Me **importa un bledo** lo que diga. Estoy seguro de que tengo razón.*

meter la **pata**

*No dijo nada por miedo a **meter la pata**.*

quedarse en blanco

*Lo sabía perfectamente, pero en cuanto empezó a hablar, **se quedó en blanco**.*

SISTEMATIZACIÓN DE LOS USOS DE *SER* Y *ESTAR*

- Éstas son algunas reglas para usar los verbos *ser* y *estar*.

<table>
<tr><th>SER</th><th>ESTAR</th></tr>
<tr><td>

- Para indicar profesión

> *Mi hermano **es** ingeniero.*

- Para indicar la materia

> *Mira qué camisa. **Es** de algodón.*

- Para indicar lugar o momento de un evento:

> *La conferencia **es** en la sala 18.*
> *El partido de fútbol **fue** el martes.*

- Para calificar desde la perspectiva del hablante:

> *Esta película **es** divertidísima.*
> 💬 *Han inventado una casa inteligente.*
> 💬 ***Es** increíble.*

- Para indicar una cualidad considerada permanente:

> *Carlos **es** muy antipático.*
> *Begoña **es** rubia.*

- Cualidades propias del objeto:

> *La bandera **es** azul y blanca.*
> *La casa de José **es** muy grande.*
> *Este vino **es** muy bueno.*

- Para identificar y definir

> *El español **es** la tercera lengua más hablada en el mundo.*

- Para identificar nacionalidad, procedencia o grupo

> *Mi padre **es** chileno.*
> *Prueba estos dulces. **Son** de mi pueblo.*
> ***Es** católico.*

</td><td>

- Para indicar actividad temporal

> *Mi hermano es ingeniero, pero **está** de administrativo.*

- Para indicar el lugar de algo:

> *Granada **está** en el sur de España.*

- Para expresar una condición del objeto en sí mismo:

> *Esta película **está** bien.*
> *El ordenador **está** encendido.*
> *Luis **está** muerto.*

- Para indicar una cualidad considerada provisional:

> *Carlos **está** triste.*
> *La sopa **está** fría.*
> *Marina **está** embarazada.*

- Para describir una cualidad apreciada en el objeto:

> *La comida **está** muy buena.*
> *El agua **está** muy fría.*

</td></tr>
</table>

- **DESCRIBIR OBJETOS**
- **REFERENCIAS TEMPORALES**

- **REACCIONAR ANTE UNA PROTESTA O RECLAMACIÓN**

§

- *SE* DE INVOLUNTARIEDAD §37
- REFERENCIAS TEMPORALES §26

Este plato está muy bien.

Sí, y es muy fácil de preparar.

Evaluación

1 Lee este artículo de prensa sobre los avances tecnológicos. Intenta completarlo eligiendo en cada caso la opción correcta.

Tiene forma de televisor y es *1* _____ ventana al mundo. ¿De qué objeto hablamos? Si están pensando en el ordenador, lo han adivinado.

La red *2* _____ el futuro. Hoy en día domina la vida cotidiana de niños, jóvenes, adultos y mayores. Todos pasamos muchas horas sentados delante de la *3* _____ del ordenador. A primera hora ya hay gran cantidad de gente conectada a la red y son muchos los que se quedan *4* _____ navegando.

El ordenador *5* _____ todo y las posibilidades de Internet son ilimitadas; se usa para visitar una página web, escuchar música, leer la prensa del día, escribir correos, etc.

Además, en los últimos años los modelos de ordenadores han variado mucho y el usuario puede encontrarlos de todos los tamaños y de todas las *6* _____. Se prevé que *7* _____ los próximos años seguirá esta tendencia.

Estamos ya tan acostumbrados a convivir con todo tipo de *8* _____ que cuando, por alguna razón, no podemos utilizarlos, protestamos: "¿*9* _____ el ordenador esté desconectado?" o "*10* _____ el móvil no funcione". Algunos se ponen nerviosos y, de forma más enérgica, exclaman: "¡No hay derecho! ¡*11* _____!" Los técnicos, ante estas situaciones, sólo pueden disculparse: "Lo lamento de verdad, *12* _____, ahora lo arreglo", y preguntarle al usuario: "¿Qué ha pasado?". Pero el usuario casi siempre responde lo mismo: "No sé, *13* _____ ha estropeado de repente". Cuando esto sucede el dependiente nos mira de tal forma que parece *14* _____ de echarnos de la tienda.

1 ☐ como una especie de	☐ una especie de como	☐ una como de especie
2 ☐ está	☐ es	☐ tiene
3 ☐ teclado	☐ micrófono	☐ pantalla
4 ☐ muy pronto	☐ tarde	☐ hasta las tantas
5 ☐ sirve para	☐ con	☐ mide
6 ☐ cosas	☐ formas	☐ flores
7 ☐ a	☐ eso de	☐ en
8 ☐ animales	☐ aparatos	☐ coches
9 ☐ Cómo es posible que	☐ Cómo es imposible que	☐ Cómo es irreal que
10 ☐ No puede ser que	☐ No puede tener que	☐ No puedo coger que
11 ☐ Hay que leer	☐ Hay que mirar	☐ Hay que ver
12 ☐ no se preocupe	☐ no se duerma	☐ no se quede
13 ☐ ----	☐ se	☐ es
14 ☐ estamos a punto	☐ estar a punto	☐ echar una mano

8

lecciónocho8

¿Cómo te encuentras?

¿Cómo te encuentras?

Uno de los problemas más serios de cualquier tiempo es el de las enfermedades.

La salud es uno de los factores más importantes para una buena calidad de vida.

¿Cómo te sientes cuando estás enfermo?
¿Conoces el nombre de algunas enfermedades en español?
¿Qué puedes hacer cuando te encuentras mal?
Parece ser que Julián está enfermo. Sus amigos están preocupados por él. Vamos a saber un poco más de lo que le pasa.

- A expresar miedo
- Cómo dar ánimos y tranquilizar a otras personas
- A indicar obligación y prohibición
- Maneras de pedir y dar permiso con condiciones
- Expresiones para manifestar esperanza y resignación

1a Julián no se encuentra bien, está enfermo; ¿quieres saber qué le pasa? Antes de escuchar el audio relaciona cada palabra con la definición correcta.

   12

1 Rascarse   a Sensación molesta que hace que la gente se rasque.
2 Señales   b Transmitir una enfermedad por contacto directo o indirecto.
3 Varicela   c Pasar las uñas una y otra vez sobre una zona del cuerpo.
4 Picor   d Marcas en la piel producidas por una herida o una enfermedad.
5 Contagiar   e Enfermedad infecciosa que produce fiebre y señales en la piel.

b Ahora fíjate bien en estas frases, escucha la conversación y señala las que tengan alguna diferencia con lo que has escuchado. Después vuelve a escuchar el audio y escríbelas tal y como las dicen.

☑ 1 ¡Vaya madrecita, vaya! *¡Ay madrecita, ay!*
☐ 2 ¡Te he visto! Te estás picando. _____
☐ 3 Si el médico ha tenido la varicela, no se le ocurrirá decir una cosa así.
    _____
☐ 4 Vale..., ¿me puedes poner polvos? _____
☐ 5 Ya verás cómo esto no te contagia. _____
☐ 6 Y si sigo pegada a ti, me contagiarás la varicela. _____

c Vamos a ver si has entendido bien la conversación. Escoge la respuesta correcta en cada caso.

1 Según Julián, ¿ha pasado el médico la varicela?
  ☐ Sí, seguro.
  ☐ Hay bastantes posibilidades de que la haya pasado.
  ☐ Julián está segurísimo de que no la ha pasado.

2 Según Julián, ¿qué no diría el médico si hubiera pasado la varicela?
  ☐ Que no se rascara porque le quedarían señales.
  ☐ Que las señales se le van a quedar para siempre.
  ☐ Que no se rascara porque no picaba tanto.

3 ¿Qué no debe hacer Julián?
  ☐ Hablar con Lola.
  ☐ Rascarse.
  ☐ Hablar con el médico.

En prensa

12

2a La vejez tiene efectos externos e internos en las personas.
A continuación tienes un artículo en el que se trata este tema. Fíjate en estas palabras y clasifícalas dependiendo de si son una consecuencia física de la vejez o un problema de salud. Si desconoces alguna palabra, mira las soluciones.

▶ *cana*	▶ cáncer
▶ próstata	▶ calvicie
▶ arruga	▶ afección cardiovascular

La vejez	La salud
cana	_____
_____	_____
_____	_____

b Antes de leer el texto asegúrate de que conoces todas estas palabras. Si tienes problemas con alguna, en las soluciones te damos las definiciones. Luego lee el texto.

▶ chequeo	▶ síntoma	▶ urólogo	▶ equilibrada
▶ paciente	▶ diagnóstico	▶ cardiólogo	▶ tensión
▶ padecer	▶ sangre		

EL TIEMPO.com

Desde la calvicie hasta la prostatitis

¡Bienvenidos al «cuarto piso»!

El organismo del hombre sufre cambios a partir de los 40 años. Un chequeo **anual** es indispensable para prevenir enfermedades. «Subir al cuarto piso» o, mejor, llegar a los 40 años no es únicamente sinónimo de canas, calvicie y arrugas. Por eso, los hombres que arriban a esta edad **deben estar** más **atentos** a los chequeos médicos, pues en esta etapa comienzan una serie de cambios en el organismo que van desde problemas cardiovasculares o digestivos hasta la próstata.

Un problema frecuente es la próstata, que **en ocasiones** crece y produce dificultades para orinar. Después de los 50 años la mitad de los pacientes padece este problema, pero no todos presentan síntomas. Por eso es importante ser prevenidos y practicarse exámenes periódicos, para salir de dudas o detectar a tiempo la enfermedad y tratarla.

El diagnóstico temprano de enfermedades, especialmente cancerosas, puede llevar a la curación. Una recomendación importante es que todo hombre que tenga historia familiar de cáncer –padre, hermanos o tíos con la enfermedad– **debe realizarse controles** periódicos al menos **una vez al año**, y los que no tienen casos familiares deben iniciar esos controles a los 50 años. En estos controles el médico hace un examen sencillo y solicita un análisis de sangre específico, una política de Salud que ha disminuido la mortalidad de los hombres en Estados Unidos y que aquí debemos poner en práctica para lograr resultados positivos en la salud del hombre.

¿Cuándo visitar al médico? Esto depende de cada persona, de sus antecedentes genéticos, el estilo de vida que lleva, la dieta y las enfermedades previas. Pero lo ideal es hacerse un chequeo completo como mínimo **una vez al año**. Además del urólogo, podría requerir de otros especialistas, como el cardiólogo, ya que el corazón es otro de los órganos que se deben cuidar, pues una causa importante de muerte después de los 40 son las afecciones cardio- vasculares. También es **necesario cuidar** el estómago, los pulmones, el hígado, la visión y la audición.

Y como es mejor prevenir que lamentar, es importante llevar una dieta equilibrada, baja en grasas y alta en fibra, evitar el tabaco, **no se debe abusar** del consumo de alcohol, y dos veces a la semana hacer ejercicio de forma adecuada para prevenir todas las consecuencias del sedentarismo. Consumir vitamina E y disminuir las grasas animales son medios eficaces para prevenir el cáncer. Y **no hay que olvidar** medir los niveles de tensión, azúcar en la sangre y colesterol.

Texto adaptado de *El tiempo*, http://eltiempo.terra.com.co/, Colombia, 12 de noviembre de 2000

c En el texto que acabas de leer se dan consejos que conviene seguir para tener una buena salud después de los 40 años. Busca los que se dan sobre estos temas y escríbelos.

1 Los hombres que llegan a los 40: *Deben estar más atentos a los chequeos médicos.*
2 Un hombre con historia familiar de cáncer: _____
3 Hombres que no tienen casos de familiares con cáncer: _____
4 La política de Salud aplicada en Estados Unidos: _____
5 El estómago, los pulmones,...: _____
6 Consumo de alcohol: _____
7 Tensión, azúcar y colesterol: _____

d ¿Podrías completar estas frases con las expresiones del recuadro?

deben • hacerse • hay • de • has • necesario
llevar • hacerte • es • ser • que

1 Los hombres mayores de 40 años *deben ser* prevenidos y practicarse exámenes periódicos.
2 Si tienes más de 40 años y tienes una historia familiar de cáncer, _____ _____ una revisión anual.
3 _____ un chequeo completo al menos una vez al año.
4 _____ una dieta equilibrada.

e Todas las estructuras que aparecen en el *ejercicio 2d* son de obligación, pero ¿sabes qué diferencia hay entre las formas de expresión usadas en las frases 1 y 2 y las empleadas en 3 y 4?

Las estructuras de obligación personales se usan en las frases: _____ y _____
Las estructuras de obligación impersonales se usan en las frases: _____ y _____

f Ahora vamos a practicar expresiones de frecuencia. ¿Te apetece contestar a estas preguntas sobre el texto periodístico que has leído?

1 ¿Qué es indispensable para prevenir enfermedades?
   Los controles médicos anuales.
2 La próstata es un problema frecuente. ¿Qué ocurre en algunas ocasiones?
   _____
3 ¿Cada cuánto tiempo deben realizarse controles las personas que tengan una historia familiar de cáncer?
   _____
4 ¿Con qué frecuencia se aconseja hacer ejercicio?
   _____

Para prevenir el cáncer hay que consumir frecuentemente vitamina E.

3a Julia y Paco, dos amigos, hablan en un bar. Antes de escuchar la conversación, fíjate en estas expresiones; todas ellas están relacionadas con la salud. ¿Puedes decir cuáles tienen un significado negativo y cuáles positivo?

> ponerse bien • recuperarse • ~~empeorar~~ • encontrarse mal
> estar enferma • ponerse enfermo

Negativo (-): *empeorar,* _____

Positivo (+): _____

b Ahora escucha la conversación y señala si las siguientes frases son verdaderas (V) o falsas (F).

1 Julia no quiere mover mucho a su gata porque a la gata le da miedo moverse.
2 Como la gata no se encuentra bien, a Julia le da miedo obligarla a comer.
3 Hace unos años Paco tenía miedo de que se muriera Canelo, su perro.
4 Julia le dice a Paco que ojalá su perro se ponga bien.
5 Julia espera que su gata se recupere.

V	F
	✓

c Vamos a fijarnos en el final de la conversación. ¿Qué le dice Paco a Julia para animarla? ¿Y qué le contesta Julia? Vuelve a escuchar el audio y completa las frases.

1 PACO: _____ _____, tranquila. Ya _____ como _____ _____ rápido.

2 JULIA: _____ _____ si _____ razón, porque estoy muy nerviosa.

d Fíjate en las intervenciones que aparecen en el ejercicio anterior. Paco anima y tranquiliza a Julia, y ésta expresa una esperanza, un deseo. A continuación tienes otras expresiones, ¿podrías clasificarlas?

~~Vamos, no te preocupes.~~
Espero que tengas razón.

Ojalá tengas razón.
Venga, ya se arreglará. No te pongas así.

Dar ánimos, tranquilizar:
Vamos no te preocupes.
_____

Expresar esperanza, deseo:
_____
_____

4a Miguel, Ángela y Javier han ido al hospital a visitar a Luisa, una amiga a la que acaban de operar. Antes de escuchar la conversación vamos a fijarnos en el sentido de algunas palabras. Elige la acción de sentido contrario.

Encender un cigarrillo
Romper las normas
El tabaco puede beneficiar
Bajar la voz

☑ Apagar...
☐ Respetar...
☐ Romper...
☐ Subir...

☐ Cerrar...
☐ Ordenar...
☐ Perjudicar...
☐ Salir...

b Escucha la conversación entre estos tres amigos y contesta a las preguntas.

6, 7

1 ¿Dónde han ido?
   Al hospital, a visitar a Luisa.

2 ¿Qué está prohibido hacer en los hospitales según Ángela y Javier?
   _____

3 ¿Qué frase dice Miguel para expresar su resignación a no fumar y a no hablar en voz alta?
   _____

4 ¿Cómo le pide Ángela a Luisa permiso para sentarse en su cama?
   _____

5 ¿Qué le responde Luisa? Escribe la frase que utiliza para concederle permiso.
   _____

c Escucha de nuevo la conversación e indica quién dice literalmente estas frases.

1 Está prohibido fumar.   ☐ Ángela   ☐ Miguel   ☐ Javier
2 Tampoco está permitido hablar.   ☐ Ángela   ☐ Miguel   ☐ Javier
3 No se debe hablar.   ☐ Ángela   ☐ Miguel   ☐ Javier
4 No debes fumar.   ☐ Ángela   ☐ Miguel   ☐ Javier

d Fíjate en las diferentes maneras que hay para expresar prohibición. Aquí tienes dos lugares y algunas cosas que no se pueden hacer en ellos. Siguiendo el orden del ejercicio anterior escribe 4 frases de prohibición.

6, 7

En una clase de español...
1 (comer) *No se debe comer.*
2 (hablar en inglés, francés,...) _____
3 (dormir) _____
4 (bostezar) _____

En un cine...
1 (molestar) _____
2 (hablar) _____
3 (dejar el móvil encendido) _____
4 (roncar) _____

¿Te molesta que...? *va acompañado de un verbo en subjuntivo.*

12

5a A continuación tienes un texto que trata sobre la anorexia y la bulimia. ¿Sabes qué es la anorexia? ¿Y la bulimia? Lee las opciones y marca la correcta. Luego lee el texto.

Anorexia:
- [ ] Dolor agudo localizado en los pies.
- [ ] Sentir un apetito exagerado.
- [ ] Trastorno psíquico caracterizado por la pérdida del apetito.

Bulimia:
- [ ] Pérdida del apetito.
- [ ] Dolor de cabeza.
- [ ] Enfermedad psicológica cuyo principal síntoma es el hambre exagerada e insaciable.

¡No quiero estar gordo!

La anorexia y la bulimia se están convirtiendo en una auténtica plaga según los especialistas más prestigiosos del país. Estas enfermedades, de tipo nervioso, alteran los hábitos alimentarios.

En los últimos diez años, el número de personas que desarrolla un trastorno de alimentación ha crecido considerablemente, convirtiendo esta enfermedad en la tercera más habitual entre los adolescentes después del asma y la obesidad. Aproximadamente uno de cada 100 adolescentes, entre los 14 y los 18 años, cae víctima de la anorexia, mientras que la bulimia alcanza el 2,4%. Esta enfermedad afecta a ambos sexos, aunque en el femenino tiene una mayor incidencia.

En los países industrializados se le da mucha importancia al culto al cuerpo. Según las últimas tendencias, ser delgado conlleva una mayor aceptación social que ser gordo. Las jóvenes llevadas por las últimas tendencias de la moda sucumben a la delgadez extrema: dejan de comer o tontean con la dieta; estar delgado se convierte en una competición entre los jóvenes, constantemente preocupados por el peso.

La personalidad de los enfermos anoréxicos y bulímicos es diferente. Mientras que los primeros son perfeccionistas, buenos estudiantes y con un nivel intelectual alto, los segundos, por el contrario, suelen ser más impulsivos, intolerantes y frustrados.

Sin lugar a dudas, el tratamiento de estos trastornos debe ser multidisciplinario: aspectos nutricionales, psicoterapia, terapia familiar, farmacoterapia son algunas de las medidas que hay que adoptar frente a esta enfermedad. Además, detectar la enfermedad a tiempo favorece al paciente.

Esperemos que en un futuro no haya que hablar más de este problema.

Irene Soriano Inglés
Barcelona, 5 de febrero de 2001

b En el texto anterior se explica qué son la anorexia y la bulimia, a quiénes afectan, las posibles causas que la provocan, tratamientos, etc. ¿Por qué no escribes un texto parecido sobre el sida? Si quieres puedes utilizar estas ideas:

1 **Presentación del tema**
¿Qué es el sida?
Situación del sida en el mundo (diferencias entre países).

2 **Argumentos**
Normas de prevención para no contraer la enfermedad.
Importancia de la política y la religión en la prevención.
Condiciones para que se acabe el problema del sida en el mundo.

3 **Conclusión**
Métodos actuales para curar la enfermedad.
Tu opinión sobre el futuro del sida.

6a Algunas personas no pueden estar en grandes espacios abiertos porque sienten un temor angustioso y patológico. Estas personas sufren agorafobia. Lee el texto y luego construye frases como las del ejemplo.

 10

El término "agorafobia" se utiliza aquí con un sentido más amplio que el original y que el utilizado aún en algunos países. Se incluyen en él no sólo los temores a lugares abiertos, sino también otros relacionados con ellos, como temores a las multitudes y a la dificultad para poder escapar inmediatamente a un lugar seguro (por lo general, el hogar). El término abarca un conjunto de fobias relacionadas entre sí, a veces solapadas, entre ellas temores a salir del hogar, a entrar en tiendas o almacenes, a las multitudes, a los lugares públicos y a viajar solo en trenes, autobuses o aviones. Aunque la gravedad de la ansiedad y la intensidad de la conducta de evitación son variables, éste es el más incapacitante de los trastornos fóbicos, y algunos individuos llegan a que-

dar completamente confinados en su casa. A muchos enfermos les aterra pensar en la posibilidad de poder desmayarse o quedarse solos, sin ayuda, en público. La vivencia de la falta de una salida inmediata es uno de los rasgos clave de muchas situaciones que inducen la agorafobia. La mayor parte de los afectados son mujeres, y el trastorno comienza en general al principio de la vida adulta. Están presentes a menudo síntomas depresivos y obsesivos y fobias sociales, pero no predominan en cuadro clínico. En ausencia de un tratamiento efectivo la agorafobia suele cronificarse, aunque su intensidad puede ser fluctuante.

Texto extraído de http://www.cop.es/colegiados/
M-00451/cie10_DSMIV.htm

1 (nosotros) Sufrir agorafobia / (nosotros) no poder ir al desierto del Sahara.
   Si hubiéramos sufrido agorafobia, no habríamos podido ir al desierto del Sahara.

2 (ellos) Tener miedo a las multitudes / (ellos) no ir al concierto.
   _____

3 (a ti) Dar miedo salir de casa / (tú) no poder viajar por todo el mundo.
   _____

4 (tú) No poder viajar sola en autobús / no conseguir el trabajo.
   _____

5 (yo) No ir al médico / (yo) sufrir agorafobia toda mi vida.
   _____

b Aquí tienes un diálogo entre una persona que sufre agorafobia y una amiga. Fíjate en los destacados y complétalos con ayuda del cuadro. También tendrás que transformar los verbos correctamente.

 10

salvo • condición • ~~sólo~~ • menos • tal

– Tienes que salir de casa. No puedes seguir así. Hace dos meses que estás aquí encerrada.
– Saldré de casa *1 sólo* **si** (venir, tú) *2* _____ conmigo.
– Tengo mucho trabajo, pero, de acuerdo, **con 3** _____ **de que** (salir, tú) *4* _____ de casa, soy capaz de cualquier cosa.
– ¡Qué buena amiga eres!
– Nada de eso, te acompaño **a 5** _____ **de que** (ir, nosotras) *6* _____ a pasear por el parque.
– ¡Por el parque! ¡No, por favor!
– Pues, sales sola. No te acompaño *7* _____ **que** (pasear, nosotras) *8* _____ por el parque.
– Mira, yo sólo te puedo prometer que lo intentaré. Te aseguro que no me echaré atrás **a 9** _____ **que** (sentirse, yo) *10* _____ paralizada por el miedo.
– Vale. Venga, vamos.

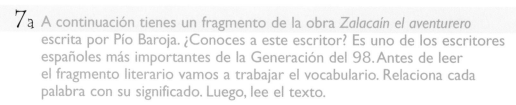

7a A continuación tienes un fragmento de la obra *Zalacaín el aventurero* escrita por Pío Baroja. ¿Conoces a este escritor? Es uno de los escritores españoles más importantes de la Generación del 98. Antes de leer el fragmento literario vamos a trabajar el vocabulario. Relaciona cada palabra con su significado. Luego, lee el texto.

1 Sollozar
2 Asustarse
3 Tontería

4 En seguida
5 Comprometerse
6 Dar palabra
7 Andado el tiempo
8 Cumplir la palabra
9 Infundir
10 Regazo

a Parte del cuerpo entre la cintura y las rodillas de una persona sentada.
b Contraer una obligación o compromiso.
c Producir varias inspiraciones bruscas, entrecortadas, seguidas de una espiración. Suelen acompañar al llanto.
d Prometer hacer algo.
e Pasados algunos años.
f Sentir miedo.
g Llevar a efecto una acción prometida.
h Inmediatamente después de un momento dado.
i Dicho o hecho tonto.
j Despertar un sentimiento en alguien.

A medianoche se preparaba Martín a montar a caballo, cuando se presentó Catalina con su hijo en brazos.

–¡Martín! ¡Martín! –le dijo sollozando–. Me han asegurado que quieres ir con el ejército a subir a Peñaplata.

–¿Yo?

–Sí.

–Es verdad. ¿Y eso te asusta?

–No vayas. Te van a matar, Martín. ¡No vayas! ¡Por nuestro hijo! ¡Por mí!

–¡Bah, tonterías! ¿Qué miedo puedes tener? Si he estado otras veces solo, ¿qué me va a pasar, yendo en compañía de tanta gente?

–Sí, pero ahora no vayas, Martín. La guerra se va a acabar en seguida. Que no te pase algo al final.

–Me he comprometido. Tengo que ir.

–¡Oh, Martín! –sollozó Catalina–. Tú eres todo para mí; yo no tengo padre, ni madre, ni tengo hermano, porque el cariño que pudiese tenerle a él lo he puesto en ti y en tu hijo. No vayas a dejarme viuda, Martín.

–No tengas cuidado. Estate tranquila. Mi vida está asegurada, pero tengo que ir. He dado mi palabra....

–Por tu hijo...

–Sí, por mi hijo también... No quiero que, andando el tiempo, puedan decir de él. "Éste es el hijo de Zalacaín, que dio su palabra y no la cumplió por miedo"; no, si dicen algo, que digan: "Éste es Miguel Zalacaín, el hijo de Martín Zalacaín, tan valiente como su padre... No. Más valiente aún que su padre."

Y Martín, con sus palabras, llegó a infundir ánimo en su mujer, acarició al niño, que le miraba sonriendo desde el regazo de su madre, abrazó a ésta y, montando a caballo, desapareció por el camino de Elizondo.

Zalacaín el aventurero, Pío Baroja.

b Después de leer el texto contesta a las preguntas.

1 ¿Qué estaba haciendo Martín a medianoche?
Se preparaba para montar a caballo.

2 ¿Qué le han asegurado a Catalina?
_____

3 ¿Por qué Catalina no quiere que vaya?
_____

4 ¿Por qué Martín tiene que ir?
_____

5 ¿Por qué Martín es todo para Catalina?
_____

6 ¿Consigue Catalina convencer a Martín de que se quede?
_____

c Ahora lee las frases y elige la opción adecuada.

 3, 4

1 A Catalina _____ que maten a su marido.
☐ *le dan miedo*   ☐ *le da miedo*   ☐ *da miedo*

2 Martín le dice que no _____ miedo porque no va solo.
☐ *dé*   ☐ *tienes*   ☐ *tenga*

3 Al final Martín consigue _____ a su mujer.
☐ *desanimar*   ☐ *animar*   ☐ *hacer reír*

d Fíjate en las siguientes frases, todas ellas aparecen en el texto literario. Las podríamos sustituir por otras. ¿Cuál de las dos posibilidades que te damos es más apropiada? Márcala.

1 ¿Qué miedo puedes tener?
☐ ¿De qué puedes tener miedo?   ☐ ¿Por qué tienen miedo?

2 Que no te pase algo al final.
☐ Te asusto al final.   ☐ Me da miedo que te ocurra algo.

3 No tengas cuidado. Estate tranquila.
☐ Vamos, no te preocupes.   ☐ Venga, tranquila, ya se arreglará.

El protagonista de Zalacaín el aventurero es un hombre de acción.

e Ordena las frases. Después de ordenarlas marca las estructuras verbales de obligación.

1 palabra/ ha/ de/ a/ Martín/ su/ Peñaplata/ porque/ ir/ ha/ dado
*Martín **ha de ir** a Peñaplata porque ha dado su palabra.*

2 y /le/ que/ por/ debe/ Catalina/ por/ ella/ dice/ quedarse/ hijo/ su
_____

3 asegura/ no/ que/ Martín/ hay/ le/ debe/ porque/ peligro/ preocuparse/ no
_____

4 él/ cree/ Martín/ ha/ ir/ que/ orgulloso/ de/ que/ de/ para/ su/ se/ sienta/ hijo
_____

Recursos

DAR ÁNIMOS Y TRANQUILIZAR

> Bueno hombre, tranquilo. Ya verás como se soluciona.
> Vamos, no te preocupes.
> Venga, ya se arreglará. No te pongas así.

EXPRESAR OBLIGACIÓN

- Obligación impersonal:

| Hay que / Es necesario } + [infinitivo] | *Hay que ducharse* antes de entrar en la piscina. *Es necesario llevar* el pasaporte. |

Vamos, no te preocupes, que Andrew se pondrá bien.

- Obligación personal:

| [haber] de / [deber] } + [infinitivo] | Siéntate. *Has de esperar* en esta sala. *Debes tener* un poco más de paciencia. |

SUBORDINADAS CONDICIONALES

- Para referirse a algo irreal en el pasado:

| Si + [plusc. subj.], + [cond. comp.] | *Si hubieras ido* a la fiesta, te *habrías divertido*. |

- El hablante impone unas condiciones a un hecho:

| Siempre y cuando / A condición de que } + [subjuntivo] | Te presto el disco *siempre y cuando* me lo *devuelvas*. Te dejé el coche *a condición de que* lo *trataras* bien, y mira cómo lo traes. |
| Con (tal de) que / Sólo si } + [indicativo] | Puedes hacer la fiesta en casa *con tal de que terminéis* antes de las doce. Marisa irá a la cena *sólo si va* Irene. |

- Condiciones definitivas de algo:

| A no ser que / A menos que / Salvo que } + [subjuntivo] | Te compraré unos guantes *a no ser que quieras* otra cosa. Vamos al campo, *a menos que* ya *tengas* otros planes. Terminamos la sesión *salvo que* alguien *quiera* decir algo más. |

PEDIR PERMISO

¿**Me permite** pasar   ¿**Me deja** pasar?   ¿**Podría** usar tu teléfono?

¿Te / Le / Os / Les importaría + [infinitivo]?
¿Te / Le / Os / Les molesta + que + [subj.]
¿Te / Le / Os / Les importa

¿*Te importaría dejar*me pasar?
¿*Te molesta que ponga* (la) música?
¿*Te importa que* me **lleve** este disco?

- EXPRESAR PROHIBICIÓN

§
- EXPRESAR MIEDO §57
- PLUSCUAMPERFECTO DE SUBJUNTIVO §17
- EXPRESAR PROHIBICIÓN §33
- UN MOMENTO PARTICULAR §26

CONCEDER PERMISOS CON CONDICIONES

● *Este disco es buenísimo. ¿Puedo ponerlo?*
   ● *Puedes ponerlo* **siempre y cuando** *cuides que no* **se raye**.

● *Necesito tu coche urgentemente. ¿Me lo podrías dejar?*
   ● *Puedes usarlo* **a condición de que** *lo* **trates** *bien*.

● *¿Puedo ir a la cena?*
   ● *Puedes ir* **sólo si** *va Irene*.

EXPRESAR ESPERANZA Y DESEO

Ojalá + [subjuntivo]
[esperar] + que
A ver si + [indicativo]

Ojalá todo **haya ido** *bien.*
Espero que no **haya** *ningún problema.*
A ver si todo sale bien.

EXPRESAR RESIGNACIÓN

¡Qué+ { le voy/ vas / va /vamos /vais/ van
se le va } + a hacer!

*Ojalá esta carta
llegue pronto.*

EXPRESAR PROHIBICIÓN

- Prohibiciones personales, a alguien en concreto, sin imposición.

No debes + [infinitivo]   *No debes hablar en clase.*

- Prohibiciones impersonales, aplicables a cualquiera.

Está prohibido
No está permitido } + [infinitivo]

Está prohibido fumar aquí dentro.
No está permitido sacar fotos con flash.

1 Rellena los espacios en blanco con la opción adecuada.

1. ● ¡_____ las películas de Drácula!
   ◌ ¿Las de Drácula? Pero si son para niños.
   ☐ *Qué miedo me dan*   ☐ *Qué miedo me da*   ☐ *Tengo miedo de que*

2. ● Para no coger la gripe, _____ abrigarse mucho.
   ◌ Pero si yo siempre voy muy abrigado.
   ☐ *tienes que*   ☐ *hay que*   ☐ *debes*

3. ● Perdone, pero en el hospital _____ entrar con animales.
   ◌ Pero si sólo es un perrito inofensivo.
   ☐ *está permitiendo*   ☐ *no está permitiendo*   ☐ *no está permitido*

4. ● Oye, ¿te _____ encienda la tele?
   ◌ No, siempre y cuando no la _____ muy alta.
   ☐ *molesta que / pongas*   ☐ *molesta que / pones*   ☐ *molesta que / pongo*

5. ● Papá, ¿me llevas al cine?
   ◌ De acuerdo, pero sólo si antes _____ los deberes.
   ☐ *terminéis*   ☐ *termine*   ☐ *terminas*

6. ● Manuel ha mejorado bastante después de la operación, ¿verdad?
   ◌ Sí, _____ pronto se recupere del todo.
   ☐ *espero que*   ☐ *a ver*   ☐ *esperas que*

7. ● Tengo una reunión muy importante y no puedo ir a trabajar porque tengo la varicela.
   ◌ ¡_____! Tienes que quedarte en casa.
   ☐ *Qué le hacemos*   ☐ *Qué voy a hacer*   ☐ *Qué le vamos a hacer*

8. ● ¡Cómo me duele el brazo!
   ◌ Si no te hubieras subido al árbol, no te _____.
   ☐ *habrías caído*   ☐ *caerías*   ☐ *habría caído*

9. ● Puedes ir a visitarla al hospital _____ vuelvas antes de las siete.
   ◌ Vale, volveré antes de las siete, te lo prometo.
   ☐ *sólo si*   ☐ *con tal de que*   ☐ *si*

10. ● Me voy a trabajar, _____ quieras que me quede a cuidarte.
    ◌ No, tranquila. Estaré bien. Sólo es un resfriado.
    ☐ *a menos que*   ☐ *menos que*   ☐ *a menos*

11. ● Estoy muy nervioso. No sé cómo está mi hija.
    ◌ _____. Todo saldrá bien.
    ☐ *Vámonos*   ☐ *Vamos, no te preocupes*   ☐ *Vamos no te preocupe*

12. ● ¿Cuántas veces al día te tienes que tomar las pastillas?
    ◌ _____, cada ocho horas.
    ☐ *Tres veces al día*   ☐ *De vez en cuando*   ☐ *Alguna vez*

13. ● Estoy fatal. Me duele la garganta y tengo fiebre.
    ◌ Claro, si te _____ abrigado, no te _____ resfriado.
    ☐ *hubiese / habrías*   ☐ *hubieses / habrías*   ☐ *hubieses / habría*

9

lecciónnueve9

Mujeres y hombres

Mujeres y hombres

La situación social de la mujer ha mejorado, pero todavía queda mucho por hacer, ¿no crees? Hombres y mujeres tenemos que seguir luchando para conseguir la igualdad y el respeto entre sexos.

¿Cómo es la situación de la mujer en tu país?
¿Y en España?
¿Te interesa saberlo?
Compartir piso no siempre es fácil.
A veces convivir con otras personas se convierte en una ardua tarea.
Parece que nuestros amigos tienen ciertos problemas.
Las relaciones entre ellos no son muy buenas y se ha desencadenado una guerra de sexos.
¿Qué crees que es necesario para que haya una buena convivencia?

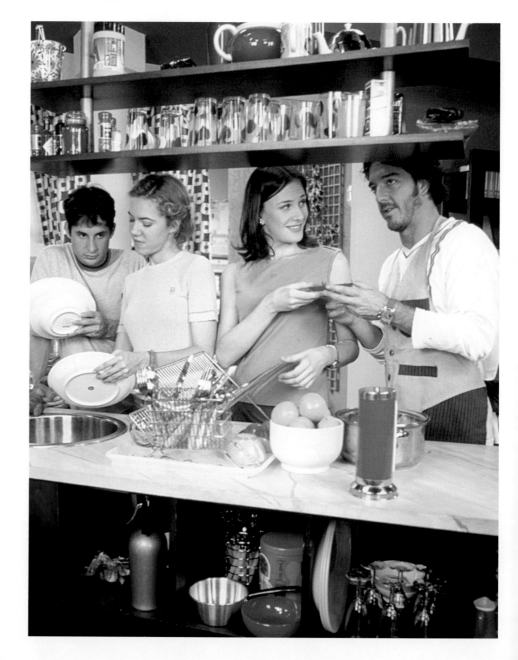

En esta lección vas a aprender:

- A dar la palabra al interlocutor
- A expresar acuerdo o desacuerdo parcial con lo dicho por otros
- Maneras de continuar otras intervenciones

1a Begoña y Lola están riñendo a Julián porque tenía restos de comida debajo de la cama. Antes de escuchar la conversación, asegúrate de que conoces estas palabras. Si tienes alguna duda, mira las soluciones.

▶ *cerdo*   ▶ *doméstico*

▶ *descuido*   ▶ *soportar*

b Escucha la conversación y luego indica si las siguientes frases son verdaderas (V) o falsas (F).

1, 2, 6, 7, 8, 12

	V	F
1 Lola piensa que Julián es un cerdo.	✓	
2 Begoña no está totalmente de acuerdo con Lola.		
3 Él está en total desacuerdo con lo que opina Begoña sobre los hombres.		
4 Lola cree que las responsabilidades domésticas están bien repartidas.		
5 Julián no está totalmente de acuerdo con Begoña.		
6 Lola cree que no les ayudan lo suficiente.		

c Vuelve a escuchar la conversación. Fíjate en la siguiente intervención de Julián y en cómo responde Lola. ¿Puedes completarlas?

JULIÁN: Nosotros os ayudamos. _____
LOLA: _____, _____ no es bastante.

d ¿Qué hace Julián? ¿Qué muestra Lola con esta respuesta? Marca la opción correcta para cada pregunta.

JULIÁN
- ☐ Opina y cede la palabra a las chicas para que confirmen su opinión.
- ☐ No dice nada.
- ☐ Llama a Andrew.

LOLA
- ☐ Está en contra de la opinión de Julián.
- ☐ Está de acuerdo con la opinión de Julián.
- ☐ Está de acuerdo con la opinión de Julián, pero sólo parcialmente.

 3, 4

2a ¿Sabes qué significan las siguientes palabras? Pues relaciónalas con las definiciones.

1 derechos
2 discriminación

3 reivindicación
4 culminar
5 feminismo

6 reclamar

a Reclamación de lo que le pertenece a uno.
b Conjunto de principios que rigen las relaciones humanas de toda sociedad civil y a los que deben someterse los ciudadanos.
c Dar fin a una tarea, actividad.
d Pedir o exigir algo por derecho; reivindicar.
e Comportamiento social que considera inferiores a las personas por su raza, sexo, motivos ideológicos, etc.
f Movimiento y doctrina social que defiende la igualdad de derechos entre la mujer y el hombre.

b Antes de leer la entrevista a Victoria Camps, lee el título e indica de qué crees que trata dicha entrevista. Luego léela para saber si tu respuesta es correcta.

☐ De los derechos de la mujer, de la igualdad, de los logros conseguidos y de los que todavía están pendientes.
☐ De los sufrimientos y luchas de los hombres.
☐ De lo contenta que está Victoria Camps por sus logros personales como mujer.

Victoria Camps, atenta a la revolución de la mujer en el siglo XXI

Mucho se ha hablado de los derechos de la mujer y de la revolución femenina. La filósofa española Victoria Camps hace una reflexión sobre la discriminación en la vida privada y la división del trabajo.

P: ¿Por qué el siglo XX es el siglo de las mujeres?

R: La revolución de la mujer ha sido uno de los hechos quizás más importantes del siglo XX, pero es una revolución inacabada que **espero que culmine** en el siglo XXI poniendo punto final al feminismo; es decir, no tener que hablar del problema de la mujer porque la mujer tenga una igualdad real y no una igualdad a medias, que es la que tenemos todavía.

P: ¿Cómo incide en la familia la reivindicación de la mujer? Por ejemplo, tengo en-

tendido que en España el crecimiento demográfico es cero.

R: Sí, es verdad. Sin duda en pocos años España ha pasado de ser el país donde nacían más niños a ser el país donde menos niños nacen en Europa. En España somos muy pendulares, pasamos de un extremo a otro muy rápidamente. No hay duda de que un cambio como el que se está produciendo en las mujeres afecta a toda la sociedad, porque es cierto que las mujeres renuncian a tener hijos porque reconocen que hay otras cosas que no quieren perderse.

P: Por otro lado, en países como Venezuela, que tú conoces tan bien, ocurre prácticamente lo contrario, se tienen hijos a veces sin pensar y sin saber quién es el padre.

R: El acceso de la mujer al mundo laboral y a la educación es una forma de desarrollo y eso es lo que hace que la mujer lo piense antes de tener hijos. Hoy no hay ninguna niña a la que le preguntes qué quieres ser cuando seas mayor que te diga: **«quiero ser mamá»**, cosa que era totalmente habitual en nuestra época. Hoy todas las niñas piensan ser «algo», arquitectas, abogadas, peluqueras. Ése es un cambio fundamental que ha ocurrido en España y que quizá en Venezuela todavía no se ha producido.

P: El problema es lograr un equilibrio entre valores masculinos y femeninos en un mundo caracterizado hoy más bien por el predominio de lo masculino, **¿no te parece?**

R: Tienes razón. No es una cuestión sólo de cambiar leyes, eso consigue ciertas cosas, pero no consigue cambiar las mentalidades. ¿Qué medidas adoptar? Medidas políticas, pero también medidas educativas para el hombre y la mujer.

P: ¿Qué piensas de esas reivindicaciones feministas en donde cuenta más el hecho de ser mujer que cualquier otra cosa?

R: Creo que ahí hay que ser un poco más inteligentes y valorar las cosas por lo que son y no simplemente porque las hacen mujeres u hombres.

Texto adaptado de *El Universal.com*, http://www.eud.com/, Verbigracia, Venezuela, 4 de noviembre de 2000

c Después de leer la entrevista, contesta a las preguntas.

1 Según Victoria Camps, ¿cuál es el siglo de las mujeres? ¿Por qué?
El siglo xx, porque la revolución de las mujeres ha sido quizás uno de los hechos más importantes.

2 ¿Cómo es la igualdad que las mujeres tienen todavía?
_____

3 La reivindicación de la mujer, ¿afecta a la familia? ¿Cómo?
_____

4 ¿Qué caracteriza al mundo de hoy en las relaciones entre hombre y mujer?
_____

5 ¿Qué piensa Victoria Camps sobre las reivindicaciones feministas, según las cuales es más importante el hecho de ser mujer que cualquier otra cosa?
_____

d Vuelve a leer la entrevista, fíjate en el primer destacado y completa la frase.

Victoria Camps espera que esta _____ _____ culmine en el siglo XXI.

e ¿Qué expresa Victoria Camps en la frase anterior? Lee las opciones e indica la correcta.

☐ Enfado   ☐ Deseo   ☐ Tristeza

f Vamos a fijarnos en las frases siguientes y a reflexionar un poco para entender bien el sentido de las diferencias.

A Espero que Juancho se recupere pronto.
B Espero recuperarme pronto.

1 ¿Cuántos verbos tiene la frase A? *Dos.*
2 ¿Quién realiza la acción del primero? _____
3 ¿Y del segundo? _____
4 ¿Es la misma persona? _____
5 ¿El segundo verbo está en indicativo o en subjuntivo? _____
6 ¿Cuántos verbos tiene la frase B? _____
7 ¿Quién realiza la acción del primero? _____
8 ¿Y del segundo? _____
9 ¿Es la misma persona? _____
10 ¿En qué forma está el segundo verbo de la frase B? _____

Hay que ser inteligente y valorar las cosas por lo que son.

g Ahora completa.

1 (yo) Espero (llegar, yo) _____ a tiempo.
2 (yo) Espero que (llegar, tú) _____ a tiempo.

 4

3a En el audio anterior Lola y Begoña discuten con Julián. ¿Lo recuerdas? Ahora se han declarado en huelga y los chicos empiezan a sufrir las primeras consecuencias de esta huelga. Antes de escuchar la conversación entre Julián y Andrew, busca en el cuadro la palabra que corresponde a cada definición y escríbela.

> odiar • injusto • ponerse de mal humor
> grabar • machista • ~~esclavo~~

1 <u>*Esclavo*</u>: se dice de la persona que, por estar bajo el dominio jurídico de otro, carece de libertad.
2 _____: persona que discrimina o minusvalora a las mujeres por considerarlas inferiores respecto de los hombres.
3 _____: tener un sentimiento de rechazo hacia alguien o algo.
4 _____: enfadarse, irritarse.
5 _____: que no es justo.
6 _____: registrar imágenes, sonidos o datos en el soporte adecuado para su almacenamiento y reproducción.

b Ahora escucha la conversación y luego contesta a las preguntas.

1 ¿Por qué Andrew no puede desayunar?
Porque no hay leche, ni café, ni galletas, ni queso, ni pan. No hay nada para comer.

2 ¿Por qué odia Julián a Begoña y a Lola?
_____

3 ¿Qué está haciendo Julián?
_____

4 ¿Qué piensa Julián sobre el feminismo?
_____

5 ¿Tiene Andrew hacia Begoña y Lola el mismo sentimiento que Julián?
_____

6 Según Andrew, ¿cómo reaccionan las mujeres cuando algo está sucio?
_____

7 ¿Se consideraba Andrew machista?
_____

8 ¿Y Julián? ¿Se consideraba feminista?
_____

9 ¿Quiere Julián convertirse en el esclavo de Begoña y Lola?
_____

10 ¿Piensa Andrew que será necesario convertirse en el esclavo de las chicas?
_____

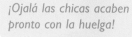

¡Ojalá las chicas acaben pronto con la huelga!

c Después de escuchar la conversación, indica si estas conclusiones son verdaderas (V) o falsas (F).

1 Andrew y Julián tienen una postura muy machista.
2 Julián está a favor de la igualdad entre hombres y mujeres.
3 Los comentarios que hacen son machistas.

4 a Victoria y Paula comparten piso. Ahora están hablando. Antes de escuchar la conversación, asegúrate de que conoces el significado de las siguientes palabras. Si desconoces alguna, mira las soluciones.

▸ *agotador* ▸ *apetito*

▸ *incomunicada* ▸ *cotilla* ▸ *ex novio*

b A continuación tienes algunas frases que salen en la conversación. Escucha el diálogo y complétalas.

1 Estoy *hecha* _____. Hoy ha sido un día agotador.
2 Ayer _____ pude _____ _____.
3 Ves, ya te dije que era _____ _____.
4 Pues, estás _____ en los _____.
5 Podríamos salir fuera a cenar y _____ _____.
6 Me gusta _____ al _____ de tus novios.

c Relaciona las expresiones anteriores con las definiciones.

a Adelgazar mucho. [4]
b Ser muy fácil. [ ]
c Estar muy cansado. [ ]
d No poder dormir. [ ]
e Comer mucho. [ ]
f Estar informado. [ ]

d Completa las frases con las palabras que te damos. Luego vuelve a escuchar la conversación y comprueba tus respuestas.

ésta • eso de • ésa

1 Sí, es verdad. _____ adelgazar en época de exámenes es normal.
2 ¿Qué chaqueta? ¿_____?
3 No, _____, la negra.

e Ahora di si estas afirmaciones son correctas o incorrectas.

Eso de... lo utilizamos para referirnos a un tema del que ya se ha hablado o que los interlocutores conocen.
☐ Correcto ☐ Incorrecto

Ésta, ésa son pronombres demostrativos y muestran cercanía o lejanía respecto a la persona que habla.
☐ Correcto ☐ Incorrecto

5a Los periódicos cuentan con una sección en la que se publican cartas que han sido escritas por los lectores. Así el lector encuentra una manera de expresar su opinión sobre algún tema, quejarse o hacer una denuncia. A continuación tienes una carta escrita por dos niñas en la que manifiestan una queja. Lee el título e indica de qué crees que se quejarán. Luego lee el texto para comprobar tu respuesta.

☐ Se quejan de lo difícil que es encontrar ropa para sus muñecas.
☐ Se quejan de lo difícil que resulta encontrar tallas normales y grandes y de que la publicidad no tiene en cuenta a todas las chicas.
☐ Se quejan de lo difícil que es encontrar tallas para los bebés.

Tallas pequeñas

Somos dos niñas de 1.º de ESO de Barcelona y nos preocupa que cada vez haya más chicas acomplejadas por la gordura.

Hemos observado que en ciertas tiendas de moda tienen tallas para *barbies*, para chicas que usan una 34, 36 o 38. Cada vez hay más jóvenes que se sienten gordas porque no encuentran nada de su talla, aunque usen una 40-42. Y acaban cayendo en ciertas enfermedades como la anorexia.

En los *spots* publicitarios hay discriminación: al anunciar algún producto utilizan modelos no reales y en las pasarelas desfilan modelos esqueléticas. Esos vestidos no le caben a una mujer de talla normal. ¿No pueden aparecer también mujeres rellenitas?

S.K. Alunge Ferrando
A. Fernández Sanmatías
Barcelona

b Ahora escribe una carta a un periódico. La carta que acabas de leer te puede servir de modelo. A continuación te damos unas ideas que, si quieres, puedes utilizar.

1 **Título:**

2 **Presentación:**
   Soy..., me llamo...,

3 **Exposición del tema:**
   - Tema: *Me preocupa que...*
   - Opinión, queja: *Yo opino que... / Quiero manifestar...*
   - Argumentos: *Porque...*

4 **Conclusión:**
   No estoy de acuerdo en que...

5 **Firma:**

6 **Pueblo** o **ciudad** desde donde escribes, y fecha.

6_a ¿Sabes qué es un concurso? Antes de leer el texto, marca la opción correcta.

☐ Una escuela con muchos cursos.
☐ Una prueba o competición entre los aspirantes a un premio.
☐ Un curso para aprender a escribir.

El IV concurso madrileño de cuento no sexista estará dedicado a Carmen Martín Gaite

La IV edición del concurso de cuento no sexista 2001, convocado por la Dirección General de la Mujer, dependiente de la Consejería de Servicios Sociales de la Comunidad de Madrid, estará dedicado en esta ocasión a la escritora Carmen Martín Gaite, recientemente fallecida.

Como en convocatorias precedentes, se pretende premiar a las obras que se presenten para alentar la igualdad de oportunidades entre los dos sexos, así como promover la creación de una literatura para niñas y niños que contribuya a un cambio de actitudes a través de la eliminación de las imágenes tradicionales estereotipadas de los roles de «hombre» y «mujer», fundamentalmente mediante la eliminación del sexismo en el lenguaje.

Los cuentos, que deben estar dirigidos a niños y niñas de entre 8 y 13 años, tienen un plazo de presentación hasta el próximo día 15 de febrero.

Los originales deben entregarse en el Registro de la Consejería (Alcalá, 63).

También son válidos los envíos que se formalicen en cualquier registro oficial, según lo dispuesto en la Ley de Régimen Jurídico de las Administraciones Públicas y del Procedimiento Administrativo Común, siempre que se haga mención expresa de su destino: «Cuarto Concurso de Cuento 2001 de la Dirección de la Mujer».

Cada autor sólo podrá presentar un original, que deberá estar redactado en lengua castellana, y con una extensión máxima de 4 folios, y podrá incluir ilustraciones. Deberá ser inédito o no haber sido premiado en otros certámenes. Hay que enviar original y 4 copias, así como un sobre cerrado con los datos del autor.

información extraída de la página <u>prensamujer.com</u>

b Después de leer el texto contesta a las siguientes preguntas.

1 ¿A quién estará dedicada la IV edición del concurso de cuento no sexista?
   A Carmen Martín Gaite.

2 ¿Quién convoca este concurso?
   _____

3 ¿Qué se pretende premiar?
   _____

4 ¿Qué pretende promover este concurso?
   _____

5 ¿A quién están dirigidos estos cuentos?
   _____

6 ¿Dónde deben entregarse los originales?
   _____

7 ¿Puede un autor presentar varios originales?
   _____

8 ¿En cuántas lenguas puede estar redactado el original?
   _____

9 ¿Puede ser de una extensión superior a cuatro folios?
   _____

10 ¿Hay que enviar copias del original?
   _____

7a Aquí tienes un fragmento de la obra *Bajarse al moro*. Antes de leerlo vamos a hablar de ella y de su autor. Lee las frases y complétalas con la opción correcta.

1 El autor se llama...
☐ Camilo José Cela.   ☐ José Luis Alonso de Santos.   ☐ Gabriel García Márquez.

2 Es...
☐ argentino.   ☐ colombiano.   ☐ español.

3 *Bajarse al moro* es...
☐ una obra de teatro.   ☐ novela.   ☐ un artículo.

b Antes de leer el fragmento literario, vamos a trabajar el vocabulario. Relaciona las palabras o expresiones con las definiciones.

1 Estar enfadado con
2 Pelas
3 Quitar
4 Meterse en
5 Enterarse
6 Dar la gana

a Dejar a una persona sin algo que tenía.
b Saber algo, tener información sobre algo.
c Participar en asuntos o temas que no le conciernen.
d Dinero, pesetas.
e Querer.
f Estar enojado o disgustado con alguien.

ELENA: He quedado aquí con Alberto, para acabar de llevarnos lo que queda. Me alegro de que estés bien.

CHUSA: Gracias. ¿Y qué tal tu madre?

ELENA: Bien. Ahora estoy viviendo allí otra vez, hasta que nos casemos. Ya tenemos el piso, en Móstoles. Si quieres puedes venir un día a verlo.

CHUSA: No, gracias.

ELENA: ¿Estás enfadada conmigo?

CHUSA: No, no. Es que Móstoles está muy lejos.

ELENA: Ahora hay metro ya.

CHUSA: Sí, pero no. De verdad. Déjalo.

ELENA: Oye, Chusa, tengo que decirte una cosa... Por las pelas esas no te preocupes ahora. Más adelante, cuando buenamente puedas, me las das, pero ahora me imagino que no tendrás veinticinco mil pesetas aquí... Es que como me las dejó mi madre... Y ahora además, con el piso y eso... Pero vamos, cuando tú puedas, o si puedes ahora algo, y luego, poco a poco...

CHUSA: Me cogió la policía, ¿sabes? Me lo quitaron.

ELENA: Pero yo te lo dejé, Chusa, la verdad.

CHUSA: Ya. Si todo iba bien, y lo vendíamos y ganábamos pelas, para las dos. Y si me lo quitaban, me lo has dejado ¿verdad? Qué lista eres tú también.

ELENA: Mira, yo no quiero que Alberto se meta en esto, pero él me ha dicho que te lo diga. Una cosa es ser amigos, pero el dinero es el dinero.

CHUSA: Pues no te las voy a dar, para que te enteres. No las tengo, pero si las tuviera tampoco te las daría. Y ya te puedes ir metiendo a Alberto por donde te quepa.

ELENA: No sé por qué te pones así. Somos amigas, ¿no?

CHUSA: Me pongo así porque me da la gana. Y no somos amigas.

ELENA: Estás así por lo de Alberto. Pues lo siento.

CHUSA: Pues no lo sientas, y que te aproveche.

Bajarse al moro, José Luis Alonso de Santos.

c Después de leer el fragmento, contesta a las preguntas.

1 ¿Con quién ha quedado Elena? _Con Alberto._
2 ¿De qué se alegra Elena? _____
3 ¿Dónde tienen el piso? _____
4 ¿Cuánto dinero le debe Chusa a Elena? _____
5 ¿Quién le quitó el dinero a Chusa? _____
6 ¿Le va a devolver Chusa el dinero a Elena? _____

d Recuerda la frase y complétala. Luego búscala en el texto para comprobar la respuesta.

 10

Me cogió _____ _____, ¿sabes? Me lo quitaron todo.

e Ahora fíjate en la palabra *policía* e indica si las siguientes afirmaciones son correctas o incorrectas.

1 La palabra *policía* puede referirse a un hombre, a una mujer o al conjunto de personas pertenecientes a la institución policial. El género de la palabra se manifestará por el artículo que la acompañe.

☐ Correcto ☐ Incorrecto

2 La forma masculina tiene un único significado –agente masculino– y la femenina dos –agente femenina; cuerpo encargado de velar por la seguridad de los ciudadanos–.

☐ Correcto ☐ Incorrecto

f En español existen palabras que se refieren tanto a hombres como a mujeres, y para saber el género nos fijamos en el artículo que las acompaña. Estas palabras mantienen el mismo significado. También tenemos palabras que cambian de significado según sean masculinas o femeninas. Lee las siguientes palabras y clasifícalas. Si no sabes qué significan, mira las soluciones.

 10

el/la estudiante • el/la cura • el/la cliente • el/la paciente
el/la capital • el/la periodista • el/la cólera • el/la orden

No sé si Elena y Chusa discuten con frecuencia.

Mantienen el significado	Cambian de significado
el - la estudiante	_el - la cura_
_____	_____
_____	_____
_____	_____

Lección 9 | Recursos

EXPRESAR ACUERDO O DESACUERDO PARCIAL CON LO DICHO POR OTROS

Yo no estoy totalmente de acuerdo con { *que sea la única solución, lo que dice Mariano, tu opinión,* } *porque...*

Yo, más bien diría que es un libro muy bueno.

Estoy de acuerdo contigo en todo, menos en que es un libro para niños.

Vale, de acuerdo,
Sí, puede ser,
Tienes razón,
Sí, es verdad
Puede que tengas razón,
Me parece muy bien,
Desde luego,
} + { pero / aunque } + [objeción]

Tienes razón, pero *no olvides que la situación de la mujer está cambiando.*
Puede que tengas razón, aunque también es cierto que *la mujer trabaja en casa más que el hombre.*

En parte sí.
En principio, sí.

Eso de la guerra de sexos tiene su lado divertido.

DAR LA PALABRA AL INTERLOCUTOR

• Para dar la palabra al interlocutor solicitando una opinión o idea sobre lo dicho:

¿Qué te parece?
¿Y tú qué dices?
Y a ti, ¿qué te parece?

• Para que el interlocutor confirme una opinión nuestra:

¿No crees?
¿Verdad?
¿No te parece?
¿No?
¿Es verdad o no?

DEMOSTRATIVOS NEUTROS

• Para referirse a un tema del que se ha hablado o que conocen los interlocutores:

Esto
Eso
Aquello
} + de *No estoy de acuerdo con **eso de** las diferencias entre sexos.*

EXPRESIONES

Como ya sabes, para encontrar en el diccionario el significado de una locución tienes que buscarla por una de las palabras que la componen. En las que tienes a continuación hemos destacado las palabras por las que deberías buscarlas en el caso de que lo necesitases:

Ponerse **morado**:
Hartarse de comida

La comida estaba buenísima y había muchísima. **Nos pusimos morados.**

Quedarse en los **huesos**:
Llegar a estar muy flaco y extenuado.

Desde que ha perdido el apetito se ha **quedado en los huesos.**

Estar **negro**:
Estar muy enfadado.

Estoy negro *con este ordenador. Se ha estropeado tres veces en un mes.*

Ponerse colorado:
Ruborizarse, sentir vergüenza.

Es tan tímido que **se pone colorado** *enseguida.*

Ser **pan** comido:
Ser muy fácil de conseguir.

No te preocupes que lo haré rápidamente. **Es pan comido.**

Estar al **día**:
Estar al corriente.

Sigue bastante la información y la actualidad. **Está al día.**

Estar hecho **polvo**:
Hallarse sumamente abatido por las adversidades, las preocupaciones o la falta de salud.

Me encuentro bastante mal y no tengo fuerzas para nada. **Estoy hecho polvo.**

No pegar **ojo**:
No poder dormir.

Esta noche los vecinos han hecho mucho ruido y **no he pegado ojo.**

- Sᴜsᴛᴀɴᴛɪᴠᴏs ᴄᴏɴ ᴀᴍʙᴏs ɢᴇ́ɴᴇʀᴏs §5
- Sᴜʙᴏʀᴅɪɴᴀᴅᴀs sᴜsᴛᴀɴᴛɪᴠᴀs ᴄᴏɴ sᴜʙᴊᴜɴᴛɪᴠᴏ ᴏ ɪɴꜰɪɴɪᴛɪᴠᴏ §44
- Dᴇᴍᴏsᴛʀᴀᴛɪᴠᴏs ɴᴇᴜᴛʀᴏs §8
- Pʀᴇꜰɪᴊᴏs ꜰʀᴇᴄᴜᴇɴᴛᴇs §3
- Cᴏɴᴛɪɴᴜᴀʀ ᴏᴛʀᴀs ɪɴᴛᴇʀᴠᴇɴᴄɪᴏɴᴇs §61

No voy a pegar ojo esta noche porque todavía tengo que estudiar el guión.

SUBORDINADAS SUSTANTIVAS CON SUBJUNTIVO O INFINITIVO

En muchas frases con dos verbos, el primero referido a una consideración del hablante y el segundo a un evento cualquiera, cuando el sujeto de ambos es el mismo, el segundo verbo se pone en *Infinitivo*. Cuando los sujetos de los dos verbos son diferentes, el segundo verbo va en *Subjuntivo*.

Mismo sujeto: 2.° verbo en infinitivo	Distinto sujeto: 2.° verbo en subjuntivo

Espero **ver**te.
  yo   yo
	Espero que nos **veamos** pronto.
	  yo nosotros

Necesitamos **salir** a la calle.
  nosotros   nosotros
	Necesitamos que **salgas** a la calle.
	  nosotros tú

Lamento **llegar** tarde.
  yo   yo
	Lamento que **llegues** tarde.
	  yo tú

Evaluación

Ahora:

• Puedo dar la palabra
al interlocutor
y expresar acuerdo
o desacuerdo parcial
con lo dicho por otros
• Conozco maneras
de continuar otras
intervenciones

He aprendido otras
cosas:

_____

_____

_____

_____

_____

Consulta nuestra
dirección en la web:
www.esespasa.com

1 Lee los diálogos o frases y marca la opción correcta.

1 🗨 Yo siempre colaboro en las tareas domésticas, ¿o _____ verdad?
   💬 No, nunca. Nunca haces nada.
   ☐ *no es*   ☐ *es*   ☐ *sí es*

2 Espero que _____ un buen día.
   ☐ *tengo*   ☐ *tengas*   ☐ *tuviste*

3 Olga cada día está más delgada, se está quedando _____.
   ☐ *ojo*   ☐ *en los huesos*   ☐ *al día*

4 🗨 Ayer recibí un correo de Ángel. Dice que se alegra de que _____ bien.
   💬 Gracias. Y él, ¿cómo está?
   ☐ *estar*   ☐ *estás*   ☐ *estés*

5 🗨 Ese chico es Pedro, el hermano de Enrique.
   💬 ¿Quién? ¿_____ de allí?
   ☐ *Ésa*   ☐ *Ése*   ☐ *Eso*

6 _____ cura de mi pueblo es muy simpático.
   ☐ *La*   ☐ *El*   ☐ *Los*

7 🗨 ¿Sabes que Encarna ha quedado con Juan, su _____?
   💬 ¿En serio? Pero si se llevan fatal.
   ☐ *ex novio*   ☐ *innovio*   ☐ *ex novia*

8 Espero _____ antes de que llegue Cristina.
   ☐ *terminas*   ☐ *terminar*   ☐ *termino*

9 🗨 Pienso que la actitud de los hombres ha cambiado mucho en estos últimos
   años. ¿No te parece?
   💬 Sí, es verdad, _____ creo que todavía tiene que cambiar más.
   ☐ *pero*   ☐ *principio*   ☐ *no*

10 Me encanta ir a comer a casa de mis padres. Siempre como mucho, me
   pongo _____.
   ☐ *verde*   ☐ *morado*   ☐ *azul*

11 _____ ya no existe diferencia entre sexos no es cierto. Creo que
   todavía la mujer está en desventaja.
   ☐ *Esa de que*   ☐ *Eso de que*   ☐ *Esos de que*

12 Pedro ha tenido un día muy duro y ahora está hecho _____.
   ☐ *un polvo*   ☐ *polvo*   ☐ *de polvo*

13 Javier es un _____. Piensa que las mujeres deberían dedicarse a cuidar a
   los niños y la casa y no trabajar fuera.
   ☐ *machista*   ☐ *feminista*   ☐ *derechos*

14 _____ cólera es una enfermedad que ha causado muchas muertes.
   ☐ *Las*   ☐ *La*   ☐ *El*

15 No me preocupa el informe, es pan _____.
   ☐ *bebido*   ☐ *blando*   ☐ *comido*

1 Elige la mejor opción para cada caso.

1 ¿ _____ la lavadora todavía no
está arreglada? El técnico dijo que
vendría ayer.
- [ ] *Qué es que*
- [ ] *Cómo es que*
- [ ] *Cómo es posible*

2 ¡Qué miedo me _____ los
ascensores!
- [ ] *dan*   - [ ] *tengo*   - [ ] *da*

3 🗨 Yo creo que es mejor tener un
teléfono móvil que uno fijo, ¿no
te _____?
🗨 Sí, puede _____ , pero el
móvil es más caro que el fijo.
- [ ] *parece / ser*
- [ ] *pareces / razón*
- [ ] *crees / ser*

4 🗨 Estoy muy nerviosa porque hoy
operan a David. Espero que
todo _____ bien.
🗨 Tranquila, mujer, ya verás como
todo _____ bien.
- [ ] *salgas / vas*
- [ ] *sale / vaya*
- [ ] *salga / va*

5 Mi novio _____ arquitecto, pero
_____ de recepcionista.
- [ ] *es / es*   - [ ] *es / está*   - [ ] *está / es*

6 🗨 ¿Qué ha pasado con el secador?
🗨 Nada. _____ me ha caído
y _____ ha roto.
- [ ] *Se / se*   - [ ] *Le / se*   - [ ] *Se / le*

7 🗨 El ordenador no funciona.
🗨 Pues, llama al técnico ahora
mismo. _____ esté arreglado, mejor.
- [ ] *Cuanto antes*
- [ ] *De momento*
- [ ] *De repente*

8 No _____ aparcar el coche aquí.
Está _____ .
- [ ] *debes / permitido*
- [ ] *prohibido / permitido*
- [ ] *debes / prohibido*

9 🗨 ¿Qué me has traído?
🗨 Adivínalo. _____ de cristal, _____
forma rectangular y _____ poner
flores.
- [ ] *Es / tiene / sirve para*
- [ ] *Tiene /es / sirve para*
- [ ] *Es / tiene / sirve de*

10 🗨 ¿Te _____ que me lleve este libro?
🗨 Te lo puedes llevar _____ si
me lo devuelves pronto.
- [ ] *importas / sólo*
- [ ] *importa / sólo*
- [ ] *importa / siempre y cuando*

11 Pedro, necesito que mañana _____
antes de las ocho.
- [ ] *vengas*   - [ ] *venir*   - [ ] *vienes*

12 🗨 Chicos, tenemos mucho trabajo...
🗨 _____, que hoy salimos más tarde.
- [ ] *En parte sí*
- [ ] *Es decir*
- [ ] *Por poner un ejemplo*

Así puedes aprender mejor

¿Haces estas cosas cuando escribes?

- [ ] ¿Escribes directamente la versión   - [ ] ¿Lees lo que escribes?   - [ ] ¿Corriges el texto?   - [ ] ¿Haces borradores?
definitiva del texto final?

Hay unas formas de escribir más adecuadas que otras. Una manera organizada de hacerlo es ésta:
Elaboras primero un esquema con todas las ideas que se te ocurren. Después las seleccionas y las redactas en un texto
provisional. Este texto lo lees y lo modificas varias veces porque pones atención primero en que las ideas sean claras y
estén ordenadas. Posteriormente te fijas en que la gramática y el vocabulario sean satisfactorios, y, por último, en que el
texto tenga una buena presentación.

2 ¿Sabes en qué lugar de la frase va exactamente la palabra que han encontrado nuestros amigos?

1 Has hablar con Juan antes del viernes. **de**
_____

2 A ver si arreglan el horno de una vez todas. **por**
_____

3 No estoy de acuerdo con de la distribución de tareas. **eso**
_____

4 Si ido al médico, no te habrías puesto peor. **hubieras**
_____

5 Nuria vendrá a primera de la mañana. **hora**
_____

6 Lo siento, pero único que puedo hacer es cambiarle el libro por otro. **lo**
_____

7 Siempre leo todos los periódicos y veo las noticias. Me gusta estar día. **al**
_____

8 Me gustaría comiéramos juntos. **que**
_____

9 Sí, es verdad; no olvides que yo trabajo más horas. **pero**
_____

10 Quedaremos con Natalia y Fernando eso de las nueve. **a**
_____

3 ¿Puedes completar el texto con ayuda del cuadro?

> se han enfadado • Internet • habría dicho • se ha puesto • página
> no está totalmente • al día • la varicela • hubiera tenido • ordenadores

Nuestros amigos quieren formar su propia compañía de teatro y esta semana Andrew ha creado la **1** _____ web de la compañía. A Andrew le encantan los **2** _____ e **3** _____ y se conecta dos o tres veces **4** _____; por eso no entiende cómo Ana puede vivir sin tener uno.

Esta semana han sucedido muchas otras cosas. Julián **5** _____ enfermo. El pobre lo ha pasado fatal; ha tenido **6** _____. El médico le dijo que no se rascara porque no picaba tanto, pero Julián no está de acuerdo con él. Julián piensa que si el médico **7** _____ la varicela, no le **8** _____ que no picaba tanto. Lola se ha preocupado mucho por Julián y le ha cuidado todo el tiempo.

Al final de la semana, nuestros amigos **9** _____. Lola y Begoña han declarado la guerra a los chicos. Ellas piensan que los chicos no cumplen con todas sus tareas domésticas. Julián **10** _____ de acuerdo con ellas porque él cree que las ayudan mucho.

bloque cuatro 4

lección diez 10

Madre
Tierra

Madre Tierra

El planeta que habitamos sufre serios problemas ecológicos. Nuestra forma de vivir no respeta nuestra tierra; una tierra que para muchas culturas es como una madre.

Observa la foto. ¿Qué crees que van a hacer nuestros amigos con esa montaña de papeles? Y tú, ¿qué haces para contribuir a preservar el medio ambiente? Reciclar, ahorrar agua, usar los contenedores, replantar árboles,... No pienses que no puedes hacer nada. Un cambio en tus hábitos diarios es suficiente para empezar.
Toma conciencia de lo que puedes hacer con nuestros amigos.

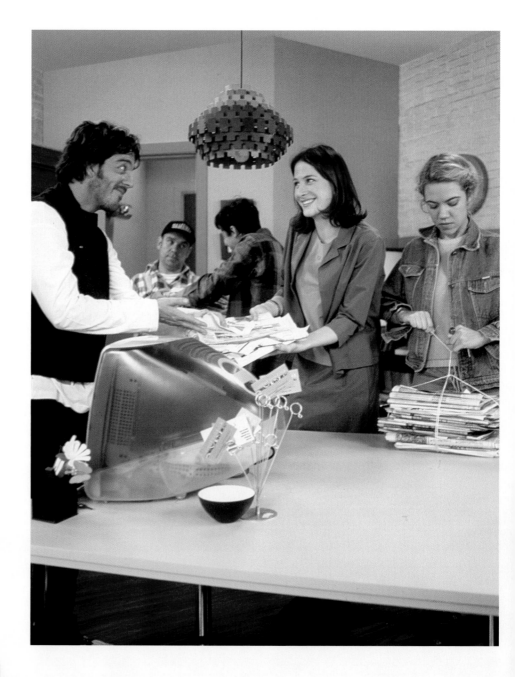

En esta lección vas a aprender:

- Cómo expresar duda o reserva
- A relacionar y añadir información indicando resultados
- A solicitar información sobre una palabra

1a Nuestros amigos ya tienen casi listo el folleto publicitario de su compañía de teatro, pero las pruebas de impresión pueden provocar un grave problema ecológico. ¿Qué crees que proponen ellos para evitarlo? Escucha su conversación y comprueba tu respuesta.

2

☐ Plantar árboles cada mes.
☐ Imprimir sólo lo que sea necesario.

☐ No aceptar propaganda ni folletos.
☐ Aprovechar las dos caras del papel.

b ¿Cuál de estas opciones te parece que resume mejor la conversación de los chicos? Si es necesario, vuelve a escuchar el audio.

1 Vamos a imprimir miles de folletos porque lo necesitamos. No tenemos que sentirnos culpables.
2 Las noticias de la televisión nos advierten del peligro de desaparición de los bosques: nuestros hijos no podrán ver ningún árbol.
3 Hay que imprimir sólo el papel necesario, aprovechar las dos caras y pensar más en el futuro, sobre todo, por nuestros hijos.

c Fíjate en la reacción de Lola cuando Begoña le enseña la nueva versión del folleto que ha hecho Andrew. Escucha otra vez y completa su intervención.

LOLA: No _____ de que _____ a funcionar, pero es más bonito que el otro, desde luego.

d Lola y Begoña se muestran muy preocupadas por las consecuencias negativas de la impresión de los folletos. Primero, fíjate en las expresiones destacadas, ¿para qué crees que sirven? Después, observa la forma del verbo que acompaña a las estructuras. ¿De qué modo es?

4, 5, 6, 7

- A Begoña **le extraña que** gasten tanto papel en el piso.
- Lola **duda de que** un hijo suyo pueda ver alguna vez un bosque.
- Lola **no está muy segura de** que la solución propuesta por Begoña sea suficiente, se pueden hacer muchas más cosas para mejorar el medio ambiente.

Las expresiones sirven para...
☐ expresar acuerdo.
☐ expresar duda o reserva.
☐ expresar aprobación.

El modo del verbo es...
☐ indicativo.
☐ subjuntivo.
☐ condicional.

2a Vamos a leer un artículo sobre el ecoturismo en Perú. Pero antes, ¿cuál de estas tres definiciones de ecoturismo te parece más adecuada?

☐ Actividad económica que consiste en promover proyectos ecológicos.
☐ Turismo en el que predomina el contacto con la naturaleza y el respeto por la ecología.
☐ Unidad monetaria de la Unión Europea que proviene de las siglas *European Currency Unit*. Fue creada para fomentar el turismo entre los países europeos.

b Ahora seguro que ya sabes de qué dos palabras procede el término *ecoturismo*.

☐ Ecu y turismo.   ☐ Economía y turismo.   ☐ Ecología y turismo.

c Asegúrate de que conoces el significado de estas palabras antes de leer el artículo. Si tienes algún problema, consulta las soluciones.

11, 13

▶ *saltar a la vista*	▶ *caer en saco roto*	▶ *viabilidad*
▶ *convocatoria*	▶ *incompatibilidad*	▶ *selecto*
▶ *estimar*	▶ *mover millones*	▶ *contundente*

Ecoturismo peruano

1 Ya era hora. Suficientes razones saltan a la vista para convertir al Perú en un atractivo mundial del ecoturismo. Por eso se establecerán las bases para desarrollar esta actividad en nuestro país. La convocatoria alcanzó el eco en la administración pública. Rafael Noriega, nuevo Secretario Ejecutivo de PromPerú pretende unir la participación del sector privado y público, y trabajar en conjunto para fortalecer y promover el ecoturismo en el Perú.

2 Sin embargo, esta propuesta cae en saco roto si el gobierno central no toma acciones inmediatas para **acabar con** la irremediable contaminación de nuestros recursos. Éstos han disminuido considerablemente **por culpa de** la actividad minera, forestal o industrial, como la producción de harina de pescado. La incompatibilidad de estas actividades con el ecoturismo será uno de los puntos que se deberá tener en cuenta para el establecimiento de las bases. En el mundo la actividad ecoturística mueve millones y en la actualidad crece a un ritmo de 25 a 30 por ciento.

3 En nuestro país los estudios indican la viabilidad de esta propuesta. Para mencionar un caso, se tiene estimado que de los 6,8 millones de estadounidenses con intención de visitar el Perú, más de 700.000 (es decir el 10.3%) tienen interés en participar en el denominado *bird watching* –observación de aves– en zonas naturales del Perú o el resto de la región.

4 De otro lado, las potencialidades que tenemos para el ecoturismo sobran, **gracias a que** el 15% de la superficie del Perú tiene 52 áreas naturales protegidas lo que equivale a 18 millones de hectáreas, según el Instituto de Recursos Naturales (Inrena).

5 Pertenecemos al selecto grupo de ocho países «megadiversos». Tenemos 84 de las 104 zonas de vida en el mundo. Poseemos cerca del 10% de especies de mamíferos y reptiles del planeta y más del 20% de las aves de la Tierra. Las cifras son contundentes. PromPerú señala que el 47% de los turistas extranjeros realizaron actividades de ecoturismo. Las áreas naturales más visitadas por los ecoturistas son el Lago Titicaca, la cordillera de Huayhuash, en Ancash –gravemente afectada **por** la reciente actividad minera–, Paracas, Islas Ballestas –contaminadas **por** la producción de harina de pescado– y el Parque Nacional del Huascarán.

Texto adaptado de *La República*, *Andares*, Perú, 12 noviembre 2000
http://www.larepublica.com.pe/,

d Después de leer, ¿puedes identificar en cuál de los cinco párrafos del artículo se desarrollan cada una de estas ideas? Numera las ideas.

a La gran diversidad de especies animales consolida a Perú como país idóneo para realizar ecoturismo: n.º _____.
b Perú puede ser un importante destino para la práctica del ecoturismo porque dispone de grandes extensiones naturales: n.º _____.
c Hay que terminar con la contaminación medioambiental que ocasionan diversas actividades económicas en Perú para poder desarrollar el ecoturismo: n.º _____.
d Los datos señalan que el ecoturismo es económicamente beneficioso porque un alto porcentaje de los turistas norteamericanos que eligen Perú como destino desea participar en actividades relacionadas con el medio ambiente: n.º _____.
e Perú quiere fortalecer y promover el ecoturismo: n.º _1_.

e Fíjate bien en las expresiones destacadas del artículo. Después, lee las frases que tienes a continuación y busca en el artículo aquellas con las que se pueden relacionar.

1 El gobierno tiene que poner fin a la contaminación de los recursos.
*Esta propuesta cae en saco roto si el gobierno central no toma acciones inmediatas para **acabar con** la irremediable contaminación de nuestros recursos.*
2 Los recursos están contaminados a causa de la actividad minera, forestal o industrial.
_____.
3 Hay posibilidades para el ecoturismo debido a las 52 áreas naturales protegidas.
_____.
4 La cordillera de Huayhuash está seriamente afectada como consecuencia de la reciente actividad minera. _____.

f Ahora, ¿puedes clasificar, según su uso, las tres primeras expresiones destacadas que has visto en el artículo ?

1 Presenta la causa favorable para la consecuencia:_____.
2 Cuando se obtiene un resultado tras un esfuerzo o una intención deliberada: _____.
3 Cuando se informa de que la causa es desfavorable para la consecuencia: ___ y ___.

g Lee estas frases. Fíjate en las palabras destacadas y después intenta descubrir para qué sirven.

- La actividad minera **ha provocado** la contaminación de muchos recursos.
- La industria **ha ocasionado** la disminución de muchas reservas naturales.
- Después de las negociaciones, todos los implicados **han terminado** agotados.
- Tras la reunión, las bases políticas y económicas para el desarrollo del ecoturismo **han quedado** establecidas.

☐ Para manifestar el resultado de una acción previa.
☐ Para hablar de procesos que todavía no han terminado.

¡Acabaremos con la contaminación de nuestro planeta!

2, 11, 13

3a Vamos a escuchar un programa de radio en el que participan tres ecologistas. Antes de escuchar, ¿por qué no relacionas estas palabras con sus definiciones?

1 ecologista
2 asociación naturista
3 agricultura biológica
4 concienciar
5 deterioro
6 medidas

a cultivo de la tierra que no utiliza productos químicos.
b empeoramiento, desgaste gradual de algo.
c persona partidaria de las relaciones entre los seres vivos entre sí y con su entorno.
d decisiones que se toman para solucionar un problema.
e hacer que alguien conozca un problema.
f grupo de personas que consideran que las enfermedades deben tratarse con productos naturales.

b Ahora intenta completar las intervenciones de cada uno con las expresiones del cuadro. Vuelve a escuchar y comprueba tus respuestas.

> en vista de que • gracias a • ha ocasionado • hasta que • ~~debido a~~
> por culpa de • ha provocado • dudamos que • por fin • ha logrado

1 LOCUTOR: Hoy, _debido a_ la celebración del día mundial *Por un mundo más ecológico*, tenemos en el estudio a tres ecologistas.
2 PAULA: Empecé a colaborar en proyectos ecologistas _____ ese curso. Tuve varios trabajos temporales _____ un día conocí a la gente de *Ecoaldea*. Me propusieron trabajar para ellos y me trasladé a vivir a un pueblo de Asturias. _____ , al cabo de mucho tiempo, me dedico a lo que me apasiona.
3 GEMA: *Sol y Luna* _____ concienciar a gran cantidad de gente que vive en zonas urbanas sobre la necesidad de consumir productos biológicos. El consumo de productos no biológicos, además de los graves problemas de salud que _____ , también _____ el deterioro progresivo del suelo _____ la utilización de productos químicos muy agresivos.
4 JORGE: En cuanto al transporte, nosotros _____ la política del gobierno sea la más adecuada. _____ no se toman medidas suficientes para implantar un transporte no contaminante y más barato, consideramos que es importante potenciar el uso de la bicicleta en las ciudades.

c Fíjate en las expresiones del cuadro del ejercicio anterior. ¿Sabes para qué sirve cada una de ellas?

1 Para expresar la causa: _debido a_ y _____.
2 Para presentar la causa favorable para la consecuencia: _____.
3 Para presentar la causa desfavorable para la consecuencia: _____.
4 Cuando un acontecimiento no termina hasta que termina otro: _____.
5 Para informar de que se obtiene un resultado tras una intención deliberada: _____.
6 Para manifestar el resultado de una acción previa: _____ y _____.
7 Para manifestar duda o reserva fuerte: _____.

4a Raquel y Emanuelle son vecinas de nuestros amigos. Ellas también están dispuestas a hacer algo por el medio ambiente. Antes de escuchar cómo hablan, ¿conoces el significado de todas estas palabras? Si necesitas ayuda, consulta las soluciones.

▶ *ahorrar agua* ▶ *envase* ▶ *estorbar*
▶ *cubo de la basura* ▶ *resto orgánico* ▶ *trasto*
▶ *contenedor* ▶ *hábito* ▶ *ser consecuente*

b Ahora ya puedes escuchar la conversación. Después, indica cuál de estas frases resume la conversación entre las chicas.

☐ Raquel comprará un cubo de la basura.   ☐ Hay que cambiar de hábitos y reciclar.
☐ Hay que tirar los trastos al contenedor.   ☐ El piso de las chicas es pequeño.

c Emanuelle tiene un buen dominio del español, pero, a veces, tiene algunos problemas. Raquel la ayuda. Escucha de nuevo y completa las intervenciones de las dos y, después, relaciónalas con el uso que les corresponde.

1 EMANUELLE: En mi país, en los pisos y en las casas hay un... _____.
_____ un cubo de basura, pero más grande, que sirve para reciclar.
¿_____?
2 RAQUEL: En español _____ contenedor.
3 EMANUELLE: ¿_____?
RAQUEL: Contenedor.

• Preguntar por una palabra desconocida por segunda vez: n.º _____
• Responder: n.º _____
• Preguntar por una palabra desconocida describiendo el objeto del cual no sabemos el nombre: n.º _____

d Raquel y Emanuelle están hablando sobre la conveniencia de comprar un contenedor para su piso. Vuelve a escuchar prestando atención a la última parte de la conversación. Marca en cada caso la opción correcta y, después, selecciona la forma verbal adecuada para la regla.

1 Raquel **duda que**...
   ☐ el contenedor quepa en el piso de las chicas.
   ☐ reciclar papel sea la mejor cosa que pueden hacer.
2 A Raquel **le extraña que**...   ☐ Emanuelle quiera reciclar porque otros vecinos de la escalera también lo hagan.
   ☐ Emanuelle proponga poner el contenedor en la galería porque siempre le estorban los trastos.

Dudar + que _____   } + { ☐ indicativo
A alguien extrañar + que _____   ☐ subjuntivo

2

Recuerda que No estar muy seguro de que *va seguido de un verbo en subjuntivo.*

4, 5, 6, 7

✎ 2

5a Aquí tienes los consejos de una asociación ecologista. Antes de leerlos, ¿con qué propósito crees que fueron escritos?

☐ Animar a la gente a manifestarse por una *Vida verde*.
☐ Concienciar a la gente de la necesidad de cambiar de hábitos.
☐ Provocar una revolución social a nivel mundial.

Asociación ecologista *Vida verde*

1 La utilización masiva del transporte privado **ha provocado** un fuerte aumento del índice de contaminación en nuestra ciudad. Desde nuestra asociación, **hemos conseguido que** la gente utilice medios de transporte alternativos como la bicicleta y el patinete. ¡Deje el coche en el garaje y muévase por la ciudad con mayor libertad!
2 Hemos acabado con la reserva de agua del planeta por bañarnos en lugar de ducharnos. ¡Por favor, ahorre agua!
3 El uso de sistemas de calefacción y de aire acondicionado **ha acabado por** disminuir el grosor de la capa de ozono. ¡Utilice mantas en invierno y abra las ventanas en verano!
4 El uso irresponsable de productos químicos nocivos **ha dejado** la tierra erosionada. ¿Por qué no compra alimentos biológicos?
5 Por culpa de la competitividad y el estrés en el trabajo, **hemos dejado de** controlar nuestras vidas y de vivir como realmente queremos. ¡Sea amable con sus compañeros y salúdelos con una sonrisa!
Piense que no tendremos una vida verde **hasta que** sigamos estos consejos, y todavía **falta** mucho **para** que nuestra vida sea tan verde como el césped de nuestros jardines. Cambiemos para evitar una crisis energética planetaria.

✎ 8, 12

b Presta atención a la palabra crisis. ¿Sabes cuál es su plural?

☐ crisises   ☐ crisis   ☐ crises

c En español hay varios casos especiales de formación de plurales. Teniendo en cuenta el caso de la palabra crisis, completa la regla marcando la opción correcta.

Las palabras terminadas en vocal átona + -s { ☐ no / ☐ sí } cambian en plural.

d ¿Te atreves a escribir un folleto parecido al de arriba? Primero piensa bien en los consejos que quieres dar. Después, presta atención al folleto de los ecologistas y a las ideas que te damos a continuación.

1 Elabora una lista de temas relacionados con el medio ambiente que consideres importantes. Puedes utilizar alguno de los presentados en la lección u otro que te preocupe especialmente.

2 Piensa a quién irán dirigidos tus consejos: al público en general, a tus compañeros de trabajo, a tus vecinos,... y elige *tú* o *usted* según el grado de formalidad o informalidad que busques.

3 Ahora ya estás preparado para empezar a escribir. Sigue el modelo de *Vida Verde* y nuestros consejos: busca un título para tu folleto, numera tus consejos, utiliza las estructuras que has trabajado en esta lección y termina con una frase desafiadora como la de *"Y piense que no tendremos una vida verde hasta que..."*

6a En España cada vez es más frecuente comprar árboles de Navidad durante estas fiestas. Antes de leer este documento de unos grandes almacenes, fíjate en el título. ¿Podrías adivinar quién se dirige al comprador del árbol? Marca una de las opciones y después comprueba tu respuesta leyendo el documento.

☐ Una asociación ecologista.
☐ El árbol.
☐ Los directivos del almacén.

b ¿Con qué intención crees que fue repartido el documento?

☐ Aconsejar sobre cómo cuidar a los árboles de Navidad durante las fiestas para poder replantarlos después.

☐ Aconsejar sobre cómo tener árboles bonitos en el jardín durante la Navidad.

☐ Contar cómo sobrevivió un árbol de Navidad.

¡ESTOY VIVO!

Trátame bien y devuélveme entre el 8 y el 17 de enero de 2001 a la tienda IKEA donde me has comprado junto con este cupón y el ticket de caja. Conseguirás un bono de compra de 1.000 ptas en dinero IKEA válido en las tiendas de Madrid y Barcelona hasta el 31 de marzo de 2001.

Pero sólo me podrán reciclar si:
• Me colocas tan lejos como sea posible de una fuente de calor.
• No me riegas demasiado y sólo humedeces la tierra.
• No dejas que haya depósitos de agua en mi maceta.
• No me arrancas las ramas ni las agujas y me pones a la luz.

Sigue estos consejos. Nos vienen bien a todos.

¡GRACIAS. FELIZ NAVIDAD!

IKEA®

c Completa las frases con las expresiones del cuadro. Fíjate bien; te puede ayudar observar si las frases tienen un sentido positivo o negativo. Después reflexiona sobre el uso de las expresiones.

🖊 11, 13

gracias a • en vista del • debido al • por culpa de • ~~en vista de que~~ • al

1 *En vista de que* los compradores muchas veces no saben cómo cuidar el árbol, este año se les ha proporcionado una lista de consejos.
2 Este año se han replantado el triple de árboles que el año pasado _____ la campaña de concienciación promovida por diferentes centros comerciales.
3 _____ exceso de agua, estos árboles de Navidad pueden sufrir daños graves.
4 _____ colocar el árbol lejos de una fuente de calor, conseguirá que viva más.
5 _____ poco éxito que tuvo el año pasado la recogida de árboles, los centros comerciales han organizado una campaña de concienciación.
6 Muchos árboles han muerto _____ la falta de atención de los compradores.

☐ Sirven para expresar causa.
☐ Sirven para expresar consecuencia.

7a Vamos a leer un poema del poeta español Antonio Machado. Antes de leerlo, fíjate en las palabras del cuadro. ¿Cuál crees que es el tema de la poesía? Si es necesario, puedes consultar las soluciones.

▶ rocío ▶ alondras ▶ aldea ▶ barranco
▶ encinar ▶ plumas ▶ sierra ▶ sendero

☐ La naturaleza ☐ La guerra ☐ El amor ☐ La amistad

b Para asegurarte de que entiendes el significado de las palabras del cuadro anterior, completa estas frases.

1 Para llegar al pueblo tenemos que caminar por este _____.
2 Mi loro está enfermo, hace días que se le caen las _____.
3 Las gotas del agua del _____ cubrían de blanco el jardín.
4 Ha habido un accidente en la carretera, un coche se ha caído por el _____.
5 Fuimos a comer a un _____, que es un lugar poblado de encinas.
6 En esta zona hay muchas _____. Son esas aves de color pardo con manchas oscuras que tienen un canto muy agradable.
7 Mi abuelo vive en una _____ en las montañas. Son muy pocos vecinos.
8 Según mi amigo Juancho, la _____ está a unos cincuenta kilómetros de la ciudad.

VIEJAS CANCIONES I

A la hora del rocío,
de la niebla salen
sierra blanca y prado verde.
¡El sol en los encinares!
   Hasta borrarse en el cielo,
suben las alondras.
¿Quién puso plumas al campo?
¿Quién hizo alas de tierra loca?
   Al viento, sobre la sierra,
tiene el águila dorada
las anchas alas abiertas.
   Sobre la picota
donde nace el río,
sobre el lago de turquesa
y los barrancos de verdes pinos;
sobre veinte aldeas,
sobre cien caminos...
   Por los senderos del aire,
señora águila,
¿dónde vais a todo vuelo tan
   [de mañana?

Poesías completas,
Antonio Machado

c ¿Porqué no lees el poema e intentas adivinar con qué intención lo escribió el poeta?

☐ Expresar su dolor por los problemas medioambientales de su tierra, Andalucía.
☐ Describir la belleza de la naturaleza y manifestar su admiración por ella.
☐ Manifestar su tristeza por un amor perdido evocando imágenes naturales.

d ¿Puedes contestar a estas preguntas después de leer otra vez el poema?

1 Cuando amanece en el campo y la niebla desaparece, ¿qué podemos ver?
   La sierra blanca y el prado verde.
2 Según el poeta, ¿cuáles son los árboles que primero ilumina el sol?
   En los _____.
3 ¿Qué pájaros vuelan en el cielo a una altura muy elevada?
   Las _____.
4 ¿Cómo vuela el águila sobre la sierra?
   Con las _____.
5 Además de la sierra, ¿por dónde más sobrevuela el águila?
   Sobre la _____, el _____ y los _____, sobre _____, sobre _____.
6 ¿Cómo se dirige el poeta al águila?
   La trata de _____.
7 ¿Qué le pregunta el poeta al águila?
   ¿_____?

e A continuación, vamos a leer un fragmento de *La colmena* en el que un personaje reflexiona sobre las desigualdades sociales de la época. Recuerda que la acción de la novela se sitúa en el Madrid de la posguerra. Distingue las afirmaciones verdaderas (V) de las falsas (F).

 1, 9, 10

> A Martín Marco le preocupa el problema social. No tiene ideas muy claras sobre nada, pero le preocupa el problema social.
>
> Eso de que haya pobres y ricos –dice a veces– está mal; es mejor que seamos todos iguales, ni muy pobres ni muy ricos, todos un término medio. A la humanidad hay que reformarla. Debería nombrarse una comisión de sabios que se encargase de modificar la humanidad. Al principio se encargarían de pequeñas cosas, enseñar el sistema métrico decimal a la gente, por ejemplo, y después, cuando se fuesen calentando, empezarían con las cosas más importantes y podrían hasta ordenar que se tirasen abajo las ciudades para hacerlas otra vez, todas iguales, con las calles bien rectas y calefacción en todas las casas. Resultaría un poco caro, pero en los bancos tiene que haber cuartos de sobra.
>
> *La colmena*, Camilo José Cela.

Martín Marco...
1 critica las desigualdades sociales existentes.
2 defiende los intereses de los ricos.
3 hace una propuesta para transformar la humanidad.
4 duda que su propuesta sea posible.
5 piensa que los sabios pueden reeducar la humanidad.

V	F
☐	☐
☐	☐
☐	☐
☐	☐
☐	☐

f Fíjate en la expresión *irse calentando* que aparece en el fragmento de la novela. Por el contexto, ¿qué crees que significa?

☐ Dejar de tener frío.   ☐ Ir cogiendo ideas y ritmo.   ☐ Tener calefacción en casa.

g ¿Cuál crees que puede ser la relación entre los dos textos?

☐ Las ciudades están provocando muchos cambios en los hábitos de la gente.
☐ Ni en el campo ni en las ciudades se viven grandes transformaciones.
☐ El interés que sienten los autores: uno por el campo y el otro por la ciudad.
☐ La calidad de vida es mejor en el campo que en las zonas urbanas.

Recursos

EXPRESAR DUDA O RESERVA

• Para manifestar duda o reserva fuerte:

[dudar] + (de) que + [subjuntivo]	*Dudo que sea* útil.
no + [estar] + seguro + de $\begin{cases} \text{[nombre]} \\ \text{que + [subj.]} \end{cases}$	*No estoy muy seguro de la solución.* *No estaba seguro de que fuéramos a conseguir algo positivo.*
[me/ te/ le... extraña/ extrañó...] + que + [subj.]	*Me extraña que diga esas cosas delante de Carlos.*

No estoy seguro de que la obra vaya a funcionar.

• También se manifiesta duda o reserva en réplicas como las siguientes:

🗨 *Si vamos a las diez de la mañana, no encontraremos cola.*
    🗨 **No estoy muy seguro.**

🗨 *Vamos por la autopista y en dos horas estamos allí.*
    🗨 **Sí, puede ser.**

🗨 *Con trescientos euros tendremos más que suficiente.*
    🗨 **No sé, no sé.**

RELACIONAR O AÑADIR INFORMACIÓN INDICANDO RESULTADOS

• Para manifestar el resultado de una acción previa (expansión, pesca, incendio, etc.) se pueden usar verbos como los siguientes:

Provocar	*La expansión de un alga **ha provocado** la migración de especies autóctonas.*
Ocasionar	*La pesca intensiva **ha ocasionado** la desaparición de varias especies.*
Quedar	*Después del incendio, la montaña **ha quedado** muy erosionada.*
Acabar	*El lago **ha acabado** sin vida por la falta de lluvias.*
Terminar	*Ha sido muy difícil y **hemos terminado** agotados.*
Dejar	*La industria **ha dejado** la tierra muy contaminada.*

• Para informar de que se obtiene un resultado tras un esfuerzo o una intención deliberada:

Lograr	*Los ecologistas **han logrado** la paralización de la construcción de la central nuclear.*
Conseguir	*La protección de las ballenas **ha conseguido** que no desaparezcan.*
Acabar con + [nombre]	*La lluvia ácida **ha acabado con** los bosques.*

- Estas perífrasis indican el resultado de una acción previa:

Terminar de + [infinitivo]	*El conferenciante **ha terminado de hablar**.*
Terminar + [gerundio]	*Discutieron mucho, pero **terminaron encontrando** una solución.*
Llegar a + [infinitivo]	*La intensa actividad industrial **ha llegado a calentar** peligrosamente el planeta.*
Acabar de + [infinitivo]	*Las predicciones catastrofistas sobre el futuro del planeta no **acaban de concienciar** a los responsables.*
	*No sé nada porque acabo de llegar. El conferenciante ha terminado y **acaba de** salir.*
Acabar por + [infinitivo]	*El uso de sistemas de calefacción y de aire acondicionado **ha acabado por** disminuir la capa de ozono.*

- Informa de la cantidad necesaria para conseguir algo:

[faltar] + para	*Todavía **falta** mucho trabajo **para** que el río esté totalmente limpio.*

- Un acontecimiento dura **mientras** dura otro, o bien no termina **hasta que** termina el otro.

$$[Verbo\ (presente\ o\ pasado)] \ + \ \begin{Bmatrix} hasta\ que \\ mientras\ (no) \end{Bmatrix} + [verbo\ indicativo]$$

*No se **solucionó hasta que** descubrieron una nueva fuente de energía.*
*No se **soluciona mientras (no) descubran** una nueva fuente de energía.*

$$[Verbo\ (futuro)] \ + \ \begin{Bmatrix} hasta\ que \\ mientras\ (no) \end{Bmatrix} + [verbo\ subjuntivo]$$

*Estudiarán en Barcelona **hasta que se licencien**.*
*Estudiarán en Barcelona **mientras no se licencien**.*
*No se **solucionará** el problema **hasta que descubran** la alergia.*
*No se **solucionará** el problema **mientras no** descubran la alergia.*

SOLICITAR INFORMACIÓN SOBRE UNA PALABRA

¿Cómo se dice?
¿Recuerdas cómo se dice?
En inglés se dice...
No sé cómo se llama. Es como + [descripción de objeto]
¿Cómo dices que se llama?

- SUBORDINADAS CAUSALES
- CASOS ESPECIALES DE FORMACIÓN DEL NÚMERO

§

- EXPRESAR DUDA O RESERVA §35
- SUBORDINADAS CAUSALES §50
- CASOS ESPECIALES DE FORMACIÓN DEL NÚMERO §6

Estaré nerviosísima hasta que presentemos la obra.

Todavía falta mucho para el estreno.

Evaluación

1 Marca en cada caso la opción más adecuada.

1 ● Vamos a iniciar una campaña en el barrio para potenciar el reciclaje.
　○ ¿Para el reciclaje? Dudo que _____.
　☐ funcione　　　☐ funciona　　　☐ funcionaba

2 ● ¿Por qué no hiciste el folleto para concienciar a la gente del peligro del PVC?
　○ Porque no estaba muy segura de que _____ útil.
　☐ era　　　☐ fuera　　　☐ será

3 ● Con esta campaña seguro que aumentará el uso de la bici en las ciudades.
　○ _____, pero no es tan fácil. La gente va en coche a todas partes.
　☐ Sí podía ser　　　☐ Creo no puede ser　　　☐ Sí, puede ser

4 ● ¿Has oído la noticia del vertido de petróleo en el océano?
　○ Sí, _____ la muerte de muchos peces.
　☐ ha provocado　　　☐ terminado matando　　　☐ ha conseguido

5 ● ¿Qué crees que _____ el Ayuntamiento con esta campaña?
　○ Pues que la gente conozca los productos biológicos.
　☐ ha conseguido　　　☐ ha dejado　　　☐ ha terminado con

6 ● Aquello que sirve para tirar los envases, ¿_____?
　○ Contenedor.
　☐ en español se dice　　　☐ es como　　　☐ cómo se dice

7 ● ¿Te has enterado de que han prohibido el uso del PVC?
　○ ¿Sí? _____, ya era hora. Hace tiempo que se sabe que es muy malo.
　☐ Final　　　☐ Falta para　　　☐ Por fin

8 ● ¿Sabes cuál es la causa de la subida del nivel del mar?
　○ Sí, es _____ calentamiento del planeta.
　☐ debido al　　　☐ por culpa de　　　☐ al

9 ● ¿Por qué no usas la bicicleta para ir hasta el centro?
　○ _____ los conductores no respetan a los ciclistas y es muy peligroso.
　☐ Por culpa de　　　☐ Al　　　☐ Hasta que

10 ● Es _____ un parasol, pero para protegerte de la lluvia, ¿cómo se llama?
　● Ah, un paraguas.
　☐ similar　　　☐ como　　　☐ cuando

11 ● Los científicos pronto descubrirán cómo recuperar la capa de ozono.
　○ Yo creo que todavía _____ mucha investigación para eso.
　☐ llega　　　☐ falta　　　☐ logra

12 ● Llevamos mucho tiempo con esta investigación y no conseguimos nada.
　○ Bueno, _____ no tengamos más recursos no podremos avanzar.
　☐ hasta que　　　☐ falta que　　　☐ para

13 ● ¿Sabes que Carlos se va a vivir al campo? Dice que necesita un cambio.
　○ ¿De veras? Me extraña que _____ eso. Le encanta la ciudad.
　☐ dice　　　☐ dijera　　　☐ diga

lecciónonce 11

Érase

una vez...

En escena

Vivir historias maravillosas o terroríficas.
Viajar por otros mundos.
Conocer otras culturas, otros modos de vida, otras maneras de ser,...
Salir de la rutina diaria.
¡Qué maravilla!
Pero, ¿cómo?
Pues, a través del cine y de la literatura.

¿Te gusta la literatura?
¿Qué género literario prefieres?
¿Alguna vez has escrito un cuento?
Aventúrate en la lección y aprende a escribir un cuento.
Y el cine, ¿te gusta?
¿Vas a menudo?
¿Qué tipo de películas prefieres?
¿Qué estarán haciendo nuestros amigos? ¿Seguirán trabajando en su compañía de teatro?
¿Quiénes serán los protagonistas de la lección? ¿Qué aprenderemos?
¿Qué...?
¡Silencio! ¡Silencio!
¡Empieza la lección!

Érase una vez...

DIRECTOR

En esta lección vas a aprender:

- A juzgar y valorar
- Cómo cambiar de tema
- Maneras de expresar aburrimiento
- Expresiones para aclarar algún aspecto de la conversación

1a Nuestros amigos hablan sobre cómo dar a conocer la compañía de teatro que han montado. Antes de escucharlos, comprueba si conoces estas palabras. Si tienes algún problema, consulta las soluciones.

▶ *editar*   ▶ *folleto*
▶ *compañía de teatro*   ▶ *productor*

b Ahora escucha la conversación y luego indica si las siguientes frases son verdaderas (V) o falsas (F).

	V	F
1 Andrew cree que vale la pena editar los folletos.	✓	
2 Lola piensa que no saldrá caro editarlos.		
3 Julián es el productor.		
4 Hace dos días que Lola no para de comer.		
5 Julián no sabe qué pondrán en el folleto.		

c Lee estas frases de Andrew y Begoña, fíjate en los destacados. ¿Qué crees que manifiestan? Marca la opción correcta.

ANDREW: **Vale la pena editar** unos folletos.
BEGOÑA: **Me parece lógico.**

☐ una valoración de algo
☐ un cambio de opinión
☐ una duda

d Nuestros amigos siguen hablando sobre la compañía y los folletos. Lee las frases, fíjate en ellas y luego completa las estructuras: *infinitivo, indicativo* o *subjuntivo*, todas ellas se utilizan para hacer juicios de valor.

1, 4, 5, 13

1 Lo mejor es ir a una imprenta. ➔ **Lo + [adjetivo] + es +** *infinitivo*
2 Lo bueno es que hicieron dos folletos distintos.
           ➔ **Lo + [adjetivo] + es + que +** _____
3 Lo curioso es que estés de acuerdo en todo. ➔ **Lo + [adjetivo] + es + que +** _____
4 Vale/ Merece la pena editar unos folletos. ➔ **Vale / Merece la pena +** _____
5 Vale/ Merece la pena que diseñemos el folleto ya.
           ➔ **Vale / Merece la pena que +** _____
6 No es normal que los productores se encarguen. ➔ **Es + [adjetivo] + que +** _____
7 Me parece lógico que pidamos presupuesto.
           ➔ **[pronombre] + parece + [adjetivo] + que +** _____

En prensa

2a A continuación tienes un artículo que trata sobre cuáles son, en opinión de los críticos, los autores hispanoamericanos más importantes del siglo XX. Antes de leerlo, relaciona estas palabras con su definición.

1 creador
2 reconocimiento
3 aseverar
4 agregar
5 transgresor

6 tenue

7 esbozo

a que quebranta una ley o una norma.
b añadir algo a lo ya dicho o escrito.
c que produce algo de la nada.
d muy fino y poco denso. Débil, delicado, suave.
e proyecto que puede alcanzar un mayor desarrollo y extensión. Dibujo inacabado y esquemático de un proyecto artístico.
f distinción de una persona o cosa entre las demás por sus rasgos o características.
g afirmar o asegurar lo que se dice.

b ¿Te gusta la literatura hispanoamericana? Completa las frases marcando la opción correcta. Lee el texto y comprueba tus respuestas

1 Julio Cortázar escribió la obra...
2 Rulfo escribió...
3 *Ficciones* es de...
4 *Muerte sin fin* es de...
5 Jorge Volpi es...
6 Elena Garro escribió...

☑ *Rayuela*
☐ *Tres tristes tigres*
☐ Roberto Arlt
☐ José Gorostiza
☐ peruano
☐ *Los recuerdos del porvenir*

☐ *Los siete locos*
☐ *Pedro Páramo*
☐ Borges
☐ Neruda
☐ mexicano
☐ *Altazor*

el Nuevo Herald

Los críticos opinan

Las letras hispanoamericanas en el siglo XX han brillado en el mundo de la poesía, la **narrativa** y el **ensayo**. ¿Cuáles serían, a juzgar por la opinión de algunos **creadores** y estudiosos, las **obras** más **notables** de la lengua española en esta **centuria**?

El mexicano Guillermo Samperio, autor que ha recibido diversos **reconocimientos**, **asevera**: «Para mí son autores clave aquellos que juegan con atmósferas y personajes profundos, como Roberto Arlt con *Los siete locos*». Samperio reconoce como uno de sus maestros a Julio Cortázar, y distingue de éste la novela *Rayuela* y su obra **cuentística**. Y **agrega**, casi con gozo, que Cabrera Infante

es otra de sus primeras influencias con *Tres tristes tigres*. «Rulfo es uno de mis clásicos. No hay una novela tan rica en español como su *Pedro Páramo*». Otro es Borges con *Ficciones*, **establece** el escritor. En poesía, entre los favoritos de Samperio está *Muerte sin fin*, de José Gorostiza. «No tiene un sólo **verso** que le sobre, le falte o se haya debilitado. *Horas de junio*, de Carlos Pellicer, es un libro cerrado, perfecto como *Alturas de Machu Pichu*, de Neruda, y *Altazor*, de Huidobro. Son obras **maestras**». Samperio agrega a su biblioteca fundamental *La vida breve*, de Juan Carlos Onetti. Si alguna novela pudiera cerrar el siglo, Samperio **vota** por la del

mexicano Jorge Volpi *En busca de Klingsor*.

Por su parte la **novelista** e historiadora italiana, Francesca Gargallo, que ha escrito y publicado en español la mayor parte de su obra **literaria**, **considera** que la lengua española ha dado grandes **transgresores** poéticos como Vicente Huidobro con su *Altazor*. Gargallo, quien tiene un doctorado en Estudios Latinoamericanos, afirma que entre los poetas más importantes de su biblioteca están Rafael Alberti, García Lorca, Neruda, Alejandra Pizarnik, José Carlos Becerra y César Vallejo. «A este último lo leo con gusto, dolor y fuerza». Según Gargallo, otros grandes transformadores del modo de

narrar son Cortázar, con *Rayuela*, y la mexicana Elena Garro, con *Los recuerdos del porvenir*. «Claro, *Cien años de soledad* es fundamental en la novelística contemporánea. Otros de mis clásicos en castellano son *La región más transparente* y *La muerte de Artemio Cruz* de Carlos Fuentes». De la ensayística en castellano, Francesca elige a José Enrique Rodó con *Ariel*. «Los siete ensayos sobre la realidad peruana, de Mariátegui, es otra gran obra de la lengua española» dice, no sin antes **protestar** por la dificultad que significa dar un **tenue esbozo** de los mejores libros de Hispanoamérica en el siglo XX.

Texto adaptado, de *Galería*, EE.UU, 25 julio 1999 http://www.elherald.com/

c Basándote en el artículo, ¿podrías contestar a las siguientes preguntas?

1 ¿Qué autor mexicano ha recibido diversos reconocimientos?
   Guillermo Samperio.

2 ¿Con qué juegan los autores clave de Samperio?
   _____

3 ¿Qué novela, según Samperio, podría cerrar el siglo?
   _____

4 ¿Qué piensa Francesca Gargallo sobre la lengua española?
   _____

5 ¿Gargallo destaca alguna obra de García Márquez? ¿Sabes cuál?
   _____

6 Ambos críticos coinciden en un autor y en una misma obra. ¿Sabes cuál?
   _____

d Aquí tienes una serie de palabras relacionadas con la literatura, todas ellas han sido extraídas del artículo. ¿Podrías completar las definiciones con ayuda del cuadro?

> escribe • destaca • literatura • ritmo • reflexiona
> cuento • seres • ~~creación~~ • prosa • creador

1 **Obra:** producto, *creación*.
2 **Literario:** de la _____ o relativo a ella.
3 **Autor:** _____ de una obra literaria o artística.
4 **Cuentístico:** del _____ o relativo a este tipo de narración
5 **Narrativa:** género literario en _____ que abarca la novela y el cuento.
6 **Novelista:** persona que _____ novelas.
7 **Ensayo:** obra en prosa, de extensión variable, en la que el autor _____ sobre determinado tema.
8 **Personajes:** cada uno de los _____ que toman parte en la acción de una obra literaria, teatral o cinematográfica.
9 **Verso:** palabra o conjunto de palabras sujetas a medida y _____ o sólo a ritmo.
10 **Maestra:** obra que por su perfección _____ entre las de su clase.

Vale la pena leer el artículo, en él aparecen los escritores hispanos más representativos.

e ¿Por qué no amplías tu vocabulario? Señala qué palabra de éstas significa prácticamente lo mismo.

1 notable · ☑ importante · ☐ insignificante · ☐ educado
2 centuria · ☐ centésimo · ☐ siglo · ☐ cien
3 establecer · ☐ decretar · ☐ igualar · ☐ saltar
4 votar · ☐ incumplir · ☐ elegir · ☐ parecer
5 clásico · ☐ principal · ☐ vanguardista · ☐ moderno
6 considerar · ☐ pensar · ☐ respetar · ☐ hacer caso
7 protestar · ☐ perdonar · ☐ quejarse · ☐ desistir

3a Beatriz llama por teléfono a casa de sus amigas. Beatriz habla con Claudia y le da un recado para Sonia. ¿Qué crees que hará Claudia con el recado para Sonia? Marca una opción correcta; luego escucha la conversación para comprobar si has acertado.

10, 11, 12

☐ escribirle el recado   ☐ transmitirle el recado   ☐ ocultarle el recado

b Vuelve a escuchar la conversación y completa las siguientes intervenciones de Beatriz y Claudia.

BEATRIZ: (…) Se **1** *me* ha estropeado el coche y esta tarde lo he tenido que dejar en el taller. No **2** _____ coche, así que mañana no puedo ir a clase. ¿Podéis **3** _____ a buscarme a **4** _____ casa? Es que mañana tengo el examen de literatura.
(…)
BEATRIZ: Pues **5** _____ que mañana necesito mi libro de Carmen Laforet, que por favor me lo **6** _____.
(…)
BEATRIZ: Sí, ayer me llamó. Al final hemos decidido celebrar la fiesta en un bar.

CLAUDIA: Que se **7** _____ ha estropeado el coche y esta tarde lo ha tenido que dejar en el taller. No **8** _____ coche, así que mañana no puede ir a clase. Me ha preguntado si podemos **9** _____ a buscarla a **10** _____ casa. Mañana tiene el examen de literatura.
(…)
CLAUDIA: Me ha pedido que te **11** _____ que mañana necesita su libro de Carmen Laforet, que por favor se lo **12** _____.
(…)
CLAUDIA: Sí, dice que la llamó ayer y que al final han decidido celebrar la fiesta en un bar.

c Lee de nuevo las intervenciones de Beatriz y Claudia. Las dos transmiten el mismo mensaje, pero en las intervenciones de Claudia algunas palabras son diferentes. ¿Por qué? Marca la opción correcta.

☐ Porque Claudia no se acuerda bien de lo que Beatriz le ha dicho.
☐ Porque Beatriz tiene problemas con las palabras y Claudia corrige los fallos.
☐ Porque Beatriz transmite directamente su mensaje y Claudia transmite las palabras de Beatriz.

d Ahora vamos a fijarnos en los cambios que se producen en las frases cuando se transmiten las palabras de otras personas. Completa éstas fijándote en las intervenciones que aparecen en el *ejercicio 3b*.

1 Se me ha estropeado el coche ➜ Dice que *se le ha estropeado el coche.*
2 Lo he tenido que dejar ➜ Dice que _____
3 ¿Podéis venir a buscarme a mi casa? ➜ Me ha preguntado _____ _____
4 Acuérdate de que mañana necesito mi libro ➜ Me ha dicho que _____ _____
5 Que por favor me lo traiga ➜ Me ha dicho que _____
6 Me llamó ayer ➜ Dice que _____
7 Decidimos celebrar la fiesta en un bar ➜ Dice que _____

4 a Ramón y José están hablando. Antes de escuchar el diálogo asegúrate
de que conoces estas palabras. Si tienes dificultades con alguna, consulta
las soluciones.

> ▸ *presentarse a un concurso*
> ▸ *rendirse*
> ▸ *faltar inspiración*
>
> ▸ *reconciliarse*
> ▸ *película romántica*
> ▸ *aburrir*

b Completa con ayuda del cuadro las intervenciones que hemos seleccionado;
luego escucha la conversación para comprobar si tu respuesta es la correcta. **9**

> ~~sea~~ • propósito • decir • cierto • equivoco
> que • había • no • entonces • claro

(...)
JOSÉ: O *1sea,* **que** como siempre te vas
a rendir antes de tiempo.
(...)
JOSÉ: Pero no me dijiste ayer que ya
estabais bien. **Yo 2 _____ entendido
que** os habíais reconciliado.
RAMÓN: ¡Qué va! al contrario, (...)
JOSÉ: **Es 3 _____ que** ¿no vais a volver?
RAMÓN: Por ahora no, (...). Así no
puedo concentrarme en mi cuento
y no quiero dejar escapar esta
oportunidad.
JOSÉ: **4 _____,** ¿vas a presentarte?
RAMÓN: Ya veremos. **Por 5 _____,** me
dijo Ricardo que fuiste al cine con
María, ¿qué tal?

JOSÉ: Bien.
RAMÓN: **O sea, 6 _____** vais a volver a
quedar.
JOSÉ: No lo sé.
(...)
RAMÓN: Ya veo... Oye, **si no me 7 _____,**
estás haciendo méritos con ella.
JOSÉ: **8 _____ me queda 9 _____ qué**
quieres decir.
RAMÓN: Pues que estás intentando gustarle;
¿o no?
JOSÉ: Vale, sí, tienes razón, quiero gustarle... **A
10 _____,** ¿no tenías tanto trabajo? Venga
a escribir.

c Clasifica las expresiones anteriores según su uso.

Aclarar algún aspecto de la conversación: *o sea, que...* Cambiar de tema: _____

José dice que sus problemas
acaban de empezar.
¡Qué lata!

d Lee las siguientes frases y completa la reflexión con ayuda del cuadro.
3, 6

> infinitivo • nombre plural • nombre singular

Me aburre escribir.   Me aburre esta situación.   Me aburren las películas.

Usamos *aburre* cuando va seguido de **1** _____ o **2** _____. En cambio
usamos *aburren* cuando va seguido de **3** _____.

5a ¿Te gustan los cuentos? A continuación tienes uno. Antes de leerlo marca la opción correcta. Luego, ¡a leer!

1 Un leñador es una persona cuyo oficio consiste en...
☐ cortar leña o venderla.   ☐ subir a los árboles.

2 Una persona honrada es una persona que...
☐ intenta engañar a la gente.   ☐ procede con justicia en sus obligaciones.

3 Una ninfa es cualquiera de las divinidades femeninas menores de la mitología grecolatina que simbolizaban la naturaleza.
☐ Correcto   ☐ Incorrecto

Cuentos al Calor de la Lumbre

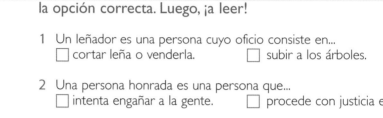

El honrado leñador

Érase una vez un pobre leñador que regresaba a su casa después de una jornada de duro trabajo. Al cruzar un puentecillo sobre el río, se le cayó el hacha al agua. Entonces empezó a lamentarse tristemente:

- ¿Cómo me ganaré el sustento ahora que no tengo hacha?

Al instante, ¡oh, maravilla!, una bella ninfa aparecía sobre las aguas y dijo al leñador:

- Espera, buen hombre, traeré tu hacha.

Se hundió en la corriente y poco después reaparecía con un hacha de oro entre las manos. El leñador le dijo que no era su hacha. Por segunda vez se sumergió la ninfa, para reaparecer

después con un hacha de plata.

- Tampoco es mi hacha -dijo el afligido leñador.

Por tercera vez la ninfa buscó bajo el agua. Al reaparecer, llevaba en sus manos un hacha de hierro.

- ¡Oh, gracias, gracias! ¡Ésta sí que es mi hacha!

- Pero, por tu honradez, yo te regalo el hacha de oro y la de plata. Has preferido la pobreza a la mentira y te mereces un premio.

Y colorín colorado, este cuento se ha acabado.

Cuento extraído de
http://usuarios.tripod.es/jennahfer/

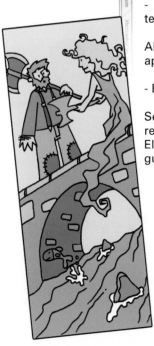

b ¿Te ha gustado el cuento? ¿Por qué no escribes tú uno? El que acabas de leer te puede servir de modelo, y además te damos esta pequeña pauta.

1 Inicio del cuento: *Había una vez... / Érase una vez...*
2 Presentación del / de la protagonista: niño/a, hombre, mujer,...
3 Historia:
 • Lugar donde se desarrolla la historia: bosque, río, palacio,...
 • Qué sucede.
 • Personajes: ninfa, hada, duende, príncipe, princesa, bruja, mago, animales,...
 • Cómo se resuelve la historia.
4 Cierre del cuento: *Fin / Y colorín colorado este cuento se ha acabado / Y fueron felices y comieron perdices,...*

6a Aquí tienes la propaganda de la cuarta edición de cortos que se celebra
en la ciudad de Barcelona. Antes de leerlo, une cada palabra
con el significado que le corresponde.

1 Edición
2 Cortometraje
3 Actor
4 Premios Goya
5 Nominados
6 Acto

a Persona que representa un papel en el teatro, cine, radio o televisión.
b Seleccionados, proclamados, candidatos.
c Película cinematográfica de duración inferior a treinta y cinco minutos.
d Cada celebración de determinado certamen, exposición, festival, etc.
e Hecho público o solemne.
f Galardón de la Academia de las Artes y Ciencias Cinematográficas de España que se concede a los mejores profesionales del año en cada una de las distintas especialidades.

corto, pero intenso.

El otro día me desperté chillando, soñé que un gato mataba a mi perro, el miedo me duró 2 minutos y me volví a dormir

DURACIÓN APROXIMADA: 2 m 30 s

curt
FICCIONS

4ª MOSTRA DE CURTMETRATGES
DEL 15 DE GENER AL 24 DE FEBRER

Corto Ficciones llega a su cuarta edición.

Corto Ficciones se presenta el próximo 15 de enero, a las 19:00h, en la FNAC de El Triangle (Pza. Catalunya). El acto, que cuenta con la colaboración de AISGE, servirá de punto de partida para la cuarta edición de la muestra de cortometrajes.

Aprovechamos para informaros de que el día 17 de enero, a las 12h, habrá una proyección abierta al público de los cortometrajes nominados a la próxima edición de los Premios Goya, en los cines Icaria Yelmo Cineplex. El día 18, a las 20:30h, se proyectará "Els professionals", primer programa de la cuarta edición de Corto Ficciones.

INFO: Tel.: 93 320 80 92 E-mail: curt-ficcions@yelmopx.com

b Después de leer la publicidad, ¿por qué no respondes a las siguientes
preguntas?

1 ¿Cuándo y dónde se presenta *Corto Ficciones*?
   El día 15 de enero, a las 19:00h, en la FNAC de El Triángulo (Pza. Cataluña).
2 ¿Por qué crees que lleva el título de *Corto Ficciones*?
   _____
3 ¿Para qué va a servir el acto?
   _____
4 ¿Qué significa que *Corto Ficciones* llega a su cuarta edición?
   _____
5 ¿Qué entiendes por "proyección abierta al público"?
   _____
6 ¿Cuándo se proyectará el cortometraje *Los profesionales*?
   _____
7 ¿Qué significan las siglas AISGE?
   _____

Conozco otra forma para acabar un cuento: ... y fueron felices y comieron perdices. ¿A que es original?

7a ¿Te apetece leer un fragmento de *Las bicicletas son para el verano*? Como ya sabrás, el autor es Fernando Fernán-Gómez, y está ambientada en la época de la guerra civil española, pero ¿sabes en qué periodo tuvo lugar esta guerra? Marca la opción correcta.

☐ 1936-1939   ☐ 1836-1839   ☐ 1936-1940

b Antes de leer el fragmento, ¿podrías completar las definiciones con ayuda del cuadro? Luego lee el texto literario.

> abundancia • sorpresa • ~~decisión~~ • fila • soportar
> resulta • blindado

1 **Empeñarse en:** Mantener una opinión o una *decisión* por encima de los argumentos razonables de otras personas o de las dificultades que se presenten.
2 **Cola:** Hilera o _____ de personas que esperan su turno.
3 **Aguantar:** resistir, _____. Tolerar a disgusto algo molesto.
4 **Tanque:** Vehículo _____ de combate, que se desplaza sobre dos cintas o cadenas articuladas que le permiten el acceso a todo tipo de terrenos.
5 **La mar de...:** _____ de algo.
6 **Tostonazo:** Lo que _____ pesado, molesto o aburrido.
7 **¡Joder!:** (interjección vulgar) Expresa enfado, irritación, _____, etc.

PABLO: Me ha dicho Ángel García que a él le ha gustado un rato. Es de guerra, ¿sabes?
LUIS: Ya, ya lo sé.
PABLO: A mí son las que más me gustan.
LUIS: ¿Vas con tus padres?
PABLO: Sí, como todos los domingos. Se han empeñado en ir al Proye.
LUIS: Pero ahí echan *Vuelan mis canciones*.
PABLO: Claro, por eso. Me han mandado a las once a la cola, pero yo he sacado las entradas para el Bilbao. Luego les digo que en el Proye ya no quedaban y listo.
LUIS: Se van a cabrear.
PABLO: Sobre todo mi madre. Las de guerra no las aguanta.
LUIS: La mía tampoco. Le gustan sólo las de amor.
PABLO: ¿Tú cuál vas a ver?
LUIS: Yo, *Rebelión a bordo*, de Clark Gable.
PABLO: Todavía no la he visto. Debe de ser de piratas.
LUIS: Sí; a mí, por las fotos, eso me ha parecido.
(...)
LUIS: ¿Y novelas de guerra has leído? Yo tengo una estupenda.
PABLO: ¿Cómo se llama?
LUIS: *El tanque número 13*. Si quieres, te la presto.

PABLO: A mí no me gusta leer novelas. El cine, sí. En el cine lo ves todo. En cambio, en las novelas no ves nada. Todo tienes que imaginártelo.
LUIS: Pero es como si lo estuvieras viendo.
PABLO: ¡Qué va! Y, además, son mucho más largas. En el cine en una hora pasa la mar de cosas. Coges una novela, y en una semana no acabas. Son un tostonazo.
LUIS: Pues yo en una novela larga, de las que tiene mi padre, tardo dos días. Bueno, ahora en verano, que no hay colegio. Y me pasa lo contrario que a ti: lo veo todo. Lo mismo que en el cine.
PABLO: No es lo mismo.
LUIS: Pero bueno, tú, cuando lees novelas verdes, ¿no ves a las mujeres?
PABLO: Bueno..., me parece que las veo. Pero, ¡joder, si hubiera cine verde!
LUIS: ¿Y no crees que las cosas que cuentan en esas novelas te están pasando a ti?
PABLO: Sí, pero eso es otra cosa.
LUIS: Es igual. Yo, ahora mismo, me acuerdo de *El tanque número 13* y puedo ver aquí los combates.
PABLO: ¿Aquí?

Las bicicletas son para el verano, Fernando Fernán-Gómez.

c ¿Te ha gustado? ¿Por qué no buscas en el texto las palabras correspondientes a las siguientes definiciones?

1 Películas de carácter violento, llamadas también bélicas: _de guerra_
2 Representar, proyectar, ejecutar (una película en el cine): _____
3 Enfadarse mucho: _____
4 Marineros que se dedican a asaltar otros barcos: _____
5 Indecente, obsceno, que ofende al pudor: _____
6 Acción bélica en la que intervienen fuerzas militares: _____

d Ahora contesta a las preguntas.

1 ¿Qué hace Pablo todos los domingos?
Va al cine con sus padres.
2 ¿Qué películas no le gustan a la madre de Pablo?
_____
3 ¿Qué películas le gustan a la madre de Luis?
_____
4 ¿De qué puede tratar _Rebelión a bordo_, según Pablo?
_____
5 ¿A quién de ellos no le gusta leer novelas? ¿Por qué?
_____

e Vuelve a leer el texto literario y luego señala el significado adecuado para cada una de estas frases.

1 Le ha gustado un rato la película.
☐ Le ha gustado sólo una parte.
☐ Le ha gustado mucho.
☐ Sólo la ha visto un rato y le ha gustado.

2 Pasa la mar de cosas.
☐ Que pasan muchas cosas.
☐ Que hay muchas cosas en el mar.
☐ Que pasan muchas cosas en el mar.

3 Un tostonazo.
☐ Una rebanada grande de pan tostado.
☐ Un cochinillo asado.
☐ Un aburrimiento, un rollo, una lata.

f Fíjate en la palabra _tostonazo_, como puedes ver está compuesta por el sufijo –azo. En español tenemos muchas palabras con sufijos. Observa las siguientes e identifica en ellas el sufijo. La palabra de la que procede te ayudará.

1 Solidaridad: _-dad_ (Solidario)
2 Cortito: _____ (Corto)
3 Sensibilidad: _____ (Sensible)
4 Socialismo: _____ (Social)
5 Bajeza: _____ (Bajo)
6 Lentamente: _____ (Lenta)
7 Exploración: _____ (Explorar)
8 Militarista: _____ (Militar)

Pablo confiesa a Luis que a él no le gustan las novelas, sólo le gusta el cine.

2, 7

Recursos

JUZGAR, VALORAR

En indicativo si es algo que proponemos como ocurrido ciertamente; en subjuntivo si es algo de lo que no estamos seguros que ocurriera o es algo futuro, que no ha ocurrido. El infinitivo no hace esas precisiones.

Lo + [adjetivo] + es + { [infinitivo] / que + [indicativo] / que + [subjuntivo]

Lo lógico es decir que no.
Lo importante es que dijeron / dijeran que no.
Lo curioso es que ha / haya dicho que está nervioso.

Vale la pena / Merece la pena } + { [infinitivo] / que + [subjuntivo] }

Vale la pena ir andando.
Merece la pena que vayamos andando.

Es + [adjetivo] + que + [subjuntivo]

Es raro que María llegue tarde.

[pronombre] + parece + [adjetivo] + que + [subjuntivo]

¿Te parece lógico que dijeran / digan que tenemos que trabajar el sábado?

• Para dar una opinión personal que puede ser desagradable:

La verdad es que + [indicativo]

La verdad es que está enferma y que no sale de casa.

La verdad es que Lola puede llegar a ser una gran directora de teatro.

ACLARAR ALGÚN ASPECTO DE LA CONVERSACIÓN

• Expresar con otras palabras o con un resumen algo que se acaba de decir, para clarificarlo:

💬 *Ahora hay muy pocas personas que puedan hacer esto.*
💬 *Si no me equivoco, lo que quieres decir es* que lo tengo que hacer yo.
💬 *Es decir, que* lo tengo que hacer yo.

💬 *He hecho todo lo que he podido, pero tengo que volver a la oficina.*
💬 *No sé si te he entendido bien. ¿Quieres decir que* no lo has solucionado?
💬 *O sea, que* no lo has solucionado.
💬 *Entonces,* no lo has solucionado.

💬 *Yo había entendido que* haríamos fiesta el lunes.
💬 *Quizá no me he explicado bien, pero yo no he dicho eso.*

• Pedir una aclaración:

No me queda claro + { si / [interrogativo] }

No me queda claro si vas a ir.
No me queda claro qué quieres decir.

EXPRESAR ABURRIMIENTO

$$\left.\begin{array}{l} \text{Me} \\ \text{Te} \\ \text{Le} \\ \text{Nos} \\ \text{Os} \\ \text{Les} \end{array}\right\} + \left\{\begin{array}{l} \text{aburre} + \left\{\begin{array}{l}\text{[nombre singular]} \\ \text{[infinitivo]}\end{array}\right. \\ \text{aburren} + \text{[nombre plural]} \end{array}\right.$$

Me *aburren los discursos.* Nunca dice nada interesante.
¿**Te** *aburre* este **libro**?
Le *aburre* mucho *ir* de tiendas.
A nosotros **nos** *aburren* las **películas** antiguas.
Si **os** *aburren* mis **historias**, me callo.
A los niños pequeños **les** *aburren* los **cuentos** largos.

Estoy aburrido

• Se usa coloquialmente en la lengua oral:

Es una lata   *Es un rollo*
¡Vaya aburrimiento!   *¡Qué lata!*   *¡Qué rollo!*

• Tiempos verbales del estilo indirecto
• Algunos sufijos frecuentes

§
• Sistematización del estilo indirecto referido al pasado, presente y futuro §45
• Algunos sufijos frecuentes §4

CAMBIAR DE TEMA

A veces, al hablar, se recuerda o se insiste en temas ya tratados, o bien se introducen temas nuevos. Con estas expresiones se indica un tema, distinto o no, al que se está tratando, para destacarlo y advertir al interlocutor de que nos vamos a referir a algo particular, nuevo o no.

Por cierto,
A propósito,

No sé si me presentaré al concurso. **Por cierto,** / **A propósito,** ¿tú te vas presentar?

Cambiando de tema

Al final discutí con Pedro. **Cambiando de tema**, ¿qué harás mañana por la noche?

Hablando de

Todavía no he terminado el cuento. **Hablando de** los cuentos, ¿cómo llevas el tuyo?

ALGUNOS SUFIJOS FRECUENTES

• Los sufijos se añaden al final de una palabra para formar una palabra nueva o derivada.

-dad: significa cualidad. Se une a adjetivos

solidario → solidari**dad**
suave → suavi**dad**
solo → sole**dad**

En adjetivos terminados en *-ble* el sufijo *-dad* cambia a **-bilidad**

ama**ble** → ama**bilidad**
disponi**ble** → disponi**bilidad**

-ista: significa persona que pertenece a

común → comun**ista**
ecología → ecolog**ista**

-ito, -cito: significa pequeño o aprecio

pequeño → pequeñ**ito**
joven → joven**cito**

Estoy aburrido.

Evaluación

Ahora:

- Soy capaz de juzgar y valorar de diversas maneras
- Sé cambiar de tema
- Puedo manifestar aburrimiento
- Conozco expresiones para aclarar algún aspecto de la conversación

He aprendido otras cosas:

_____

_____

_____

_____

_____

Consulta nuestra dirección en la web:
www.esespasa.com

1 ¿Podrías completar los diálogos con la opción más adecuada para cada caso?

1 ◖ Me _____ las películas románticas.
   ◗ ¿Sí? Pues a mí me encantan.
   ☐ _aburren_   ☐ _aburre_   ☐ _aburro_

2 Ya he acabado de leer _La tesis de Nancy_, de Ramón J. Sender, y me ha gustado mucho. _____ es muy interesante.
   ☐ _Merece leerlo_   ☐ _Vale la pena leerlo_   ☐ _Da pena leerla_

3 ◖ Al final he roto con Manuel. No estaba enamorada de él. _____, ¿cómo te va a ti con Ricardo?
   ◗ Muy bien. Yo sí que estoy enamorada.
   ☐ _Cierto_   ☐ _Por cierta_   ☐ _Por cierto_

4 ◖ Carmen, tengo un día horrible. No sé cuándo voy a salir de la oficina. No sé si tendré tiempo de ir a comprar las entradas,...
   ◗ _____, que si queremos ir al cine, tengo que ir yo a comprar las entradas.
   ☐ _Decir_   ☐ _Es decir_   ☐ _Es que_

5 ◖ María, soy Antonia, recuérdale a Juan que mañana tiene que venir a recogerme a mi casa.
   ◗ Juan, Antonia me ha pedido que _____ que mañana tienes que _____ a recogerla a _____ casa.
   ☐ _le recuerda/ ir/ mi_   ☐ _recuerde/ venir/ su_   ☐ _te recuerde/ ir/ su_

6 _____, todo salió bien.
   ☐ _Felizmente_   ☐ _Felices_   ☐ _Feliz_

7 ◖ _____ bien. Quieres decir que no te presentas al concurso.
   ◗ Sí, eso mismo.
   ☐ _No sé entendido_   ☐ _No sé si te he entendido_   ☐ _No si te entendido_

8 ◖ Al final celebraremos la fiesta el viernes por la noche.
   ◗ ¿Sí? _____ la celebraríamos el sábado.
   ☐ _Yo había entendido que_   ☐ _Yo habías entendido que_   ☐ _Yo había entendido_

9 ◖ Paco, el lunes te llevaré el libro que me prestaste.
   ◗ Pedro dice que el lunes me _____ el libro que _____ presté.
   ☐ _traerá/ le_   ☐ _traeré/ me_   ☐ _llevará/ me_

10 ◖ Me _____ la televisión prefiero leer un buen libro.
   ◗ ¿Sí? Pues a mí me gusta más ver la televisión que leer.
   ☐ _aburres_   ☐ _aburre_   ☐ _aburren_

11 Lo _____ es que estemos de acuerdo con la propuesta.
   ☐ _merece_   ☐ _importantes_   ☐ _importante_

12 Todavía no sé como lo voy a solucionar. A _____, ¿has hablado con Lola?
   ☐ _propósito_   ☐ _cierto_   ☐ _propósitos_

12

leccióndoce**12**

¿Qué es
una empresa?

En escena

¿Qué es una empresa?

La creación de empresas y su buen funcionamiento son la base de una buena economía. Pero no hay que olvidarse nunca del papel del trabajador en este proceso, de sus derechos ni de su situación.

Salud, dinero y amor...
¿Qué importancia tiene para ti el dinero?
¿Te gusta arriesgarte económicamente hablando?
Nuestros amigos quieren montar su propia compañía de teatro.
¿Lo conseguirán?
¿Tendrán que invertir mucho dinero?
¿Se arriesgarán?
¿Se convertirán en empresarios?
Descúbrelo en la lección.
Tienen muchas dudas y algunos miedos.
Ahora están jugando a las cartas para distraerse un poco.

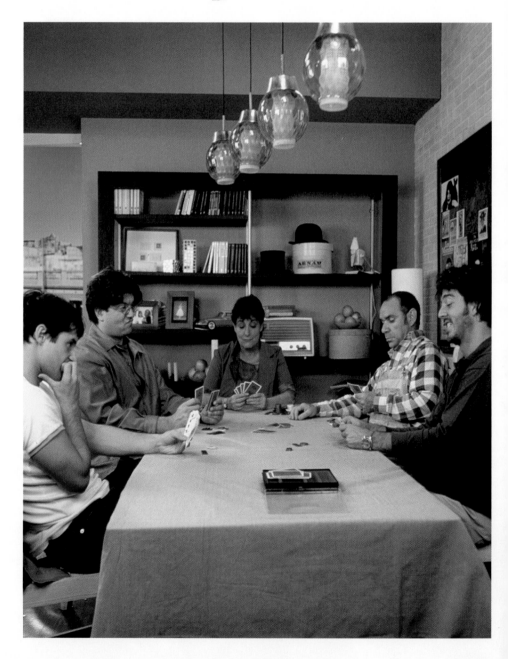

En esta lección vas a aprender:

- Cómo expresar procesos o cambios experimentados por personas o cosas
- A hacer un inciso en la conversación
- Expresiones para replicar las intervenciones de otros
- Maneras de expresar consecuencia

1a Nuestros amigos van a estrenar su obra de teatro y del éxito del estreno depende su futuro. Están haciendo los últimos preparativos. Antes de escuchar, ¿conoces el significado de estas palabras?

▶ *esperanza* ▶ *triunfar* ▶ *préstamo*

▶ *productor/a* ▶ *ensayo general* ▶ *gerente*

b Fíjate en cómo reacciona Lola cuando Andrew le dice que han vendido 200 entradas para el estreno. ¿Qué dice Lola? Elige la opción correcta.

☐ Pregunta si también han vendido esperanza. ☐ Mientras se vayan vendiendo entradas habrá esperanza. ☐ Ahora tenemos que vender esperanza.

c Ahora contesta a las siguientes preguntas.

1 Según Lola, ¿por qué hay esperanza? _____
2 Si las entradas no se venden, ¿hay esperanza? _____
3 ¿Cuándo se acaba la esperanza? _____
4 La forma "se vayan vendiendo", ¿indica que la acción se ha terminado? _____
5 Para indicar que el proceso se está desarrollando utilizo _____

d Lee estas frases. Fíjate en las expresiones destacadas y complétalas subrayando la opción adecuada. Después, ¿te atreverás a decir qué uso tienen? Sólo tienes que marcar la opción correcta.

1 Begoña **se ha** (dado / tenido) _dado_ **cuenta de** que Andrew no quiere conocer a sus padres.
2 Andrew y Lola **se han** (convertido / producido) _____ **en** el productor y la directora de la compañía de teatro, respectivamente.
3 Andrew, ante la visita de los padres de Begoña, **se ha** (hecho / puesto) _____ nervioso.
4 Si el estreno de la obra es un éxito, **se** (transfomarán / harán) _____ ricos y famosos.
5 Andrew, desde que es el productor de la compañía, **se ha** (puesto / vuelto) _____ responsable.
6 Estos días, con los preparativos del ensayo general, el piso de los chicos **se ha** (transformado / producido) _____ **en** un teatro.

☐ Para expresar cambios o procesos que se han producido en una persona o un objeto.
☐ Para responder a intervenciones de otros.
☐ Para juzgar y valorar.

2a En la segunda mitad del siglo XX, Chile sufrió una lenta pero progresiva transformación económica. Vamos a leer un artículo, procedente de un periódico chileno, sobre este proceso. Antes de leerlo, asegúrate de que conoces las palabras del cuadro.

▶ *profesional* ▶ *consultora* ▶ *empresario* ▶ *costo*
▶ *empleado* ▶ *privatización* ▶ *importador* ▶ *subsidio*
▶ *multinacional* ▶ *libre mercado* ▶ *mercadería*

b ¿Qué pasaba en Chile antes (A) y después (D) del mencionado cambio económico? Comprueba tus respuestas leyendo el artículo.

		A	D
1	La gente quería trabajar para el Estado o las grandes multinacionales.	✓	☐
2	El Estado era el principal motor de la actividad económica.	☐	☐
3	El liberalismo económico provocó un cambio en el modo de pensar.	☐	☐
4	Se realizaron sucesivas privatizaciones.	☐	☐
5	El Estado fijó el precio de más de 3.200 productos.	☐	☐
6	El mercado y el comercio exterior se liberalizaron.	☐	☐
7	El Estado protegía y concedía ayudas a las empresas.	☐	☐
8	Aumentaron la competencia interna.	☐	☐
9	Las empresas chilenas consiguieron buenas posiciones en Latinoamérica y en los mercados internacionales.	☐	☐
10	La gente soñaba con llegar a ser su propio jefe y trabajar en el sector privado.	☐	☐

la TERCERA

El chileno salió en busca de negocios

En la década de los cincuenta, la gran aspiración de la clase profesional chilena era **llegar a ser** empleado fiscal o de una gran multinacional. Razones para ello no faltaban: el Estado era el principal actor de la actividad económica del país y el gran generador de empleos. Pero en la segunda mitad del siglo hubo un lento pero progresivo cambio en la dirección opuesta. «**Se produjo** una disminución de la importancia del Estado y surgió una mayor exaltación de la empresa privada y del trabajo empresarial», explica el socio de la consultora Adimark, Roberto Méndez.

El chileno **se transformó en** un nuevo trabajador, más arriesgado y que sabe que su futuro depende de su propio esfuerzo. La libertad económica fue la responsable del cambio de mentalidad y aspiraciones de las personas. Bajo el nuevo modelo, las sucesivas privatizaciones le arrebataron al Estado gran parte de las compañías que estaban bajo su control. Aparecieron nuevas reglas del juego y **por esa razón** emergió una nueva generación de pequeños y grandes empresarios. En los años cincuenta había centenares de prohibiciones que mermaban la capacidad creadora de los chilenos. En Chile **llegaron a existir** precios fijados por el Estado para más de 3.200 artículos y servicios. Hasta los *hot dog* tenían un precio establecido por las autoridades.

Si bien la llegada del libre mercado produciría a mediano plazo una mayor cantidad de empresarios, el cambio no fue fácil. «Para los empresarios fue bastante duro, porque se liberó el comercio exterior. Los importadores comenzaron a traer mercadería a bajos precios, obligando a la industria chilena a agudizar sus costos». Algunos de los empresarios más afianzados en el sistema antiguo se resistieron al cambio, **de modo que** muchos de ellos no sobrevivieron. Eran los que habían crecido sólo mediante los subsidios y la protección estatal.

Tras las reformas económicas, los chilenos fueron capaces de competir internamente y con los productores extranje-ros. **Eso hizo que** numerosas empresas chilenas conquistaran posiciones estratégicas en Latinoamérica y lograran penetrar con sus productos y servicios en mercados internacionales.

Pese a lo duro y competitivo del mercado, entre los chilenos existe hoy el consenso de que con trabajo y esfuerzo –y ya sin el aporte benefactor del Estado– es posible conseguir los objetivos. Este individualismo, que lleva a que la máxima aspiración de la mayoría sea hoy ser su propio jefe y trabajar en el sector privado, es lo que está moviendo a la economía chilena.

Texto adaptado de *La Tercera*, Especial 50 aniversario, Chile, 11.2000, http://www.tercera.cl/

c Busca en el cuadro el sinónimo adecuado para cada uno de estos verbos que aparecen en el artículo. Presta atención al contexto en el que se usan en el artículo. Hay dos verbos con el mismo sinónimo.

> abaratar • conseguir • introducirse • rivalizar • aparecer
> liberalizar • quitar • disminuir

1 surgir: _aparecer_
2 arrebatar: _____
3 emerger: _____

4 mermar: _____
5 liberar: _____
6 agudizar: _____

7 competir: _____
8 lograr: _____
9 penetrar: _____

En la segunda mitad del siglo XX, el chileno se transformó en un trabajador más arriesgado.

d Ahora lee estas preguntas. ¿Por qué no buscas en el artículo la frase en la que aparece la respuesta? Fíjate en las expresiones destacadas.

1 ¿Cuál era la aspiración de la clase profesional chilena en la década de los cincuenta?
Llegar a ser empleado fiscal o de una gran multinacional.

2 ¿Qué pasó en la segunda mitad del siglo en relación con el papel del Estado?
_____.

3 ¿Qué cambio sufrió el trabajador chileno en la década de los cincuenta?
_____.

4 ¿Qué pasó en Chile con respecto a los precios de los productos y servicios?
_____.

5 ¿Qué relación hay entre la aparición de unas nuevas reglas de juego en la economía y el surgimiento de una nueva generación de empresarios?
_____.

6 ¿Qué les ocurrió a los empresarios que se resistieron al cambio económico?
_____.

7 ¿Cuándo fueron capaces de competir los chilenos con otros países?
_____.

8 ¿Qué consecuencias se derivaron del hecho de que los chilenos compitieran interna y externamente con otros países?
_____.

e Ahora, relaciona las expresiones destacadas que aparecen en el artículo, y que has practicado en el ejercicio anterior, con su uso correspondiente. Algunas estructuras tienen un mismo uso.

1 llegar a + infinitivo
2 producirse
3 transformarse en
4 por esa razón
5 de modo que
6 tras
7 eso hizo que

a informa de una transformación radical.
b presenta una información como posterior a otra.
c expresa consecuencia.
d referirse a un cambio que tiene lugar por una o más causas.
e informa de una transformación después de un largo proceso.

Con buen oído

3a A nuestros amigos les gusta pensar en cómo será su futuro ¿Qué crees que significa la expresión *hacer las Américas*?

☐ Enriquecerse fuera del propio país.

☐ Viajar por el continente americano.

☐ Hacer algo grande e importante.

b Ahora escucha a Lola. ¿Verdadero (V) o falso (F)?

	V	F
1 Lola piensa que todavía falta mucho tiempo para que su sueño se realice.	☐	☐
2 En el futuro Lola quiere ser empresaria y dejar el mundo del teatro.	☐	☐
3 Lola se imagina a su futura compañía de gira por Buenos Aires, Caracas,...	☐	☐

4, 5, 6

c Aquí tienes el inicio de la intervención de Lola, pero ¡cuidado!, hemos añadido una frase. Complétala con ayuda del cuadro y transforma los verbos que aparecen entre paréntesis.

> llegue a • antes de que • antes de

LOLA: **1** _____ (empezar) quiero decir que no lo tengo muy claro. Pienso que pasaré muchos años trabajando duro hasta que finalmente nuestra compañía **2** _____ (funcionar). Pasará bastante tiempo **3** _____ (poder) dejar de trabajar como camera.

d A continuación, tienes unas frases que deberás unir mediante uno de los dos marcadores que te damos. Fíjate bien porque la indicación que aparece en los marcadores te dará la clave para elegir el más adecuado en cada caso.

1 Secuencia de acciones: *Antes de que / Cuando*
Begoña pregunta a Lola por su futuro ideal. Lola dice que no lo tiene muy claro.
Cuando Begoña pregunta a Lola por su futuro ideal, Lola dice que no lo tiene muy claro.

2 Información anterior a otra: *En cuanto / Antes de*
Dejar el trabajo. Lola tiene que estar segura.
_____

3 Acciones simultáneas en el tiempo: *Seguidamente / Mientras*
Los chicos están de gira. Ana y Lázaro se ocupan del piso.
_____

4 Un hecho inmediatamente posterior a otro: *A medida que / En cuanto*
Los chicos terminen el curso, montarán su propia compañía.
_____

4 a ¿Te gustaría asistir a una reunión de negocios? Antes, completa estas
frases con las palabras de los cuadros

la disminución

El mercado

la calidad

la producción

1 _____ ha vendido más productos que nosotros este año.

2 _____ prefieren los productos de calidad.

La competencia

3 Hay que mejorar _____ para aumentar las ventas.

4 _____ anuales han sido muy satisfactorios.

5 Es necesario buscar medidas para evitar _____ de los beneficios.

6 _____ en los últimos seis meses se ha reducido a la mitad.

las ventas

7 Dos nuevas empresas han entrado en _____ con mucha fuerza.

8 _____ que vende nuestra empresa es superior a la de otras compañías.

9 Estamos en crisis: _____ han disminuido notablemente.

Los consumidores

El producto

Los resultados

b Ahora escucha la reunión, ¿qué tema se trata?

☐ La posibilidad de fusionarse con una empresa extranjera.
☐ El nivel de ventas actual comparado con el del año pasado.
☐ Cómo mejorar la calidad de los productos y reducir su precio.

c ¿Cuál de estas afirmaciones crees que describe mejor lo que ocurre?
Presta atención al tono que emplean los participantes y a su actitud.

☐ Cada participante da su opinión sin valorar la intervención de los demás.
☐ Los participantes discuten entre ellos de manera agresiva y se pelean.
☐ Los participantes hacen incisos y se replican entre ellos en varias ocasiones.

d Aquí tienes algunas intervenciones de la reunión. ¿Por qué
no intentas completarlas? Fíjate en las expresiones destacadas.

7, 9

1 (…) SR. NANTES: Bien, sobre este tema, yo *sólo* **queria aclarar una** _____ , **que**
los resultados no son tan negativos (…)

2 (…) SRA. REINAL: _____ **respecto a** _____ , **yo quería añadir** _____ la
recuperación de antiguos consumidores por parte de nuestra empresa se ha
producido debido a la mala calidad de los productos (…)

3 (…) SRA. REINAL: Nuestros productos son superiores a los de las otras compañías
en calidad, nuestros clientes lo saben **y por esta** _____ no les importa
pagar un poco más por un producto más bueno.

4 (…) SRA. MONAL: _____ **que le interrumpa,** _____ creo que aunque
hayamos recuperado a algunos consumidores (…)

5 (…) SR. NANTES: _____ **a eso,** opino que deberíamos esperar todavía unos
seis meses para comprobar si la recuperación es absoluta o sólo parcial. (…)

6 (…) SRA. MONAL: Sí, sí, claro, _____ **he dicho que** exija resultados inmediatos,
_____ **que** tenemos que trabajar para alcanzar los niveles de ventas y
de productividad del año pasado.

*Si Lola quiere hacer las
Américas..., yo iré con ella.*

5a ¿Has solicitado alguna vez un trabajo por carta? A ver si sabes lo que significan las siguientes expresiones. Compruébalo en la carta.

1 Un puesto vacante: _____.
2 Currículum vitae adjunto: _____.
3 La expresión *quedar a su entera disposición* significa _____.

Director de Recursos Humanos
Cosméticos Labor
C/Consejería nº 23
08022 Barcelona

19 de marzo de 2001

Estimado señor/a:

En respuesta al anuncio publicado en *El País* el 16 de marzo, en el que se solicita secretaria trilingüe, quisiera ser considerada para el puesto vacante.

Como puede comprobar en el *curriculum vitae* que adjunto, estoy casada con un ciudadano británico y acabo de regresar a España después de haber vivido durante seis años en el Reino Unido, donde trabajé como secretaria de dirección en una empresa multinacional. Antes de mi estancia en el Reino Unido trabajé 3 años como administrativa en una empresa de cosméticos en Madrid. Tengo un dominio perfecto del inglés, sólidos conocimientos de francés y un nivel intermedio de alemán. Además, dispongo de una amplia experiencia en programas de procesamiento de textos.

Por todas estas razones creo estar suficientemente cualificada para realizar las funciones de secretaria trilingüe.

Le agradezco la atención que me pueda dispensar y quedo a su entera disposición para cualquier aclaración y/o ampliación de mis conocimientos y experiencia.

Le saluda cordialmente,

Carmen Costa Sánchez

b El texto anterior te sirve como modelo de carta para solicitar un empleo. ¿Por qué no escribes una carta parecida solicitando un trabajo de traductor/a que has visto en un periódico? Sigue las indicaciones.

Dirección.
Fecha.
Saludo.

Periódico donde has visto el anuncio y trabajo que se solicita.
Experiencia laboral.
Formación (estudios realizados, lenguas que se conocen, conocimientos de informática, cursos a los que se ha asistido,...).
Otras datos relacionados con el trabajo (disponibilidad, tipo de jornada,...).

Presentarse como candidato posible.
Mostrarse dispuesto a proporcionar más información.
Agradecer por anticipado la atención prestada.
Despedirse.
Firma.

Escribir una carta es tan difícil que le pediré ayuda a Toni.

6a Si quieres montar un negocio pero te faltan ideas, este anuncio te puede interesar. ¿Sabes qué es una franquicia?

☐ Es la cualidad de ser franco, es decir, de ser sincero, de decir la verdad.
☐ Es la moneda francesa.
☐ Contrato a través del cual una empresa autoriza a alguien a usar su marca y vender sus productos, y establecimiento sujeto a las condiciones de dicho contrato.

TORMO & ASOCIADOS Primera organización al servicio de la franquicia.

Presenta:

GUÍA DE FRANQUICIAS Y OPORTUNIDADES DE NEGOCIO 2001

940 franquicias y oportunidades de negocio con todos sus datos y direcciones. Todas las novedades y últimas tendencias del sector.

Encontrará toda la información que usted necesita conocer en el ámbito de la franquicia.

332 págs. P.V.P **23 €**

Pedidos: **902.10.32.85**   También on line a través de www.tormo.com

Para más información sobre franquicias, puede preguntar directamente por Miguel Cuadrupani en el tel.: **91.383.41.40** o José Aragonés en el tel.: **93.412 20.57**

b En el anuncio aparecen algunas abreviaturas. Márcalas. ¿Sabes cuál corresponde a cada una de las palabras de la lista?

8, 11

PVP • DNI • IVA • ~~S.A.~~ • NIF • dto.
cta. • págs.

1 sociedad anónima: _S.A._
2 documento: _____
3 precio de venta al público: _____
4 cuenta: _____

5 documento nacional de identidad: _____
6 número de identificación fiscal: _____
7 impuesto sobre el valor añadido: _____
8 páginas: _____

c ¿Puedes completar estas frases sobre _Tormo & Asociados_ con las expresiones del cuadro? Si tienes alguna duda, consulta en _Recursos_.

12, 13

tan/que • tanta/que • ~~de ahí que~~ • total que
así es que • en consecuencia

1 Son los creadores de la _Guía de franquicias_, _de ahí que_ ofrezcan 940 ideas.

2 Tienen _____ información _____ disponen de las últimas tendencias del sector.

3 El servicio es _____ bueno _____ han creado una página en Internet.

4 Las solicitudes para franquicias son cada vez más, _____ el negocio va bien.

5 Este anuncio lo leerá mucha gente y _____ el volumen de trabajo crecerá.

6 _____ si estás pensando en montar un negocio, te ofrecen muchas ideas.

La lengua es arte

7a En lecciones anteriores ya has leído varios fragmentos de *La colmena*, de Camilo José Cela. Ahora, vamos a leer otro en el que Don Mario de la Vega, un empresario, habla con un nuevo empleado, un chico que ha terminado de estudiar hace poco. Antes, ¿por qué no intentas descubrir el significado de estas expresiones?

1 sobre la marcha
2 quedarse perplejo
3 salir ganando
4 empezar con buen pie
5 trato hecho
6 ponerse pesado
7 estar a gusto

a Expresión con la que se cierra un acuerdo o trato.
b Sentirse bien en algún lugar o situación.
c Resultar aburrida una persona.
d Asombrarse, sorprenderse por algo.
e A medida que se va haciendo alguna cosa.
f Empezar un proyecto, un trabajo, de buena manera.
g Sacar beneficio o provecho de algo.

1, 2

b Ahora ya puedes leer el fragmento. ¿Qué relación crees que hay entre el empresario y el nuevo empleado?

☐ Ocupan diferentes posiciones en la empresa, pero se tratan de igual a igual.
☐ Además de compañeros de trabajo, son grandes amigos.
☐ El empresario, a pesar de hacerse el simpático, mantiene las distancias con el nuevo empleado.

Don Mario de la Vega, el impresor del puro, se había ido a cenar con el bachiller del plan del 3.

–Mire, ¿sabe lo que le digo? Pues que no vaya mañana a verme; mañana vaya a trabajar. A mí me gusta hacer las cosas así, sobre la marcha.

El otro, al principio se quedó un poco perplejo. Le hubiera gustado decir que quizás fuera mejor ir al cabo de un par de días, para tener tiempo de dejar en orden algunas cosillas, pero pensó que estaba expuesto a que le dijeran que no.

–Pues nada, muchas gracias, procuraré hacerlo lo mejor que sepa.

–Eso saldrá usted ganando.

Don Mario de la Vega sonrió.

–Pues trato hecho. Y ahora, para empezar con buen pie, le invito a usted a cenar.

(...)

Ya en la taberna, don Mario **se puso** un poco pesado y le explicó que a él le gustaba tratar bien a sus subordinados, que sus subordinados estuvieran a gusto, que sus subordinados prosperasen, que sus subordinados viesen en él a un padre, y que sus subordinados llegasen a cogerle cariño a la imprenta.

–Sin una colaboración entre el jefe y los subordinados, no hay manera de que el negocio prospere. Y si el negocio prospera, mejor para todos: para el amo y para los subordinados. Espere un instante, voy a telefonear, tengo que dar un recado.

El bachiller, **tras** la perorata de su nuevo patrón, **se dio cuenta** perfectamente **de** que su papel era el de subordinado. Por si no lo había entendido del todo, don Mario, a media comida, le soltó:

–Usted entrará cobrando dieciséis pesetas; pero de contrato de trabajo, ni hablar. ¿Entendido?

–Sí señor: entendido.

La colmena, Camilo José Cela.

c ¿Qué formas de tratamiento utilizan entre sí el empresario y el nuevo empleado?

1 El empresario se dirige al empleado tratándole de: ☐ tú ☐ usted ☐ señor
2 El nuevo empleado trata al empresario de: ☐ tú ☐ usted ☐ señor

d ¿Has entendido bien el fragmento? Distingue las afirmaciones
   verdaderas (V) de las falsas (F).

	V	F
1 Don Mario de la Vega tiene una fábrica de chocolate.	☐	✓
2 El nuevo empleado tiene miedo de que le digan que no si no empieza a trabajar cuando se lo propone el empresario.	☐	☐
3 El nuevo empleado no se muestra muy dispuesto a trabajar.	☐	☐
4 Don Mario decide invitar al nuevo empleado al cine.	☐	☐
5 Don Mario le explica al nuevo empleado cómo cree él que debe funcionar una empresa.	☐	☐
6 El nuevo empleado no entiende cuál es su sitio en la empresa.	☐	☐
7 El nuevo empleado tendrá contrato de trabajo.	☐	☐
8 El nuevo empleado no acepta las condiciones de trabajo que le ofrecen.	☐	☐

e En el fragmento aparecen hasta tres sinónimos
   de empresario. ¿Sabes cuáles son? Y ¿qué palabra
   se utiliza para hacer referencia a los empleados?

   1 empresario: *jefe*, _____, _____.
   2 empleado: _____.

f Localiza en el fragmento que has leído las frases
   en las que aparecen los verbos *ponerse* y *darse
   cuenta*. Después, intenta completar estas frases
   con las expresiones que aparecen en el cuadro;
   la mayoría ya las conoces. Sirven para hablar
   de procesos.

1, 2

> engordó • se ~~puso~~ • envejeció
> iba haciendo • había adelgazado
> se dio cuenta • se había hecho
> había endurecido • se había convertido

1 Cuando le dieron el trabajo, el nuevo empleado *se puso* muy contento.
2 En la taberna, _____ de que Don Mario no era tan protector como decía.
3 Don Mario _____ rico aprovechándose del trabajo de sus empleados.
4 Pensó que Don Mario _____ cosas sin pensarlas ni planearlas antes.
5 Don Mario, con el tiempo, _____ en un empresario agresivo.
6 A Don Mario se le _____ el corazón; no era tan bueno como antes.
7 El chico, al cabo del mes de trabajar en la imprenta, _____ 3 kilos.
8 Don Mario cada vez estaba más gordo, el mes pasado _____ 2 kilos.
9 Al cabo de los años, Don Mario _____ y su hijo se quedó con la imprenta.

*Si una persona suelta una
perorata es que ha hecho
un razonamiento inoportuno.*

Recursos

ESTABLECER RELACIONES DESDE EL PUNTO DE VISTA TEMPORAL § 26

- Indicar la simultaneidad entre dos acciones o procesos, o bien una secuencia inmediata de actividades:

Cuando	*Cuando el director toma la palabra, los consejeros escuchan.* *Cuando habla Olga, Jaime escucha con atención.*

- Presenta una información como anterior a otra:

Antes de + [nombre / infinitivo] Antes de que + [subjuntivo]	*Exponemos nuestro punto de vista antes de tomar una decisión.* *Exponemos nuestro punto de vista antes de que el consejo de dirección tome una decisión.*

- Informa de dos hechos simultáneos o que se desarrollan de un modo paralelo:

Mientras A medida que	*Mientras el consejo discute, nosotros tomamos notas.* *En su presentación va hablando a medida que proyecta imágenes en la pantalla.*

- Presenta un acontecimiento inmediatamente posterior a otro:

En cuanto Al + [infinitivo]	*En cuanto el departamento de ventas termina su exposición, toma la palabra el director de producción.* *Al salir me di cuenta de que llovía.*

- Presenta la información como una etapa finalizada:

Una vez que	*Una vez que ha hablado el director de producción, interviene el jefe de personal.*

- Presenta una información como posterior a otra:

Seguidamente A continuación Y después Tras	*La reunión finaliza. Seguidamente la secretaria redacta el informe.* *La reunión finaliza. A continuación, la secretaria redacta el informe.* *La reunión finaliza, y después la secretaria redacta un informe.* *Los cambios se aprobaron tras la reunión extraordinaria del martes.*

Mientras ellos discuten, nosotros nos vamos a tomar un café.

HACER UN INCISO

Sólo quería $\left\{\begin{array}{l}\text{añadir}\\\text{aclarar}\\\text{decir}\end{array}\right\}$ *una cosa: que* este éxito es el resultado del trabajo de todos.

Perdona que te interrumpa. Yo quiero decir que en este proyecto han trabajado muchas personas.
Perdona que te interrumpa, pero yo no tengo nada que ver con ese asunto.

REPLICAR INTERVENCIONES AJENAS

Con respecto a eso, yo quería decir que no tengo nada que ver con ese asunto.
En cuanto a los fallos, yo no tengo nada que ver.
Mira, si me permites, quiero dejar claro que yo no tengo nada que ver con ese asunto.
No he dicho que sea tu responsabilidad, *sino que* hay que solucionarlo.

EXPRESAR CONSECUENCIA § 50

Recuerda que ya viste algunos recursos para expresar consecuencia en la lección 4 del nivel intermedio.

Así es que	*Las ventas han aumentado.* **Así es que** *parece que el negocio va bien.*
De ahí + [nombre]	*Su padre tenía una tienda de coches.* **De ahí** *su* **interés** *por los coches.*
De ahí que + [subjuntivo]	*Su padre tenía una tienda de coches.* **De ahí que** *le* **interesen** *tanto los coches.*
De modo que	*Las ventas han aumentado.* **De modo que** *parece que el negocio va bien.*

Tanto/a tantos/as + [nombre] + que	*Tenía* **tanta hambre que** *entré a comer una hamburguesa.*
Tanto + que	*Comí* **tanto, que** *no cené por la noche.*
Tan + [adjetivo / adverbio] + que	*El viaje fue* **tan rápido, que** *no me dio tiempo ni a leer el diario.*

Por eso	*Ayer había huelga de autobuses;* **por eso** *el tráfico estaba horrible.*
Pos esta razón	*Hoy hay huelga de autobuses.* **Por esta razón**, *el tráfico será horrible.*
En consecuencia	*Hoy hay huelga de autobuses.* **En consecuencia**, *el tráfico será horrible.*
Eso hizo que	*El mercado se liberalizó y* **eso hizo que** *numerosas empresas tuvieran que adaptarse al nuevo modelo económico.*

- Expresar la consecuencia de un relato o de un argumento:

Total, que	*Yo estaba muy cansado de conducir, Francisco también quería descansar y quedaba poca gasolina.* **Total, que** *nos quedamos a dormir en el pueblo.*

- ABREVIATURAS CORRIENTES

§

- PROCESOS O CAMBIOS EXPERIMENTADOS POR PERSONAS O COSAS §28
- ABREVIATURAS CORRIENTES §68

Esta noche he dormido mal. Así es que hoy trabajaré poco.

Evaluación

1 ¿Todavía tienes ganas de montar un negocio por tu cuenta? Completa el siguiente artículo eligiendo la opción más correcta.

Para montar una empresa tienes que tener en cuenta muchas cosas. Tienes que **1** _____ muchísima información. Es necesario **2** _____ un experto de las finanzas para prevenir problemas. Sobre todo no **3** _____, mantén siempre el control, y, si quieres triunfar, es importante **4** _____ estricto uno mismo y con los demás. **5** _____ tengas tu propia empresa intenta tener una buena relación con tus empleados. Aunque tú eres el/la jefe/a, y lo más importante para ti es recuperar la inversión y obtener beneficios, estimula y valora el esfuerzo de los trabajadores. En algunas situaciones tendrás que **6** _____ tu carácter y tomar decisiones difíciles que te afectarán no sólo a ti, sino también a los que trabajen para ti. Intenta que los empleados estén a gusto en su lugar de trabajo **7** _____ sea demasiado tarde y surja algún conflicto laboral. **8** _____ lo tengas todo bajo control, dedícate a dirigir el negocio lo mejor posible. **9** _____, es mejor que siempre preguntes la opinión a los trabajadores, confíes en ellos y respetes su opinión. **10** _____ contratar nuevo personal, pide siempre referencias.
El gobierno hace inspecciones y controles constantemente, **11** _____ es mejor no pagar nunca con dinero negro y pagar los impuestos, como el **12** _____, regularmente. El mundo de los negocios es **13** _____ hay que tener cuidado. No olvides que tu objetivo principal es **14** _____ un gran empresario. **15** _____: los beneficios y las buenas condiciones laborales no están reñidos.

1	☐ ir recopilando	☐ vas recopilando	☐ ir recopilado
2	☐ convertirse	☐ te conviertes en	☐ convertirse en
3	☐ pongas nervioso	☐ te pongas nervioso	☐ no te pongas
4	☐ volverse	☐ volver	☐ hacerse
5	☐ Donde	☐ Cuanto	☐ Cuando
6	☐ endurecer	☐ ablandar	☐ engordar
7	☐ antes de que	☐ antes de	☐ a medida que
8	☐ A medida que	☐ Una vez que	☐ Seguidamente
9	☐ Con respecto a eso	☐ Perdona que te interrumpa	☐ En cuanto
10	☐ De	☐ Al	☐ A
11	☐ así es que	☐ de ahí	☐ así es
12	☐ DNI	☐ IVA	☐ S.A.
13	☐ tanto que	☐ tanto inestable que	☐ tan inestable que
14	☐ llegar a ser	☐ llegar	☐ hacer
15	☐ Sólo quiero responder	☐ Sólo falta añadir una cosa	☐ Sólo quiero protestar

1 Elige la mejor opción para cada caso

1 🗨 _____ mejor es que se potencie el transporte público. Así la gente no cogería su vehículo y la contaminación sería menor.

🗨 Dudo que _____ la solución.

- [ ] *Lo/sea*
- [ ] *Lo/es*
- [ ] *El/sea*

2 Pepe no quiere ver esa película. Le _____ las películas de acción.

- [ ] *aburren*
- [ ] *aburro*
- [ ] *aburre*

3 _____ tomar una decisión, vamos a analizar la situación.

- [ ] *En cuanto*
- [ ] *Antes de que*
- [ ] *Antes de*

4 La nueva campaña del Ayuntamiento pretende _____ el uso de aerosoles.

- [ ] *acabar*
- [ ] *acabar con*
- [ ] *acabar de*

5 🗨 Hola, Nuria. Estás más delgada, ¿no?

🗨 Sí, he _____ 5 kilos.

- [ ] *envejecido*
- [ ] *delgado*
- [ ] *adelgazado*

6 🗨 La campaña publicitaria ha sido todo un éxito y queríamos darle la enhorabuena...

🗨 _____ que le _____. Yo quiero decir que en esta campaña ha trabajado mucha gente.

- [ ] *Perdone/interrumpo*
- [ ] *Perdona/interrumpa*
- [ ] *Perdone/interrumpa*

7 🗨 El Ayuntamiento pretende multar a los ciudadanos que no reciclen.

🗨 _____ de que sea una buena idea.

- [ ] *Vale la pena*
- [ ] *No sé*
- [ ] *No estoy seguro*

8 Las reuniones de trabajo me _____ muy nerviosa.

- [ ] *ponen*
- [ ] *pongo*
- [ ] *pone*

9 🗨 Juan, ¿le puedes decir a Jorge que me llame, por favor?

🗨 Jorge, Pedro me _____ que te _____ que _____ llames.

- [ ] *ha pedido/diga/le*
- [ ] *has pedido/dice/te*
- [ ] *pide/diga/te*

10 En _____ del trabajo que tenemos, es mejor que nos organicemos.

- [ ] *consecuencia*
- [ ] *cuanto*
- [ ] *vista*

11 Yo había tenido un día durísimo, estaba muy cansada y no me apetecía salir. _____, que nos quedamos en casa.

- [ ] *Total*
- [ ] *Razón*
- [ ] *Tan*

12 Otra vez he perdido el _____.

- [ ] *paragua*
- [ ] *paraguas*
- [ ] *paragues*

Así puedes aprender mejor

El diccionario es un buen compañero que te ayuda a aprender español. ¿Consultas todas las palabras que no comprendes? ¿Ya utilizas un diccionario monolingüe en español?

Cuando encuentres palabras desconocidas, piensa si ya entiendes el texto bastante bien sin necesidad de consultar esas palabras en el diccionario. Piensa también si puedes deducir su significado a partir del resto de la frase, de las ilustraciones o del título.

A veces puedes deducir el significado de una palabra porque se escribe o suena de forma similar a otra palabra de otra lengua: por ejemplo, probablemente no necesites consultar la palabra *submarino*. Pero ¡cuidado!, en ocasiones las palabras parecidas tienen significados diferentes: por ejemplo, *éxito* en español y *exit* en inglés.

Diario de aprendizaje

Cuando escucho no me obsesiono por comprenderlo todo: intento fijarme en cosas diferentes, en las palabras clave o en tener una idea general.

Intento utilizar el vocabulario que he aprendido en lecciones anteriores para recordarlo.

Las actividades que más me gustan son: _____.

He sido constante en el estudio y he practicado todo lo que he podido.

Tengo compañeros y amigos que me ayudan.

En general, los materiales de este curso me han parecido _____.

He cumplido los objetivos que me había marcado antes de empezar el curso.

---

2 Vuelve a escribir las siguientes frases, colocando en el lugar adecuado la palabra que se había perdido y que nuestros amigos han recuperado.

1 No me queda claro te vas a presentar al concurso o no. **si**
_____

2 Las ventas han disminuido. Así que parece que la campaña no funciona. **es**
_____

3 Sí, sí que iré al recital. Por, ¿sabes si Pedro va a ir? **cierto**
_____

4 No sé cómo se llama. Es una botella. **como**
_____

5 Empezó siendo dependiente y ha llegado ser el encargado de la tienda. **a**
_____

6 No si te he entendido bien. Quieres decir que no hay otra solución. **sé**
_____

7 Había tráfico, que no pude llegar a tiempo. **tanto**
_____

8 El profesor terminó explicar la lección ayer. **de**
_____

9 Una que el secretario expone el orden de la reunión, interviene el jefe de ventas. **vez**
_____

3 ¿Puedes completar el texto con ayuda del cuadro?

> para • sólo quería añadir • se han puesto • por esa razón • compañía
> reciclar • O sea que • Me aburren • llegar a ser • crisis • desaparición
> La verdad es que • mientras que • por culpa del • se ha transformado en

Nuestros amigos han llegado al final del curso. Su proyecto, a partir de ahora, es triunfar con su propia **1** _____ de teatro. Sueñan con **2** _____ famosos y **3** _____ han editado un folleto y han creado una página en Internet. Pero, **4** _____ folleto, los chicos han tenido alguna discusión: Lola quiere convencerlos de la necesidad de **5** _____ para evitar la **6** _____ de los bosques **7** _____ a Andrew le parece que Lola exagera. **8** _____ el folleto ha provocado una pequeña **9** _____.

Además, falta poco **10** _____ el gran estreno y el salón del piso **11** _____ un escenario. Las chicas han adelgazado y los chicos **12** _____ muy nerviosos.

Antonio, la noche antes del estreno, les ha dicho: "**13** _____ los discursos largos, así que seré breve. Ha merecido la pena esforzarse. **14** _____ no esperaba que llegarais tan lejos tan rápidamente. Y... **15** _____ una cosa, que este éxito es el resultado del trabajo de todos. Enhorabuena, chicos".

redes de palabras

En esta sección te mostramos una forma de organizar el léxico que te puede ayudar a memorizarlo. Solemos recordar las palabras relacionando unas con otras. Las podemos asociar por alguna relación entre los significados, como *violín* y *batería*. Otra forma de relacionarlas es por ser derivados de una misma raíz, por ejemplo, *pregón* y *pregonero*.

También se incluyen dos mapas de los prefijos y sufijos más comunes para que veas en conjunto su proceso de formación y para que entiendas los significados que aportan.

En estas redes encontrarás algunos globos en blanco: te invitamos a que los completes. Por supuesto, también puedes ampliar las redes y crear las tuyas propias.

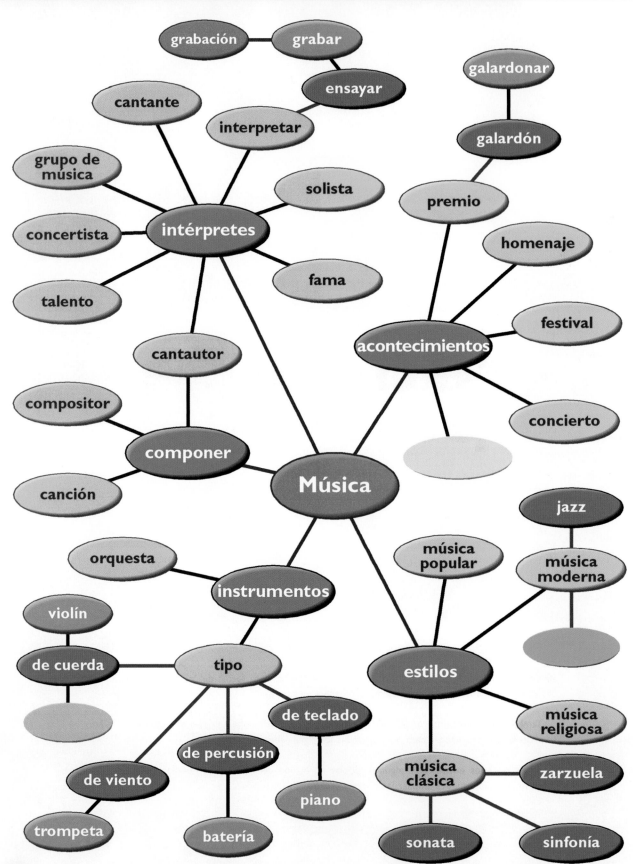

grabación — grabar

cantante

grupo de música

concertista

talento

interpretar

ensayar

solista

intérpretes

fama

cantautor

compositor

componer

canción

galardonar

galardón

premio

homenaje

acontecimientos

festival

concierto

Música

música popular

jazz

música moderna

orquesta

instrumentos

violín

de cuerda

tipo

de teclado

estilos

música religiosa

de percusión

de viento

piano

música clásica

zarzuela

trompeta

batería

sonata

sinfonía

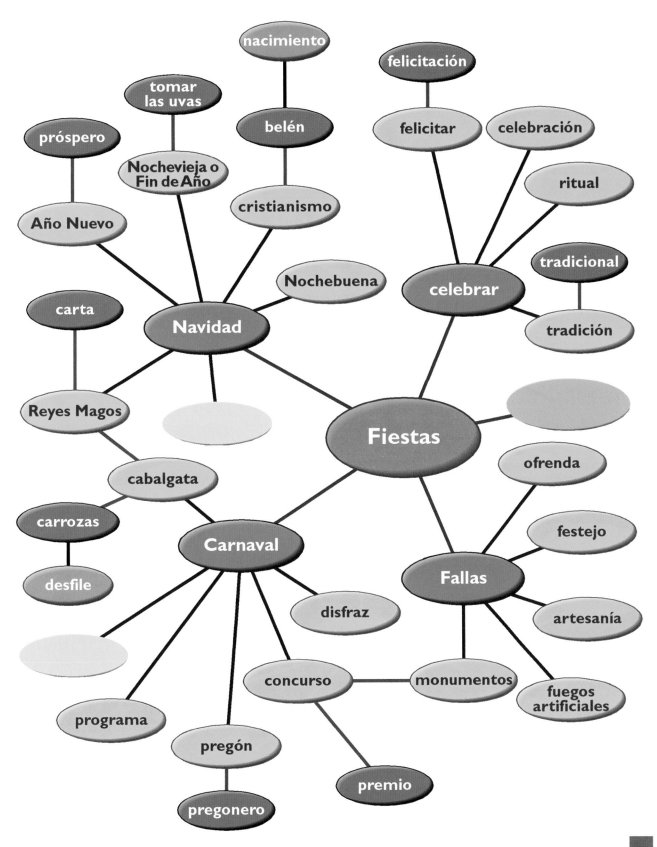

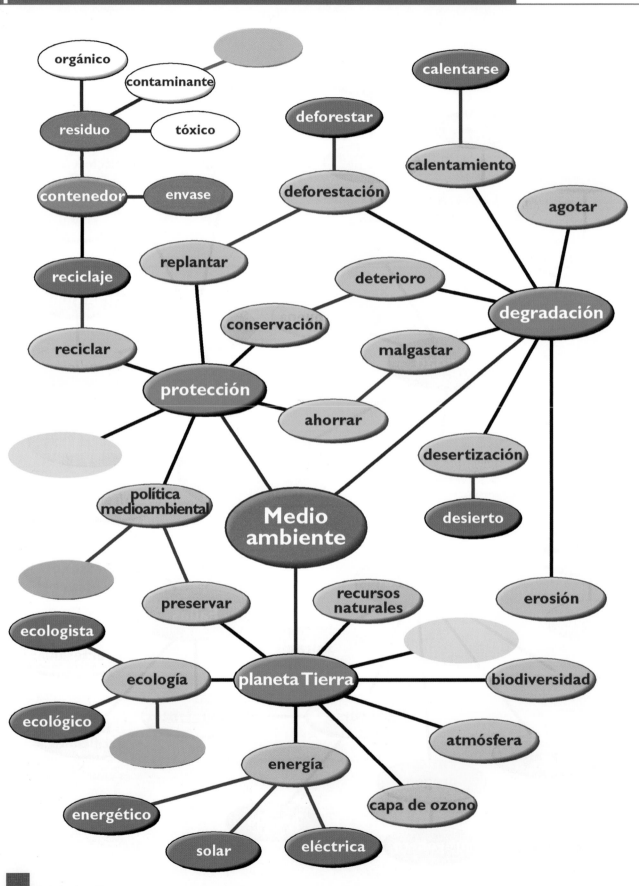

orgánico

contaminante

residuo

tóxico

contenedor — envase

reciclaje

reciclar

replantar

deforestar

deforestación

calentarse

calentamiento

agotar

deterioro

conservación

degradación

malgastar

protección

ahorrar

desertización

desierto

política medioambiental

Medio ambiente

preservar

recursos naturales

erosión

ecologista

ecología

planeta Tierra

biodiversidad

ecológico

atmósfera

energía

energético

capa de ozono

solar

eléctrica

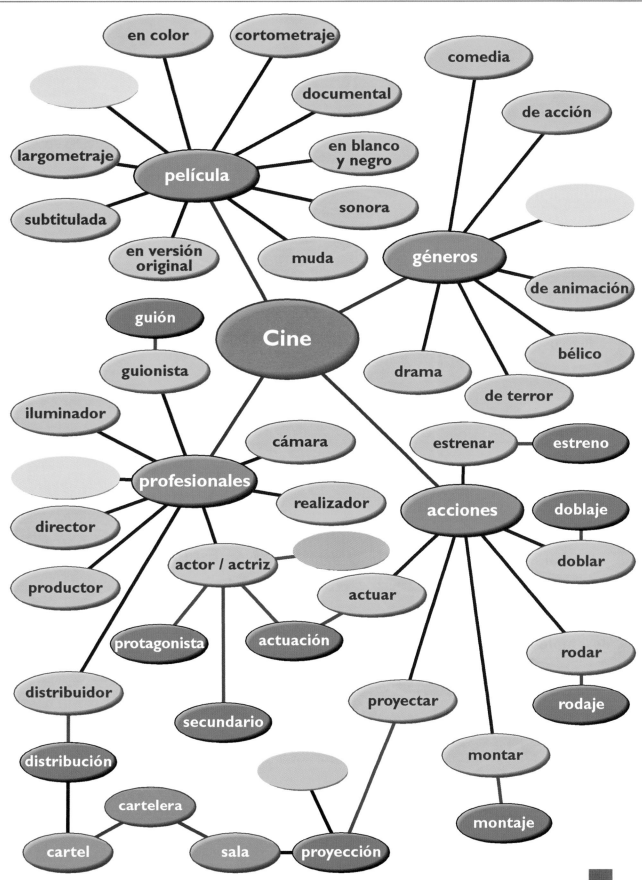

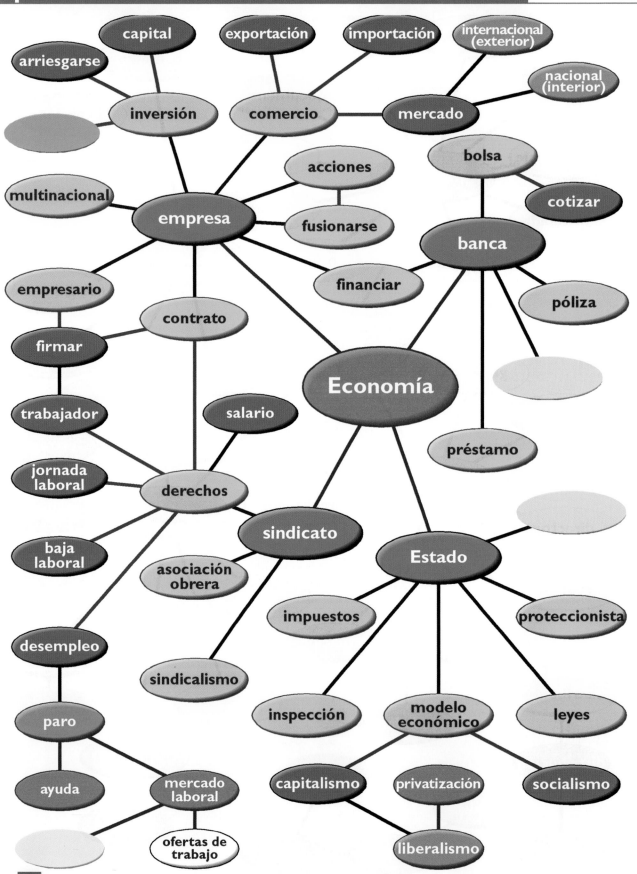

capital

exportación

importación

internacional (exterior)

arriesgarse

nacional (interior)

inversión

comercio

mercado

acciones

bolsa

cotizar

multinacional

empresa

fusionarse

banca

financiar

póliza

empresario

contrato

Economía

firmar

préstamo

trabajador

salario

jornada laboral

derechos

baja laboral

sindicato

Estado

asociación obrera

desempleo

impuestos

proteccionista

sindicalismo

paro

inspección

modelo económico

leyes

ayuda

mercado laboral

capitalismo

privatización

socialismo

ofertas de trabajo

liberalismo

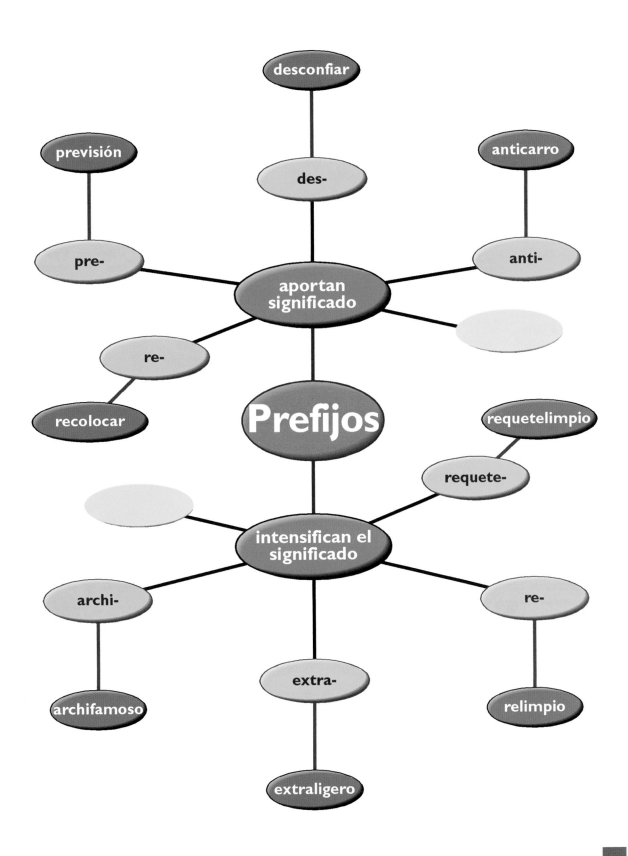

desconfiar

previsión — des- — anticarro

pre- — anti-

aportan significado

re-

recolocar

Prefijos

requetelimpio

requete-

intensifican el significado

archi- — re-

extra-

archifamoso — relimpio

extraligero

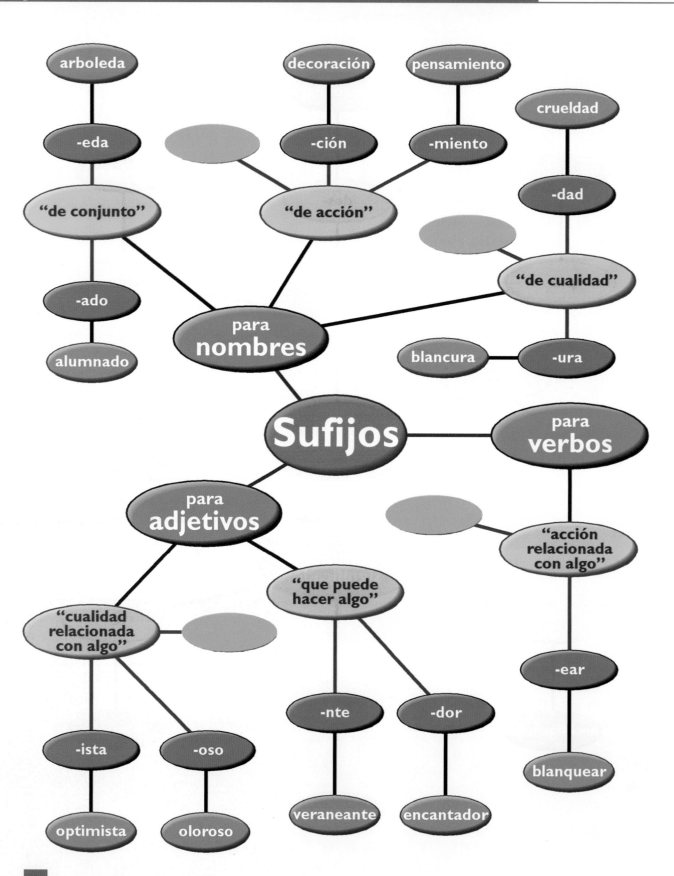

arboleda

-eda

"de conjunto"

-ado

alumnado

decoración

-ción

"de acción"

pensamiento

-miento

crueldad

-dad

"de cualidad"

blancura

-ura

para **nombres**

Sufijos

para **verbos**

"acción relacionada con algo"

para **adjetivos**

"que puede hacer algo"

"cualidad relacionada con algo"

-ista

optimista

-oso

oloroso

-nte

veraneante

-dor

encantador

-ear

blanquear

apéndice
gramatical

Apéndice gramatical

ÍNDICE DEL APÉNDICE GRAMATICAL

Apéndice gramatical

■ ACENTUACIÓN (§1-§2)

§1 SÍLABA ACENTUADA

Recuerda que se ha de tener cuidado con el acento de las palabras. Muchas palabras se diferencian por la posición del acento en una u otra sílaba:

amplio (adjetivo) / *amplío* (de *ampliar*) / *amplió*
(de *ampliar*)

círculo (nombre) / *circulo* (de *circular*) / *circuló*
(de *circular*)

crítico (adjetivo y nombre) / *critico* (de *ampliar*) / *criticó*
(de *criticar*)

depósito (nombre) / *deposito* (de *depositar*) / *depositó*
(de *depositar*)

fábrica (nombre) / *fabrica* (de *fabricar*) / *fabricó*

limpio (adjetivo) / *limpió* (de *limpiar*)

Recuerda que las palabras *carácter*, *régimen* y dos o tres más trasladan el acento en sus formas de plural: caract**e**res, reg**í**menes.

§2 ACENTO DIACRÍTICO

En general, las palabras monosílabas no llevan acento ortográfico o tilde. Sin embargo, cuando dos monosílabos son de distinta clase, tienen diferente función o significado, se acentúa uno de ellos para distinguirlos. En palabras como *solo* y *aun*, de dos sílabas, también se escriben con tilde en uno de sus valores. A continuación se presentan y ejemplifican los casos más frecuentes:

él (pronombre) / **el** (artículo):
*Tranquila. Yo se lo digo a **él**. / **El** mono hace reír a los niños.*

dé (forma del verbo *dar*) / **de** (preposición):
*Juan quiere que le **dé** un caramelo. / Soy **de** Caracas.*

tú (pronombre) / **tu** (posesivo):
*Si te preguntan, **tú** no sabes nada. / **Tu** padre dice que vayas a cenar.*

sé (forma del verbo *saber*, o del verbo *ser*) /
se (pronombre):
***Sé** que me ocultas algo. **Sé** prudente, no grites. / Mira, ahora **se** duerme.*

mí (pronombre con preposición) / **mi** (posesivo):
*A **mí** me gusta el chocolate. / **Mi** hermana está estudiando en Nueva York.*

ó (para no confundirla con un número 0 entre números)/
o (entre palabras):
*Pidió 100 **ó** 150 gramos de jamón. / ¿Me llamas tú **o** te llamo yo?*

sí (pronombre y adverbio afirmativo) / **si** (conjunción y sustantivo):
*Sólo piensa en **sí** mismo. **Sí** es verdad lo que dices / **Si** quieres, te lo explico. María contestó con un **sí**.*

qué (pronombre interrogativo o exclamativo) /
que (pronombre relativo o conjunción):
*¿**Qué** quieres?, ¡**Qué** bonito! / La casa **que** quiero es ésa.*
*Es cierto **que** la juventud ha cambiado.*

solo (adjetivo) / **sólo** (adverbio). Es recomendable acentuarlo únicamente en caso de confusión:
*Me siento **solo** [sin compañía] hasta que venga María. / Me siento **sólo** [solamente] hasta que venga María.*

aún (adverbio = todavía) / **aun** (adverbio = incluso):
***Aún** tengo fiebre. / **Aun** los listos se equivocan a veces.*

■ FORMACIÓN DE PALABRAS (§3-§4)

A continuación te ofrecemos una breve lista de afijos, prefijos y sufijos, que se añaden al principio o al final de una palabra para formar una nueva palabra, o palabra derivada, cuyo significado incorpora la aportación del afijo. Aquí puedes consultarlos. Te pueden ayudar en la interpretación del significado de muchas palabras. Pero tienes que tener muy en cuenta que te proponemos el significado más común en cada caso y algún ejemplo, pero pueden tener otros significados. En los diccionarios modernos se incluyen alfabéticamente los prefijos y sufijos alfabetizados, con sus respectivos significados y ejemplos. Algunos afijos pueden tener varios significados diferentes del que se da aquí. Consulta el diccionario cuando tengas dudas. Si te familiarizas con ellos y con los ejemplos respectivos (que puedes traducir si lo crees necesario en algún caso) podrás interpretar mejor el sentido de muchas palabras formadas de manera semejante y verás cómo crece tu caudal léxico.

§3 PREFIJOS

Los prefijos se colocan delante de la palabra y, según su aportación al significado de la nueva palabra, se clasifican en significativos y apreciativos.

1. Prefijos significativos:
Los prefijos significativos añaden un nuevo sentido al de la palabra primitiva:

- anti- ('contra'): **anti**carro, **anti**tabaco
- des- ('negación'): **des**confiar, **des**aparecer
- ex- ('persona que ha dejado de ser lo que era'): **ex** monárquico, **ex** novia
- in- ('negación'): **in**comunicado, **in**tolerable
- inter- ('entre'): **inter**nacional, **inter**personal
- multi- ('mucho'): **multi**nacional, **multi**lingüe
- pos- ('detrás o después de'): **pos**guerra, **pos**poner
- pre- ('delante o antes'): **pre**calentamiento, **pre**visión
- re- ('repetición'): **re**leer, **re**contar
- sub- ('debajo de'): **sub**marino, **sub**director
- super- ('por encima de' o 'una cualidad muy intensa'): **super**sónico, **super**poblado

2. Prefijos apreciativos:
Los prefijos apreciativos se aplican a adjetivos y expresan una intensificación de la cualidad significada por el adjetivo primitivo:

- archi- ('extremadamente'): **archi**famoso.
- extra- ('muy'): **extra**ligero, **extra**fino.
- re-, / requete- ('muy muy'): **re**bonita, **requete**guapa.
- super- ('muy muy'): **super**caro.

§4 SUFIJOS

Los sufijos se colocan detrás de la palabra y, según su aportación al significado de la nueva palabra, también se distingue entre sufijos significativos y apreciativos.

1. Sufijos significativos:
Los sufijos significativos alteran el significado de la palabra primitiva incorporando un nuevo sentido en la palabra formada así. Están agrupados según la clase de palabras que forman: nombres, adjetivos o verbos; y según los diferentes significados que los diferentes sufijos aportan a la nueva palabra.

Ahora puedes apreciar mejor la necesidad de confirmar o aclarar en el diccionario tus intuiciones de significado, porque usamos varios sufijos (p. ej.: -ancia, -dad, -ería, etc.) para formar palabras de la misma clase (nombres derivados de adjetivos) con un sentido parecido (la cualidad en abstracto).

Para formar nombres:
a) Se aplican a adjetivos para producir nombres que expresan la cualidad en abstracto:

- -ancia, -encia: eleg**ancia**, insist**encia**
- -dad, -edad, -idad: cruel**dad**, sole**dad**, capac**idad**
- -ería: tont**ería**
- -ez: solid**ez**
- -eza: nobl**eza**
- -ía: cobard**ía**
- -or: dulz**or**, blanc**or**
- -ura: dulz**ura**, blanc**ura**

b) Se aplican a verbos para producir nombres que expresan la acción o el resultado de la acción en abstracto:

- -a: caz**a**, pag**a**
- -ación, -ición: decor**ación**, prohib**ición**
- -ada, -ida: llam**ada**, hu**ida**, sal**ida**
- -ado: afeit**ado**, revel**ado**
- -adura, -edura, -idura: rall**adura**, barr**edura**, añad**idura**
- -aje: fich**aje**, aterriz**aje**
- -amiento, -imiento: pens**amiento**, nac**imiento**, sent**imiento**
- -ancia, -encia: vigil**ancia**, asist**encia**
- -anza: alab**anza**
- -atoria: convoc**atoria**
- -e: choqu**e**, cort**e**, avanc**e**
- -ido: estall**ido**, lat**ido**
- -o: cant**o**, pag**o**
- -ón: tir**ón**
- -or: tembl**or**

c) Se aplican a verbos para producir nombres que expresan la persona que realiza la acción, el instrumento con que se hace algo o el lugar donde se hace:

- -ador, -edor, -idor: col**ador**, encend**edor**, fund**idor**
- -ante, -iente: cant**ante**, escrib**iente**

d) Se aplican a nombres o adjetivos para producir nombres que expresan la 'persona relacionada con' lo significado por la palabra primitiva:

- -ero: cocin**ero**, jardin**ero**
- -ista: electric**ista**, mach**ista**

e) Se aplican a verbos o nombres para producir nombres que expresan el lugar donde se realiza la acción o donde se reúnen o venden elementos del significado de la palabra primitiva:

- -adero, -edero, -idero: lav**adero**, vert**edero**, herv**idero**
- -ador, -edor, -idor: prob**ador**, com**edor**, recib**idor**
- -ario: parvul**ario**, poem**ario**, tem**ario**
- -ería: panad**ería**, helad**ería**, lech**ería**
- -era: huev**era**, aceit**era**, vinagr**era**
- -ero: cenic**ero**, libr**ero**, fich**ero**, hormigu**ero**

f) Se aplican a nombres para producir nombres que expresan objetos reunidos en lo significado por la

palabra primitiva o conjuntos constituidos por elementos de lo significado por la palabra primitiva:
- -ada: *muchachada, redada, cucharada*
- -ado: *alumnado, alcantarillado*
- -aje: *ramaje, ropaje*
- -ar, -al: *colmenar, arenal, trigal*
- -eda: *pineda, rosaleda*
- -edo: *viñedo, robledo*
- -ena: *docena, quincena*
- -erío: *vocerío, graderío*
- -ío: *mujerío, gentío*

g) Se aplican a nombres para producir nombres que expresan la ciencia o técnica que trata de lo significado por la palabra primitiva:
- -ica: *robótica, poética*

Para formar adjetivos:

a) Se aplican a nombres para producir adjetivos que expresan una cualidad relacionada con lo significado por la palabra primitiva:
- -al, -ar: *material, familiar*
- -ano, -iano: *americano, aldeano, franciscano*
- -ario: *bancario, embrionario*
- -ativo, -itivo: *ahorrativo, competitivo*
- -atorio, -itorio: *compensatorio, definitorio*
- -ense: *cretense*
- -eño: *hondureño*
- -ero: *embustero, traicionero*
- -és: *escocés, leonés*
- -í: *israelí*
- -ico: *volcánico*
- -ino: *taurino*
- -ista: *optimista*
- -oso: *boscoso, arenoso, provechoso, bondadoso*

b) Se aplican a nombres para producir adjetivos que expresan la cualidad de parecido a lo significado por la palabra primitiva:
- -ado: *morado*
- -izo: *enfermizo, pajizo, calizo,*

c) Se aplican a verbos para producir adjetivos que expresan la cualidad de capacidad de realizar la acción significada por la palabra primitiva, o que realiza esa acción con cierta intensidad (*llorón*):
- -ador, -edor, -idor: *encantador, mantenedor, cumplidor*
- -ante, -ente, -iente: *estimulante, sorprendente, complaciente*
- -ón: *mirón, llorón*
- -oso: *estudioso, elogioso*

d) Se aplican a verbos para producir adjetivos que expresan la cualidad de capacidad de sufrir o manifestar la acción significada por la palabra primitiva. El sufijo -*ble* se transforma en -*bili* cuando le sigue el sufijo -*dad* que expresa el nombre de la cualidad:
- -able, -ible: *amable, plegable, disponible, exigible*
- -abili-, -ibili-: *amabilidad, disponibilidad, exigibilidad*
- -adero, -edero, -idero: *duradero, perecedero, venidero*

Para formar verbos:

Con nombres o adjetivos se pueden formar verbos que significan la acción relacionada con el significado de la palabra primitiva.

Se suele añadir comúnmente la terminación -*ar* de los verbos de la primera conjugación, o bien alguno de los sufijos siguientes que introducen diferentes matices que se han de consultar en el diccionario:
- -ear: *blanquear, flaquear, saquear*
- -ecer: *florecer, favorecer*
- -ificar: *electrificar, solidificar*
- -izar: *desertizar, suavizar*

Para formar adverbios:

El sufijo -*mente* se usa mucho en español para formar adverbios a partir de la mayoría de los adjetivos. Si el adjetivo es de terminación variable (*limpio/a, alto/a*), se añade el sufijo a la forma acabada en -*a* (*limpiamente, altamente, francamente*).

Si el adjetivo es de terminación invariable, acabado en vocal (*dulce, fuerte*) o en consonante (*sutil, ágil*), se añade el sufijo directamente a la palabra primitiva entera (*dulcemente, fuertemente, sutilmente, ágilmente*).

2. Sufijos apreciativos:
Los sufijos apreciativos se añaden a palabras de diferentes clases, nombres, adjetivos o formas verbales, y suponen una alteración, por disminución o por intensificación (-*ón*, -*azo*, -*ote*, -*ísimo*), del significado de la palabra primitiva:
- -ito, -cito: *Fernandito, Isabelita, casita, llenito, suavecito, andandito*
- -illo, -cillo: *papelillo, sobrecillo*
- -ico: *apretadico*
- -ín: *pequeñín*
- -ete: *gordete*
- -ón: *cabezón, novelón*
- -azo: *cochazo*
- -ote: *grandote, amigote*
- -ísimo: *altísimo, grandísimo, tardísimo*

■ GÉNERO Y NÚMERO DE LOS NOMBRES (§5-§6)

§5 GÉNERO DE LOS NOMBRES: CASOS ESPECIALES

Algunas palabras, la mayoría de las terminadas en *-nte* y todas las terminadas en *-ista*, pueden referirse a hombres y mujeres, y manifiestan el género en la forma de los determinantes y de los adjetivos, que concuerdan con ellos en la expresión:

el / la estudiante (-a)
el / la cantante
el / la cliente (-a)
el / la paciente
el / la periodista
el / la dentista
el / la artista
el / la deportista

Otras palabras tienen un significado diferente según sean masculinas o femeninas. Se han de aprender, porque las regularidades incluyen pocos casos. Éstas son algunas de las más usadas:

el cura (sacerdote) / *la cura* (acción de curar)
el cólera (enfermedad) / *la cólera* (enfado)
el orden (manera) / *la orden* (mandato)
el capital (cantidad de dinero) / *la capital* (ciudad importante)
el cometa (astro) / *la cometa* (juguete)
el margen (de un libro) / *la margen* (de un río)
el policía (agente) / *la policía* (cuerpo de policía)
el guardia (agente) / *la guardia* (conjunto de agentes)
el guía (persona) / *la guía* (lista)
el espada (torero) / *la espada* (arma)
el trompeta (músico) / *la trompeta* (instrumento)
el frente (zona de combate) / *la frente* (parte de la cara)
el pendiente (joya de las orejas) / *la pendiente* (inclinación del terreno)
el parte (informe) / *la parte* (porción)

Algunos nombres, al cambiar de género, permiten significar 'árbol' (masculino en *-o*) o bien la 'fruta' correspondiente (femenino en *-a*):

almendro / almendra
avellano / avellana
castaño / castaña
cerezo / cereza
ciruelo / ciruela
manzano / manzana
naranjo / naranja

Por último, algunos nombres, al cambiar de género, permiten significar 'menor tamaño o extensión' (masculino en *-o*) o bien 'mayor tamaño o extensión' (femenino en *-a*) de un determinado significado más o menos común para las dos palabras:

anillo / anilla
bolso / bolsa
cesto / cesta
charco / charca
huerto / huerta
jarro / jarra
río / ría
saco / saca

§6 NÚMERO DE LOS NOMBRES: CASOS ESPECIALES

Las palabras que terminan en *-í* o *-ú* pueden formar el plural con *-s* o *-es*, aunque se prefiere esta última forma:

el esquí ⇨ *los esquís / los esquíes*
el tabú ⇨ *los tabús / los tabúes*

También los nombres terminados en *-i*, que significan el lugar de procedencia de las personas, forman el plural con *-s* o *-es*, según la zona y las preferencias del hablante:

el marroquí ⇨ *los marroquís / los marroquíes*
el iraní ⇨ *los iranís / los iraníes*

Las palabras terminadas en vocal átona + *-s* no cambian en plural, aunque sí lo hacen sus determinantes y adjetivos:

el viernes ⇨ *los viernes próximos.*
la crisis ⇨ *las crisis profundas.*

Las palabras compuestas en que el segundo elemento está en plural no cambian:

el paraguas ⇨ *los paraguas*
el cumpleaños ⇨ *los cumpleaños*

Hay nombres que sólo se usan en plural; otros, en cambio, se pueden usar en singular con el mismo significado:

las gafas
los pantalones / el pantalón
las tijeras / la tijera

Hay unas pocas palabras (*régimen* y *carácter* son las de uso más común) que en la forma del plural desplazan la posición del acento:

el régimen ⇨ *los regímenes*
el carácter ⇨ *los caracteres*

■ DETERMINANTE Y DEMOSTRATIVOS NEUTROS (§7-§8)

§7 LO

Es una forma del artículo que se usa con el adjetivo para referirse a la cualidad en abstracto. Advierte que el adjetivo, si admite dos formas, sólo puede ir en la del masculino:

*Me gusta contemplar la ciudad desde **lo alto**.*
*Tranquilo, **lo difícil** ya se ha acabado.*

Permite expresar con intensidad una cualidad o una forma adverbial. Fíjate que, en esta construcción, el adjetivo varía de forma en concordancia con el nombre al que se refiere:

*¿Ves **lo bonito** [adjetivo] que **es** este **restaurante**?*
*A Juan le gusta **lo altos** [adjetivo] que **son** los **edificios** del centro.*
*A María le gusta **lo limpias** [adjetivo] que **están** las **calles**.*
*No puedes imaginarte **lo bien** [adverbio] que lo **pasamos**.*

También se usa *lo* con una expresión preposicional para referirse a un asunto que no es necesario detallar porque ya lo conocen los interlocutores, cuando no se quiere reiterar algo conocido; o bien, por el contrario, para referirse explícitamente, como en el segundo ejemplo, a algo ya conocido:

***Lo de** Isabel es increíble.*
***Lo de salir** tarde no me parece una buena idea.*

§8 ESTO, ESO, AQUELLO

Es la forma de los demostrativos que no expresa género y se usa para referirse a una expresión compleja precedente del texto.

💬 *Las calles no están muy limpias.*
  💬 *Yo, **eso** [el que las calles no estén limpias] lo veo mal.*
  💬 *Yo, **esto** [el que las calles no estén limpias] no lo soporto.*

También puede referirse a algo concreto del entorno de los interlocutores, cuando se desconoce o no se quiere especificar su naturaleza exacta:

💬 *Cuidado con **eso**, que no se rompa.*
  💬 *¿Te refieres al vaso o a la copa?*

💬 ***Aquello** que te dije no es cierto.*
  💬 *¿Te refieres a la boda de María?*

■ LOCUCIONES Y VERBOS CON PREPOSICIÓN (§9-§11)

§9 ALGUNAS LOCUCIONES ADVERBIALES FRECUENTES

En español tenemos algunas expresiones o locuciones que funcionan como un adverbio en la frase y cuyo sentido conviene aprender porque, a veces, no se deduce del significado de los elementos que las forman. Tienes que aprender a buscarlas en el diccionario. A continuación, te presentamos algunas de esas locuciones de uso más frecuente, señalando su significado y destacando el elemento que las explica en el diccionario:

— a **media**s ('de manera incompleta'): *El ministro respondió a la pregunta **a medias**.*
— de buena **gana** ('con gusto'): *El ministro atendió a la prensa **de buena gana**.*
— de mala **gana** ('con fastidio'): *El ministro atendió a la prensa **de mala gana**.*
— de **memoria** ('recordando algo con exactitud'): *El ministro dio muchos datos **de memoria**.*
— con **gusto** ('con agrado'): *El ministro respondió **con gusto** a las preguntas.*
— a **gusto** ('con agrado'): *Juan siempre se encuentra **a gusto** en casa.*
— a ese **paso** ('según eso, de ese modo'): ***A ese paso** no terminarás nunca de escribir la carta.*
— de **paso** ('provisionalmente / aprovechando la ocasión'): *Juan está **de paso** en Madrid; pronto regresará a México. Por favor, instala el programa en mi ordenador y **de paso** comprueba que no haya virus.*
— por **poco** ('que faltó poco para que sucediese algo'): *Venía en coche distraído y **por poco** tengo un accidente.*
— de este **modo** ('así'): *Los líderes se reúnen cada año. **De este modo** consolidan la unidad de Latinoamérica.*
— a mi (tu / su / nuestro / vuestro) **modo** ('según puede, sabe o acostumbra la persona de que se trate'): *A mí me gusta escribir las carta **a mi modo**, con todos los detalles y las páginas necesarias.*

§10 EXPRESIONES Y MODISMOS

Tal como las define muy bien el diccionario, las expresiones, locuciones o modismos son combinaciones estables de dos o más palabras, que funcionan como oraciones o como elementos oracionales, y cuyo significado no se deduce de las palabras que constituyen la expresión o modismo de que se trate. A veces, incluso, la expresión combina elementos que manifiestan unas formas contrarias a las propias de las reglas gramaticales, como en el caso de *a ojos vistas*. A continuación, te presentamos algunas de esas expresiones de uso más frecuente, señalando su significado y destacando el elemento que las explica en el diccionario. Fíjate que lo importante es que aprendas a buscar estas expresiones en el diccionario:

— a **ojos** vistas ('a simple vista, claramente'): *Juan es más alto que María a ojos vistas*.

— dar la **gana** ('expr. coloquial con que se manifiesta que se quiere hacer algo, con razón o sin ella'): *No me da la gana venir a trabajar el sábado*.

— hasta las **tantas** ('expr. familiar con que se designa indeterminadamente cualquier hora muy avanzada del día o de la noche'): *Se fue a cenar con los amigos y no llegó hasta las tantas*.

— echar una **mano** ('ayudar a hacer algo'): *Si estás muy ocupado te echo una mano*.

— estar sin un **duro** ('estar sin dinero'): *Se lo ha gastado todo en el coche nuevo y ahora está sin un duro*.

— importar un **bledo** ('no preocupar nada algo a alguien'): *Me importa un bledo lo que diga. Estoy seguro que tengo razón*.

— meter uno la **pata** ('intervenir en algo con dichos o hechos inoportunos'): *No dijo nada por miedo a meter la pata*.

— quedarse en **blanco** ('quedarse sin comprender lo que se oye o lee / no recordar lo que se quería decir'): *El profesor lo explicó dos veces, pero Juan se quedó en blanco. / lo sabía perfectamente, pero en cuanto empezó a hablar, se quedó en blanco*.

— ponerse **morado** ('hartarse de comida'): *La comida estaba buenísima y había muchísima; nos pusimos morados*.

— quedarse en los **huesos** ('llegar a estar muy flaco y extenuado'): *Desde que ha perdido el apetito se ha quedado en los huesos*.

— estar **negro** ('estar muy enfadado'): *Estoy negro con este ordenador. Se ha estropeado tres veces en un mes*.

— ponerse **colorado** ('avergonzarse'): *Es tan tímido que se pone colorado enseguida*.

— es **pan** comido ('ser algo muy fácil de hacer'): *No te preocupes, que lo haré rápidamente; es pan comido*.

— **estar** al caer ('si se trata de horas, estar a punto de ser la que se indique'): *Están al caer las cinco. /* ('si se trata de personas, estar a punto de llegar'): *Juan está al caer*.

— estar hecho **polvo** ('hallarse sumamente abatido por las adversidades, las preocupaciones o la falta de salud'): *Me encuentro bastante mal y no tengo fuerzas para nada; estoy hecho polvo*.

— no pegar **ojo** ('no poder dormir'): *Esta noche los vecinos han hecho mucho ruido y no he pegado ojo*.

§11 VERBOS CON PREPOSICIÓN

Algunos verbos exigen en su uso enunciativo en la oración un complemento preposicional introducido por una preposición, igual o distinta, específica en cada caso. A veces esta construcción se manifiesta en una o varias acepciones, pero no en todos los sentidos del verbo. Por ejemplo, el verbo *fijar* usado como transitivo tiene, entre otros sentidos: 1. tr. Clavar o asegurar un cuerpo en otro. 2. Pegar con engrudo o un producto similar; como en la pared los anuncios y carteles. 3. Hacer fija o estable alguna cosa. Ú. t. c. prnl. 4. Determinar, limitar, precisar, designar de un modo cierto. *Fijar* el sentido de una palabra, la hora de una cita. 5. Poner o aplicar intensamente. *Fijar* la mirada, la atención. En cambio, en otras acepciones exige la manifestación de un complemento introducido por la preposición **en**: 12. prnl. Atender, reparar, notar.

Estos usos no son regulares ni sistemáticos: se han de aprender o consultar en los diccionarios donde se señalan estas particularidades de uso preposicional en todo el verbo o en algunas de sus acepciones, con una misma preposición particular o con preposiciones diferentes. Aquí tienes algunos ejemplos:

— fijarse EN: *María se ha fijado en tu ropa. ¡Fíjate en los pantalones que lleva Juan!*

— quejarse DE ... A: *Se ha quejado del frío al director*.

— preguntar A ... POR: *Le han preguntado a Alberto por una calle que no conocía*.

— referirse A: *No me entiendes. Me refiero a la fiesta sorpresa que le estamos preparando a Julia*.

— desconfiar DE: *Son muy amables. No desconfíes de ellos*.

— empeñarse EN: *Se empeñó en ver toda la ciudad en un día. ¡Una locura!*

— olvidarse DE: *Perdona, pero me he olvidado de lo que me dijiste el otro día*.

— acordarse DE: *¿Te acuerdas de aquella chica que vimos?*

— encargarse DE: *Carmen se encarga de que no haya ningún fallo en el producto*.

— soñar CON: *Estoy tan obsesionado, que incluso sueño con el trabajo*.

— pensar EN: *Sólo pienso en las próximas vacaciones*.

— enamorarse DE: *Carlos se ha enamorado de Luisa*.

Algo parecido ocurre con algunos adjetivos, que también se usan con un complemento preposicional particular según el caso:

— amable CON: *Juan es muy amable con todo el mundo*.

— apto PARA: *El agua de algunas fuentes no es apta para el consumo*.

— beneficioso PARA: *La aspirina es beneficiosa para el dolor*.

— contrario A: *Juan se muestra* **contrario a** *la pena de muerte.*
— deseoso DE: *Juan está* **deseoso de** *ir a España.*
— generoso CON / PARA CON: *María es* **generosa (para) con** *los niños.*
— experto EN: *Juan es* **experto en** *informática.*

■ EL VERBO (§12-§17)

El verbo es una clase de palabra que puede adoptar diferentes formas para expresar distintos aspectos de la acción en abstracto (formas no personales) o diferentes significados de modo (indicativo, subjuntivo), de tiempo (presente, pasado o futuro), de persona singular (1.ª, yo; 2.ª, tú / usted; y 3.ª, él / ella) y de persona plural (1.ª, nosotros, nosotras; 2.ª, vosotros, vosotras / ustedes; y 3.ª, ellos, ellas).

El conjunto de todas estas diferentes formas es lo que se conoce como conjugación del verbo, y tradicionalmente se han clasificado en tres clases: 1.ª conjugación, verbos de infinitivo acabado en *-ar*, como *estudiar*; 2.ª conjugación, verbos de infinitivo acabado en *-er*, como *beber*; y 3.ª conjugación, verbos de infinitivo acabado en *-ir*, como *vivir*. Hay verbos de conjugación regular, que tienen una base idéntica (*estudi-*, *beb-*, *viv-*) en todas sus formas y las mismas terminaciones que el verbo modelo (*estudiar, beber, vivir*), y otros de conjugación irregular, porque varían la forma de la base (**pod**+er, **pued**+an; **sab**+er, **sep**+an) y algunas de sus formas.

A los tiempos tratados en el nivel anterior, se han añadido los que se presentan y trabajan en este nivel.

Primero, presentamos las formas de los verbos regulares, para que puedas consultar las distintas terminaciones destacadas. A continuación, tienes las formas de los verbos irregulares más comunes con las irregularidades destacadas.

§12 FORMAS NO PERSONALES

Las formas no personales del verbo expresan la acción, proceso, situación o estado, con diferentes aspectos: en abstracto (infinitivo) sin más, en desarrollo (gerundio), o como la referencia a una acción cumplida (participio) sin referencia a las personas del diálogo.

Formas no personales	1.ª conjugación	2.ª conjugación	3.ª conjugación
Infinitivo	estudi**ar**	beb**er**	viv**ir**
Gerundio	estudi**ando**	beb**iendo**	viv**iendo**
Participio	estudi**ado**	beb**ido**	viv**ido**

§13 FORMAS PERSONALES

Las formas personales del verbo expresan la acción, proceso, situación o estado, en diferentes modos (indicativo o subjuntivo) y momentos (presente, pasado o futuro), referida a las personas del diálogo.

Se agrupan en diferentes temas, que tienen la misma base y acentuación, para facilitar el aprendizaje y, sobre todo, para entender mejor la distribución de irregularidades de los verbos irregulares que se presentan luego.

§14 TEMA DE PRESENTE

Las formas del tema de presente terminan en una vocal diferente según la conjugación (estudi+a, beb+e, viv+e/i); se acentúan en la raíz (estúdi+a, béb+e, vív+e/i) en todas las personas, menos las de *nosotros* y *vosotros*; y coinciden en el presente de indicativo, en el presente de subjuntivo (que no manifiesta la vocal), y en el imperativo:

Tema de presente	1.ª conjugación	2.ª conjugación	3.ª conjugación
Presente de indicativo			
Presente de subjuntivo	estudi+(a)	beb+(e)	viv+(e/i)
Imperativo			

A continuación, tienes las distintas formas de los tiempos del tema de presente. En el imperativo se incluyen, aquí y más adelante, las formas de la tercera persona del singular y del plural del presente de subjuntivo, usadas para las órdenes formales de *usted* y *ustedes*, respectivamente.

Presente de indicativo	ESTUDIAR	BEBER	VIVIR
yo	estudi**o**	beb**o**	viv**o**
tú	estudi**as**	beb**es**	viv**es**
él / ella / usted	estudi**a**	beb**e**	viv**e**
nosotros / nosotras	estudi**amos**	beb**emos**	viv**imos**
vosotros / vosotras	estudi**áis**	beb**éis**	viv**ís**
ellos / ellas / ustedes	estudi**an**	beb**en**	viv**en**

Presente de subjuntivo	ESTUDIAR	BEBER	VIVIR
yo	estudi**e**	beb**a**	viv**a**
tú	estudi**es**	beb**as**	viv**as**
él / ella / usted	estudi**e**	beb**a**	viv**a**
nosotros / nosotras	estudi**emos**	beb**amos**	viv**amos**
vosotros / vosotras	estudi**éis**	beb**áis**	viv**áis**
ellos / ellas / ustedes	estudi**en**	beb**an**	viv**an**

Imperativo	ESTUDIAR	BEBER	VIVIR
tú	estudi**a**	beb**e**	viv**e**
usted	estudi**e**	beb**a**	viv**a**
vosotros / vosotras	estudi**ad**	beb**ed**	viv**id**
ustedes	estudi**en**	beb**an**	viv**an**

§15 TEMA DE PRETÉRITO

Las formas del tema de pretérito terminan en una vocal diferente según la conjugación (estudi+a, beb+i/ie, viv+i/ie); se acentúan en esa vocal (estudi+á, beb+í/ié, viv+í/ié) en todas las personas; y coinciden en el pretérito indefinido, pretérito imperfecto de indicativo, pretérito imperfecto de subjuntivo, participio, gerundio, y futuro de subjuntivo (que sólo se usa en el redactado de las leyes y que, por tanto, no recogemos aquí). El acento de este cuadro no es ortográfico.

Tema de pretérito		1.ª conj.	2.ª conj.	3.ª conj.
Pret. indefinido	Otros tiempos			
1.ª y 2.ª sing. y plur. 3.ª sing.	Imp. de indicativo	estudi+[á]	beb+[í]	viv+[í]
	Participio			
3.ª plur.	Imp. de subjuntivo	estudi+[á]	beb+[ié]	viv+[ié]
	Gerundio			

A continuación, tienes las distintas formas de los tiempos del tema de pretérito.

Pretérito indefinido	ESTUDIAR	BEBER	VIVIR
yo	estudié	bebí	viví
tú	estudiaste	bebiste	viviste
él / ella / usted	estudió	bebió	vivió
nosotros / nosotras	estudiamos	bebimos	vivimos
vosotros / vosotras	estudiasteis	bebisteis	vivisteis
ellos / ellas / ustedes	estudiaron	bebieron	vivieron

Pretérito imperfecto de indicativo	ESTUDIAR	BEBER	VIVIR
yo	estudiaba	bebía	vivía
tú	estudiabas	bebías	vivías
él / ella / usted	estudiaba	bebía	vivía
nosotros / nosotras	estudiábamos	bebíamos	vivíamos
vosotros / vosotras	estudiabais	bebíais	vivíais
ellos / ellas / ustedes	estudiaban	bebían	vivían

Pretérito imperfecto de subjuntivo	ESTUDIAR	BEBER	VIVIR
yo	estudiara estudiase	bebiera bebiese	viviera viviera
tú	estudiaras estudiases	bebieras bebieses	vivieras vivieras
él / ella / usted	estudiara estudiase	bebiera bebiese	viviera viviera
nosotros / nosotras	estudiáramos estudiásemos	bebiéramos bebiésemos	viviéramos viviéramos
vosotros / vosotras	estudiarais estudiaseis	bebierais bebieseis	viverais vivierais
ellos / ellas / ustedes	estudiaran estudiasen	bebieran bebiesen	viveran viviesen

§16 TEMA DE FUTURO

Las formas del tema de futuro terminan en una vocal diferente según la conjugación (estudi+a, beb+e, viv+i); se acentúan en la sílaba siguiente a esa vocal y coinciden en el futuro de indicativo, en el condicional:

Tema de futuro	1.ª conjugación	2.ª conjugación	3.ª conjugación
Futuro de indicativo	estudi+a	beb+e	viv+i
Condicional			

A continuación, tienes las distintas formas de los tiempos del tema de futuro.

Futuro imperfecto	ESTUDIAR	BEBER	VIVIR
yo	estudiaré	beberé	viviré
tú	estudiarás	beberás	vivirás
él / ella / usted	estudiará	beberá	vivirá
nosotros / nosotras	estudiaremos	beberemos	viviremos
vosotros / vosotras	estudiaréis	beberéis	viviréis
ellos / ellas / ustedes	estudiarán	beberán	vivirán

Condicional	ESTUDIAR	BEBER	VIVIR
yo	estudiaría	bebería	viviría
tú	estudiarías	beberías	vivirías
él / ella / usted	estudiaría	bebería	viviría
nosotros / nosotras	estudiaríamos	beberíamos	viviríamos
vosotros / vosotras	estudiaríais	beberíais	viviríais
ellos / ellas / ustedes	estudiarían	beberían	vivirían

§17 TIEMPOS COMPUESTOS

A los tiempos simples, les corresponden los compuestos, con una forma conjugada del verbo *haber* y el participio del verbo correspondiente.

Pretérito perfecto de indicativo	HABER	ESTUDIAR	BEBER	VIVIR
yo	he			
tú	has			
él / ella / usted	ha	estudiado	bebido	vivido
nosotros / nosotras	hemos			
vosotros / vosotras	habéis			
ellos / ellas / ustedes	han			

Pretérito pluscuamperfecto de indicativo	HABER	ESTUDIAR	BEBER	VIVIR
yo	había			
tú	habías			
él / ella / usted	había	estudiado	bebido	vivido
nosotros / nosotras	habíamos			
vosotros / vosotras	habíais			
ellos / ellas / ustedes	habían			

Pretérito perfecto de subjuntivo	HABER	ESTUDIAR	BEBER	VIVIR
yo	haya			
tú	hayas			
él / ella / usted	haya			
nosotros / nosotras	hayamos	estudiado	bebido	vivido
vosotros / vosotras	hayáis			
ellos / ellas / ustedes	hayan			

Pretérito pluscuamperfecto de subjuntivo	HABER	ESTUDIAR	BEBER	VIVIR
yo	hubiera / hubiese			
tú	hubiera / hubiese			
él / ella / usted	hubiera / hubiese	estudiado	bebido	vivido
nosotros / nosotras	hubiéramos / hubiésemos			
vosotros / vosotras	hubierais / hubieseis			
ellos / ellas / ustedes	hubieran / hubiesen			

Futuro perfecto de indicativo	HABER	ESTUDIAR	BEBER	VIVIR
yo	habré			
tú	habrás			
él / ella / usted	habrá	estudiado	bebido	vivido
nosotros / nosotras	habremos			
vosotros / vosotras	habréis			
ellos / ellas / ustedes	habrán			

Condicional compuesto	HABER	ESTUDIAR	BEBER	VIVIR
yo	habría			
tú	habrías			
él / ella / usted	habría	estudiado	bebido	vivido
nosotros / nosotras	habríamos			
vosotros / vosotras	habríais			
ellos / ellas / ustedes	habrían			

■ LOS VERBOS IRREGULARES (§18-§25)

Los verbos irregulares presentan variaciones en algunas de sus formas de la conjugación. Las formas irregulares se manifiestan sistemáticamente en los tiempos de cada tema. Por eso aquí se presentan agrupando los verbos según sean irregulares en las formas del tema de presente, del tema de pretérito o del tema de futuro. Te será más fácil identificar y recordar las formas afectadas de irregularidad en cada verbo. También tienes que tener presente que los verbos pueden manifestar irregularidades en uno o más temas:

– irregulares en un tema (de presente, como *contar*; de pretérito, como *andar*),

– irregulares en dos temas (de presente y de pretérito, como *dormir*),

– irregulares en tres temas (los verbos irregulares en el tema de futuro, como *poder, decir,* etc., también lo son en formas del presente y del pretérito).

§18 IRREGULARIDAD DEL TEMA DE PRESENTE

Se manifiesta en determinadas formas de los tiempos del tema de presente. Son muy raras las condiciones para el uso de las formas del imperativo señaladas con un asterisco (*).

§19 IRREGULARIDAD (e ⇨ ie)

Verbos que cambian [e] de la raíz por [ie] en algunas formas del **presente**, cuando el acento se manifiesta en esa sílaba de la raíz verbal.

	PENSAR	QUERER
Indicativo		
yo	pienso	quiero
tú	piensas	quieres
él / ella / usted	piensa	quiere
nosotros / nosotras	pensamos	queremos
vosotros / vosotras	pensáis	queréis
ellos / ellas / ustedes	piensan	quieren
Subjuntivo		
yo	piense	quiera
tú	pienses	quieras
él / ella / usted	piense	quiera
nosotros / nosotras	pensemos	queramos
vosotros / vosotras	penséis	queráis
ellos / ellas / ustedes	piensen	quieran
Imperativo		
tú	piensa	quiere*
usted	piense	quiera
vosotros / vosotras	pensad	quered
ustedes	piensen	quieran*

	ENTENDER	PREFERIR
Indicativo		
yo	entiendo	prefiero
tú	entiendes	prefieres
él / ella / usted	entiende	prefiere
nosotros / nosotras	entendemos	preferimos
vosotros / vosotras	entendéis	preferís
ellos / ellas / ustedes	entienden	prefieren

Subjuntivo		
yo	entienda	prefiera
tú	entiendas	prefieras
él / ella / usted	entienda	prefiera
nosotros / nosotras	entendamos	prefiramos
vosotros / vosotras	entendáis	prefiráis
ellos / ellas / ustedes	entiendan	prefiráis

Imperativo		
tú	entiende	prefiere
usted	entienda	prefiera
vosotros / vosotras	entended	preferid
ustedes	entiendan	prefieran

Algunos verbos con la misma irregularidad son: *acertar, apretar, empezar, encender, cerrar, negar, perder,* y otros menos comunes.

§20 IRREGULARIDAD (o / u ⇨ ue)

Manifiestan esta irregularidad los verbos que cambian [o] o [u] de la raíz por [ue] en algunas formas del **presente** cuando el acento de intensidad recae sobre esa sílaba de la raíz.

	VOLVER	PODER	JUGAR
Indicativo			
yo	vuelvo	puedo	juego
tú	vuelves	puedes	juegas
él / ella / usted	vuelve	puede	juega
nosotros / nosotras	volvemos	podemos	jugamos
vosotros / vosotras	volvéis	podéis	jugáis
ellos / ellas / ustedes	vuelven	pueden	juegan

Subjuntivo			
yo	vuelva	pueda	juegue
tú	vuelvas	puedas	juegues
él / ella / usted	vuelva	pueda	juegue
nosotros / nosotras	volvamos	podamos	juguemos
vosotros / vosotras	volváis	podáis	juguéis
ellos / ellas / ustedes	vuelvan	puedan	jueguen

	VOLVER	PODER	JUGAR
Imperativo			
tú	vuelve	puede*	juega
usted	vuelva	pueda*	juegue
vosotros / vosotras	volved	poded*	jugad
ustedes	vuelvan	puedan*	jueguen

Otros verbos con la misma irregularidad: *sonar, acostarse, colgar, volar, doler,* y otros menos comunes.

§21 OTROS VERBOS IRREGULARES EN EL PRESENTE

a) Verbos irregulares en la primera persona del presente. Son verbos de presente de subjuntivo irregular, como la primera persona singular del presente de indicativo, o de una manera especial como el verbo *saber*. El singular del imperativo de *salir, poner* y *hacer* es también irregular.

	SALIR	PONER	HACER
Indicativo			
yo	salgo	pongo	hago
tú	sales	pones	haces
él / ella / usted	sale	pone	hace
nosotros / nosotras	salimos	ponemos	hacemos
vosotros / vosotras	salís	ponéis	hacéis
ellos / ellas / ustedes	salen	ponen	hacen

Subjuntivo			
yo	salga	pongo	haga
tú	salgas	pongas	hagas
él / ella / usted	salga	ponga	haga
nosotros / nosotras	salgamos	pongamos	hagamos
vosotros / vosotras	salgáis	pongáis	hagáis
ellos / ellas / ustedes	salgan	pongan	hagan

Imperativo			
tú	sal	pon	haz
usted	salga	ponga	haga
vosotros / vosotras	salid	poned	haced
ustedes	salgan	pongan	hagan

Como **salir** son *sobresalir, valer* y *equivaler;* como **poner** son *componer, exponer, imponer, oponer, posponer, proponer, reponer* y *suponer;* y como **hacer**, *deshacer, rehacer* y *satisfacer.*

	CAER	TRAER	SABER
Indicativo			
yo	cai**go**	trai**go**	**sé**
tú	caes	traes	sabes
él / ella / usted	cae	trae	sabe
nosotros / nosotras	caemos	traemos	sabemos
vosotros / vosotras	caéis	traéis	sabéis
ellos / ellas / ustedes	caen	traen	saben
Subjuntivo			
yo	cai**ga**	trai**ga**	se**pa**
tú	cai**ga**s	trai**ga**s	se**pa**s
él / ella / usted	cai**ga**	trai**ga**	se**pa**
nosotros / nosotras	cai**ga**mos	trai**ga**mos	se**pa**mos
vosotros / vosotras	cai**gá**is	trai**gá**is	se**pá**is
ellos / as / ustedes	cai**ga**n	trai**ga**n	se**pa**n
Imperativo			
tú	cae	trae	sabe
usted	cai**ga**	trai**ga**	se**pa**
vosotros / vosotras	caed	traed	sabed
ustedes	cai**ga**n	trai**ga**n	se**pa**n

Como **caer** es *recaer*; como **traer** son *atraer* y *distraer*; y como **saber** es *caber* (*quepo, cabes...; quepa, quepas...*).

	CONDUCIR	AGRADECER	CONSTRUIR *
Indicativo			
yo	condu**zco**	agrade**zco**	constru**yo**
tú	conduces	agradeces	constru**ye**s
él / ella / usted	conduce	agradece	constru**ye**
nosotros / nosotras	conducimos	agradecemos	construimos
vosotros / vosotras	conducís	agradecéis	construís
ellos / ellas / ustedes	conducen	agradecen	constru**ye**n
Subjuntivo			
yo	condu**zca**	agrade**zca**	constru**ya**
tú	condu**zca**s	agrade**zca**s	constru**ya**s
él / ella / usted	condu**zca**	agrade**zca**	constru**ya**
nosotros / nosotras	condu**zca**mos	agrade**zca**mos	constru**ya**mos
vosotros / cosotras	condu**zcá**is	agrade**zcá**is	constru**yá**is
ellos / ellas / ustedes	condu**zca**n	agrade**zca**n	constru**ya**n
Imperativo			
tú	conduce	agradece	constru**ye**
usted	condu**zca**	agrade**zca**	constru**ya**
vosotros / vosotras	conducid	agradeced	construid
ustedes	condu**zca**n	agrade**zca**n	constru**ya**n

*El verbo **construir** se recoge aquí por su apariencia externa, por su pronunciación, pero es **regular**. Se puede ver mejor sabiendo que su raíz acaba en la vocal [i] construi+ir, y que esta vocal se simplifica cuando le sigue otra igual: *construi+ir* ⇨ *construir; construi+ís* ⇨ *construís; construi+imos* ⇨ *construimos;* que esa vocal de la raíz se mantiene, cuando le sigue una consonante: *construi+d* ⇨ *construid;* y que se convierte en la consonante [y] cuando le sigue una vocal distinta: *construi+o* ⇨ *construyo; construi+es* ⇨ *construyes; construi+e* ⇨ *construye; etc.*

Como **conducir** son *deducir, introducir, producir, reducir, relucir, seducir* y *traducir*; como **agradecer** son *parecer, conocer, merecer, nacer* y *reconocer*; y como **construir** son todos los verbos acabados en –uir, como *atribuir, concluir, constituir, disminuir* y *huir*, entre otros.

b) Verbos que reúnen dos irregularidades en el presente. Unos pocos verbos, como *decir* y *tener*, además de la irregularidad del subjuntivo según la primera persona del presente de indicativo, también manifiestan una alteración vocálica (e⇨i, en **decir**) y (e⇨ie, en **tener**) en la segunda y tercera persona del singular y en la tercera persona del plural del presente de indicativo. El verbo *oír* tiene irregular la primera persona del singular del presente; pero las demás formas son regulares, igual que verbos como *construir*, visto antes.

	DECIR	VENIR
Indicativo		
yo	di**go**	ven**go**
tú	d**i**ces	v**ie**nes
él / ella / usted	d**i**ce	v**ie**ne
nosotros / nosotras	decimos	venimos
vosotros / vosotras	decís	venís
ellos / ellas / ustedes	d**i**cen	v**ie**nen
Subjuntivo		
yo	di**ga**	ven**ga**
tú	di**ga**s	ven**ga**s
él / ella / usted	di**ga**	ven**ga**
nosotros / nosotras	di**ga**mos	ven**ga**mos
vosotros / vosotras	di**gá**is	ven**gá**is
ellos / ellas / ustedes	di**ga**n	ven**ga**n
Imperativo		
tú	**di**	**ven**
usted	di**ga**	ven**ga**
vosotros / vosotras	decid	venid
ustedes	di**ga**n	ven**ga**n

Como **decir** son *bendecir, maldecir* y *predecir*, de imperativos regulares: *bendice, predice, maldice*. Como **venir** son *intervenir, prevenir*.

	TENER	OÍR
Indicativo		
yo	ten**go**	oi**go**
tú	t**ie**nes	o**ye**s
él / ella / usted	t**ie**ne	o**ye**
nosotros / nosotras	tenemos	oímos
vosotros / vosotras	tenéis	oís
ellos / ellas / ustedes	t**ie**nen	o**ye**n

		TENER	OÍR
Subjuntivo			
yo		tenga	oiga
tú		tengas	oigas
él / ella / usted		tenga	oiga
nosotros / nosotras		tengamos	oigamos
vosotros / vosotras		tengáis	oigáis
ellos / ellas / ustedes		tengan	oigan
Imperativo			
tú		**ten**	**oye**
usted		tenga	oiga
vosotros / vosotras		tened	oíd
ustedes		tengan	oiga

Como **tener** son *contener, detener, entretener, mantener, obtener, retener* y *sostener*; y como **oír**, *desoír*.

§22 IRREGULARIDADES DEL TEMA DE PRETÉRITO

a) Irregularidad de todas las formas del pretérito. Se acentúan en la raíz en la primera y tercera persona del singular. El pretérito de subjuntivo y algunos gerundios manifiestan la misma irregularidad que la tercera persona del plural.

Pretérito indefinido de indicativo	ANDAR	DECIR	PODER
yo	anduve	dije	pude
tú	anduviste	dijiste	pudiste
él / ella / usted	anduvo	dijo	pudo
nosotros / nosotras	anduvimos	dijimos	pudimos
vosotros / vosotras	anduvisteis	dijisteis	pudisteis
ellos / ellas / ustedes	anduvieron	dijeron	pudieron

Pretérito imperfecto de subjuntivo	ANDAR	DECIR	PODER
yo	anduviera / anduviese	dijera / dijese	pudiera / pudiese
tú	anduvieras / anduvieses	dijeras / dijeses	pudieras / pudieses
él / ella / usted	anduviera / anduviese	dijera / dijese	pudiera / pudiese
nosotros / nosotras	anduviéramos / anduviésemos	dijéramos / dijésemos	pudiéramos / pudiésemos
vosotros / vosotras	anduvierais / anduvieseis	dijerais / dijeseis	pudierais / pudieseis
ellos / ellas / ustedes	anduvieran / anduviesen	dijeran / dijesen	pudieran / pudiesen
Gerundio	andando	diciendo	pudiendo

Pretérito indefinido de indicativo	PONER	QUERER	SABER
yo	puse	quise	supe
tú	pusiste	quisiste	supiste
él / ella / usted	puso	quiso	supo
nosotros / nosotras	pusimos	quisimos	supimos
vosotros / vosotras	pusisteis	quisisteis	supisteis
ellos / ellas / ustedes	pusieron	quisieron	supieron

Pretérito imperfecto de subjuntivo	PONER	QUERER	SABER
yo	pusiera / pusiese	quisiera / quisiese	supiera / supiese
tú	pusieras / pusieses	quisieras / quisieses	supieras / supieses
él / ella / usted	pusiera / pusiese	quisiera / quisiese	supiera / supiese
nosotros / nosotras	pusiéramos / pusiésemos	quisiéramos / quisiésemos	supiéramos / supiésemos
vosotros / vosotras	pusierais / pusieseis	quisierais / quiseseis	supierais / supieseis
ellos / ellas / ustedes	pusieran / pusiesen	quisieran / quisiesen	supieran / supiesen

Pretérito indefinido de indicativo	DAR	HACER	CABER
yo	di	hice	cupe
tú	diste	hiciste	cupiste
él / ella / usted	dio	hizo	cupo
nosotros / nosotras	dimos	hicimos	cupimos
vosotros / vosotras	disteis	hicisteis	cupisteis
ellos / ellas / ustedes	dieron	hicieron	cupieron

Pretérito imperfecto de subjuntivo	DAR	HACER	CABER
yo	diera / diese	hiciera / hiciese	cupiera / cupiese
tú	dieras / dieses	hicieras / hicieses	cupieras / cupieses
él / ella / usted	diera / diese	hiciera / hiciese	cupiera / cupiese
nosotros / nosotras	diéramos / diésemos	hiciéramos / hiciésemos	cupiéramos / cupiésemos
vosotros / vosotras	dierais / dieseis	hicierais / hicieseis	cupierais / cupieseis
ellos / ellas / ustedes	dieran / diesen	hicieran / hiciesen	cupieran / cupiesen
Gerundio	dando	haciendo	cabiendo

Pretérito indefinido	TRAER	VENIR	TENER
yo	traje	vine	tuve
tú	trajiste	viniste	tuviste
él / ella / usted	trajo	vino	tuvo
nosotros / nosotras	trajimos	vinimos	tuvimos
vosotros / vosotras	trajimos	vinimos	tuvimos
ellos / ellas / ustedes	trajisteis	vinisteis	tuvisteis

Pretérito imperfecto de subjuntivo	TRAER	VENIR	TENER
yo	trajera trajese	viniera viniese	tuviera tuviese
tú	trajeras trajeses	vinieras vinieses	tuvieras tuvieseis
él / ella / usted	trajera trajese	viniera viniese	tuviera tuviese
nosotros / nosotras	trajéramos trajésemos	viniéramos viniésemos	tuviéramos tuviésemos
vosotros / vosotras	trajerais trajeseis	vinierais vinieseis	tuvierais tuvieseis
ellos / ellas / ustedes	trajeran trajesen	vinieran viniesen	tuvieran tuviesen
Gerundio	trayendo	viniendo	teniendo

b) **Irregularidad de las terceras personas del pretérito**. Se manifiesta en las formas de terceras personas, del **pretérito indefinido** y en todas las personas del pretérito de subjuntivo y gerundio.

Pretérito indefinido	PEDIR	SERVIR	REIR
yo	pedí	serví	reí
tú	pediste	serviste	reiste
él / ella / usted	pidió	sirvió	rió
nosotros / nosotras	pedimos	servimos	reimos
vosotros / vosotras	pedisteis	servisteis	reisteis
ellos / ellas / ustedes	pidieron	sirvieron	rieron

Pretérito imperfecto de subjuntivo	PEDIR	SERVIR	REIR
yo	pidiera pidiese	sirviera sirviese	riera riese
tú	pidieras pidieses	sirvieras sirvieses	rieras rieses
él / ella / usted	pidiera pidiese	sirviera sirviese	riera riese
nosotros / nosotras	pidiéramos pidiésemos	sirviéramos sirviésemos	riéramos riésemos
vosotros / vosotras	pidierais pidieseis	sirvierais sirvieseis	rierais rieseis
ellos / ellas / ustedes	pididieran pidiesen	sirvieran sirviesen	rieran riesen
Gerundio	pidiendo	sirviendo	riendo

Pretérito indefinido de indicativo	SENTIR	DORMIR
yo	sentí	dormí
tú	sentiste	dormiste
él / ella / usted	sintió	durmió
nosotros / nosotras	sentimos	dormimos
vosotros / vosotras	sentisteis	dormisteis
ellos / ellas / ustedes	sintieron	durmieron

Pretérito imperfecto de subjuntivo	SENTIR	DORMIR
yo	sintiera sintiese	durmiera durmiese
tú	sintieras sintieses	durmieras durmieses
él / ella / usted	sintiera sintiese	durmiera durmiese
nosotros / nosotras	sintiéramos sintiésemos	durmiéramos durmiésemos
vosotros / vosotras	sintierais sintieseis	durmierais durmieseis
ellos / ellas / ustedes	sintieran sintiesen	durmieran durmiesen
Gerundio	sintiendo	durmiendo

§23 IRREGULARIDAD MIXTA EN EL TEMA DE PRESENTE

En los verbos del cuadro siguiente, a la irregularidad de presente (e⇒i, e⇒ie, o⇒ue, cuando el acento de intensidad recae sobre esa sílaba de la raíz) se le añade la de las terceras personas del pretérito (e⇒i, o⇒u) en la primera y segunda personas del plural del presente de subjuntivo.

Presente de indicativo	PEDIR	PREFERIR	DORMIR
yo	pido	prefiero	duermo
tú	pides	prefieres	duermes
él / ella / usted	pide	prefiere	duerme
nosotros / nosotras	pedimos	preferimos	dormimos
vosotros / vosotras	pedís	preferís	dormís
ellos / ellas / ustedes	piden	prefieren	duermen

Presente de subjuntivo

yo	pida	prefiera	duerma
tú	pidas	prefieras	duermas
él / ella / usted	pida	prefiera	duerma
nosotros / nosotras	pidamos	prefiramos	durmamos
vosotros / vosotras	pidáis	prefiráis	durmáis
ellos / ellas / ustedes	pidan	prefieran	duerman

Imperativo	PEDIR	PREFERIR	DORMIR
tú	pide	prefiere	duerme
usted	pida	prefiera	duerma
vosotros / vosotras	pedid	preferid	dormid
ustedes	pidan	prefieran	duerman

De la misma irregularidad que **pedir** son *reír, seguir, repetir, servir, vestir* y otros menos comunes. Como **preferir** son *adherir, advertir, arrepentirse, consentir, convertir, divertir, herir, hervir, invertir, mentir, sentir, sugerir* y otros derivados de éstos, o menos comunes. Como **dormir** es *morir*.

§24 IRREGULARIDAD DEL TEMA DE FUTURO

Algunos verbos de uso muy común manifiestan diferentes irregularidades en las formas del tema de futuro, futuro simple y condicional, tal como se aprecia en el cuadro: se borra algo (**e ⇨ Ø, i ⇨ Ø, c ⇨ Ø, ci ⇨ Ø**), aparece algo (**Ø ⇨ d**), o cambia algo (**e ⇨ i**).

	CABER	QUERER
Modelo de irregularidad	e ⇨ Ø	e ⇨ Ø
Futuro simple		
yo	cabré	querré
tú	cabrás	querrás
él / ella / usted	cabrá	querrán
nosotros / nosotras	cabremos	querremos
vosotros / vosotras	cabréis	querréis
ellos / ellas / ustedes	cabrán	querrán
Condicional simple		
yo	cabría	querría
tú	cabrías	querrías
él / ella / usted	cabría	querría
nosotros / nosotras	cabríamos	querríamos
vosotros / vosotras	cabríais	querríais
ellos / ellas / ustedes	cabrían	querrían

	PONER	HACER	DECIR
Modelo de irregularidad	e ⇨ Ø + Ø ⇨ d	e ⇨ Ø + c ⇨ Ø	ci ⇨ Ø + e ⇨ i
Futuro simple			
yo	pondré	haré	diré
tú	pondrás	harás	dirás
él / ella / usted	pondrá	hará	dirá
nosotros / nosotras	pondremos	haremos	diremos
vosotros / vosotras	pondréis	haréis	diréis
ellos / ellas / ustedes	pondrán	harán	dirán

	PONER	HACER	DECIR
Modelo de irregularidad	e ⇨ Ø + Ø ⇨ d	e ⇨ Ø + c ⇨ Ø	ci ⇨ Ø + e ⇨ i
Condicional			
yo	pondría	haría	diría
tú	pondrías	harías	dirías
él / ella / usted	pondría	harían	diría
nosotros / nosotras	pondríamos	haríamos	diríamos
vosotros / vosotras	pondríais	haríais	diríais
ellos / ellas / ustedes	pondrían	harían	dirían

Tienen la misma irregularidad que **caber**, en las formas de futuro, los verbos *querer* (que recogemos en el cuadro por su pronunciación distinta a la que resulta en los otros verbos de esta clase) *haber, saber* y *poder*.

Tienen la misma irregularidad que **poner**, en las formas de futuro, los verbos *tener* y *valer*. En *salir* y *venir* hay una diferencia: (**i ⇨ Ø + Ø ⇨ d**).

No hay otros verbos como *hacer, decir*, con la misma irregularidad en las formas de futuro.

§25 VERBOS IR, SER, ESTAR, Y PARTICIPIOS ESPECIALES DE ALGUNOS VERBOS

Irregularidad especial de los verbos *ir, ser* y *estar*, que son especialmente irregulares.

Presente de indicativo	IR	SER	ESTAR
yo	voy	soy	estoy
tú	vas	eres	estás
él / ella / usted	va	es	está
nosotros / nosotras	vamos	somos	estamos
vosotros / vosotras	vais	sois	estáis
ellos / ellas / ustedes	van	son	están
Presente de subjuntivo			
yo	vaya	sea	esté
tú	vayas	seas	estés
él / ella / usted	vaya	sea	esté
nosotros / nosotras	vayamos	seamos	estemos
vosotros / vosotras	vayáis	seáis	estéis
ellos / ellas / ustedes	vayan	sean	estén
Imperativo			
tú	ve	sé	está
usted	vaya	sea	esté
vosotros / vosotras	id	sed	estad
ustedes	vayan	sean	están

Pretérito indefinido	IR	SER	ESTAR
yo	fui	fui	estuve
tú	fuiste	fuiste	estuviste
él / ella / usted	fue	fue	estuvo
nosotros / nosotras	fuimos	fuimos	estuvimos
vosotros / vosotras	fuisteis	fuisteis	estuvisteis
ellos / ellas / ustedes	fueron	fueron	estuvieron

Pretérito imperfecto	IR	SER	ESTAR
yo	iba	era	estaba
tú	ibas	eras	estabas
él / ella / usted	iba	era	estaba
nosotros / nosotras	íbamos	éramos	estábamos
vosotros / vosotras	ibais	erais	estabais
ellos / ellas / ustedes	iban	eran	estaban

Pretérito imperfecto de subjuntivo	IR	SER	ESTAR
yo	fuera / fuese	fuera / fuese	estuviera / estuviese
tú	fueras / fueses	fueras / fueses	estuvieras / estuvieses
él / ella / usted	fuera / fuese	fuera / fuese	estuviera / estuviese
nosotros / nosotras	fuéramos / fuésemos	fuéramos / fuésemos	estuviéramos / estuviésemos
vosotros / vosotras	fuerais / fueseis	fuerais / fueseis	estuvierais / estivieseis
ellos / ellas / ustedes	fueran / fuesen	fueran / fuesen	estuvieran / estuviesen

Algunos verbos tienen una forma particular en el participio.

Personas	VOLVER	ESCRIBIR
yo	he **vuelto**	he **escrito**
tú	has **vuelto**	has **escrito**
él / ella / usted	ha **vuelto**	ha **escrito**
nosotros / nosotras	hemos **vuelto**	hemos **escrito**
vosotros / vosotras	habéis **vuelto**	habéis **escrito**
ellos / ellas / ustedes	han **vuelto**	han **escrito**

Los participios irregulares más comunes de este tipo son: *visto* (ver), **puesto** (poner), **dicho** (decir), **hecho** (hacer), **abierto** (abrir), **descubierto** (descubrir), **muerto** (morir).

■ REFERENCIAS TEMPORALES (§26-§29)

La lengua dispone de diferentes elementos, de distintos procedimientos y marcas para situar lo dicho en el tiempo:

en un momento determinado o en distintos momentos sucesivos. A continuación, te ofrecemos para que lo recuerdes las diferentes formas más usadas de que dispone el español para especificar el tiempo o el momento en que ocurre lo que se dice en el enunciado.

§26 UN MOMENTO PARTICULAR

Para hacer referencia a un momento particular disponemos de los procedimientos y marcas que te presentamos según las distintas clases de momentos, con los matices particulares siguientes:

1. Un momento concreto:
— cuando:
> *Cuando el jefe de ventas termina su exposición, toma la palabra el de producción.*
> *Escuchaban música clásica cuando comían.*
— a la hora de [infinitivo]:
> *Dijeron que vendrían a la hora de comer.*
— a primera hora de:
> *Te llamaré a primera hora de la mañana.*
— a última hora de:
> *Te llamaré a última hora de la tarde.*
— a partir de :
> *A partir del lunes empieza a trabajar el nuevo jefe de personal.*
— en cuanto:
> *En cuanto el jefe de ventas termina su exposición, toma la palabra el de producción.*
— una vez que:
> *Una vez que ha hablado el director de producción, interviene el jefe de personal.*
— al + [Infinitivo]:
> *Al salir me di cuenta de que llovía.*

2. Un momento imprevisto:
— de repente:
> *De repente, Juan se ha puesto muy nervioso.*
— de pronto:
> *De pronto, el coche empezó a hacer un ruido, y se estropeó.*

3. Una hora aproximada:
— a eso de + [hora]:
> *Saldré del trabajo a eso de las dos.*

4. Un momento inminente:
— [estar] a punto de [infinitivo]:
> *¡Qué casualidad que hayas llamado! Estaba a punto de llamarte yo.*

*Estabamos **a punto de comer**, cuando llegó María.*

5. Un momento del futuro que puede llegar de forma repentina:
— cualquier día:
> **Cualquier día** compro un ordenador más potente.

— de un momento a otro:
> *El técnico llegará **de un momento a otro**.*

6. Un momento futuro, lo más breve posible:
— cuanto antes + [subjuntivo]:
> **Cuanto antes esté** arreglado el televisor, mejor.

7. Un momento provisional que puede cambiar:
— de momento:
> **De momento** no he tenido ningún problema con el teléfono.

— hasta ahora:
> **Hasta ahora** no he tenido ningún problema con el teléfono.

8. Un periodo de tiempo:
— en + [cantidad de tiempo]:
> *Estará terminado **en tres horas**.*
> *Llegaremos **en un instante**.*
> *Arreglaron el ordenador **en un cuarto de hora**.*

§27 MOMENTOS RELACIONADOS

Para hacer especificar momentos relacionados disponemos de los procedimientos y marcas que te presentamos según las distintas relaciones entre ellos: simultáneos, sucesivos (anterior > posterior) y reiterados:

1. Un momento simultáneo con otro:
— cuando:
> **Cuando** el director toma la palabra, los consejeros escuchan.

— mientras:
> **Mientras** el consejo discute, nosotros tomamos notas.

— a medida que:
> *Juan va hablando **a medida que** se proyectan imágenes en la pantalla.*

— no [verbo en presente / pasado)] + hasta que / mientras (no)+ [verbo indicativo]:
> **No se soluciona** el problema **mientras no descubren** una nueva fuente de energía.
> **No se quitan** el abrigo **mientras pasean** por la calle.
> **No se quitan** el abrigo **hasta que llegan** a casa.

— [verbo en futuro]+ hasta que / mientras (no) + [verbo subjuntivo]:

*Estudiarán en Barcelona **hasta que se licencien**.*
*Estudiarán en Barcelona **mientras no se licencien**.*
No se solucionará el problema **hasta que descubran** la causa de alergia.
No se solucionará el problema **mientras no descubran** la causa de alergia.

2. Un momento anterior a otro:
— antes de + [nombre / infinitivo]:
> *Llegaremos a casa **antes de la noche**.*
> *Exponíamos nuestro punto de vista **antes de tomar** una decisión.*

— antes de que + [subjuntivo]:
> *Exponíamos nuestro punto de vista **antes de que** el consejo de dirección **tomara** una decisión.*

— cuando + [subjuntivo]:
> *Dijeron que saldrían de casa **cuando comieran**.*
> **Cuando coman** irán a la playa.

3. Un momento inmediatamente posterior a otro:
— seguidamente:
> *La reunión finaliza. **Seguidamente**, la secretaria redacta el informe.*

— a continuación:
> *La reunión finaliza. **A continuación**, la secretaria redacta el informe.*

— y después:
> *La reunión finaliza **y después** la secretaria redacta un informe.*

— tras:
> **Tras** la reunión, la secretaria redacta un informe.

4. Momentos reiterados habituales:
— [soler] + [infinitivo]:
> *Por la mañana **suelo ir** en metro al trabajo.*

— generalmente:
> **Generalmente** voy a trabajar a pie.

5. Momento habitual y simultáneo con otro:
— cuando:
> **Cuando** llama por teléfono a su madre, está media hora hablando.

— siempre que:
> **Siempre que** llama por teléfono a su madre está media hora hablando.

— cada vez que:
> **Cada vez que** llueve tenemos goteras.

6. Momento reiterado con alguna frecuencia:
— a menudo:
> **A menudo** me pregunto si ésta es la vida que me gustaría tener.

— a veces:

> *A veces* doy un paseo después de cenar.

— día sí, día no / frecuentemente / con (adverbio) frecuencia:

> En esta ciudad llueve *frecuentemente* / *día sí, día no*.
> En esta ciudad llueve *con (mucha) frecuencia*.

— cada + [tiempo]:

> *Cada día* / *mes* / *año* llueve más en esta región.
> *Cada año* van al pueblo de vacaciones.

— cada + [número + cantidad de tiempo]:

> *Cada dos días* vienen a limpiar la casa.

— de vez en cuando:

> *De vez en cuando* vamos al teatro.

— en ocasiones / ocasionalmente:

> *En ocasiones* hace mucho frío en Madrid.

7. Momento reiterado con poca frecuencia:

— raramente:

> *Raramente* ha nevado aquí.

— apenas:

> Ya sé que es muy bueno, pero *apenas* como pescado.

— algunas veces / algún día:

> *Algún día* tomo una copa después de comer.
> *Algunas veces* tomo una copa después de comer.

— raras veces:

> *Raras veces* salgo después de cenar.

§28 PROCESOS O CAMBIOS

La expresión de procesos y cambios de las personas y cosas hace referencia al discurrir del tiempo y se puede manifestar con diferentes matices:

1. Mediante una perífrasis que informa simplemente del desarrollo de un proceso:

— ir + [gerundio]:

> Pon aquí encima los papeles y yo los *voy corrigiendo*.

2. Con otra perífrasis, que informa de una transformación después de un largo proceso:

— llegar a + [infinitivo]:

> Empezó de administrativo y ha trabajado mucho hasta *llegar a ser* director de ventas.

3. Se puede informar de una transformación rápida, que referido a personas, pueden manifestarse procesos de duración más bien cortos con esta estructura:

— poner(se) + [adjetivo]:

> Enrique *se pone nervioso* con los problemas difíciles.
> El sol *pone amarillas* las hojas del árbol.

Los problemas difíciles *ponen nervioso* a Enrique.
Las hojas del árbol se *ponen amarillas* con el sol.

4. Con *volverse* se expresan transformaciones rápidas pero con efectos más permanentes:

> Desde que está en la empresa *se ha vuelto* muy responsable.

5. Con *hacerse* se expresa un cambio decidido por la persona o como resultado propio del proceso:

> *Se ha hecho* rico trabajando en la construcción.
> *Se ha hecho* famoso escribiendo libros de viajes.

6. Algunos verbos permiten informar de una transformación radical:

— convertirse EN + [sust.]:

> Era una casa, pero *se ha convertido en* un hotel.

— transformarse EN:

> Era una casa, pero *se ha transformado en* un hotel.

7. Con *darse cuenta (de)* se indica el proceso de comprender algo o reconocer la existencia de algo:

> En cuanto escuché los gritos *me di cuenta de* que algo iba mal.

8. Con *producirse* se puede hablar de un cambio que tiene lugar:

> El año pasado *se produjo* un aumento de las empresas dirigidas por mujeres.

9. En fin, se pueden recordar algunos verbos que indican un proceso: envejecer (hacerse viejo) engordar (ponerse más gordo) adelgazar (ponerse más delgado) crecer (hacerse mayor) endurecer (ponerse más duro) enfriar (ponerse más frío) ablandar (ponerse más blando) empeorar (poner peor):

> Desde que tiene este trabajo con tanta responsabilidad *ha envejecido* bastante.
> En un mes *he engordado* tres quilos.
> Esta empresa *ha crecido* mucho últimamente.
> A Marisa le gustaría *adelgazar* un poco.
> Este pan se *endurece* en un día.
> Toma la sopa antes de que se *enfríe*.
> Puedes mojar la masa para *ablandarla* un poco.
> La salud del abuelo *empeora* en invierno.

§29 SUCESIÓN DE ELEMENTOS

Para ordenar un texto o una manifestación oral, como propuesta de intenciones expresivas o como cierre final, disponemos de una serie de marcas, destacadas a continuación, que pueden alternar, para evitar la reiteración, con los mismos valores que conviene recordar:

1. Al principio del texto o la intervención oral: propuesta de intenciones expresivas, con formas verbales o perífrasis de sentido futuro:

— *Primero* / *En primer lugar* / *Para empezar* / *Ante todo* voy a referirme a...

— *Segundo* / *En segundo lugar* / *Después* / *A continuación* voy a tratar / explicar / referirme a / examinar / desarrollar el tema siguiente:

— *Tercero* / *En tercer lugar* / *Después* / *Luego* trataré / explicaré / me referiré a / examinaré / desarrollaré los argumentos que se oponen a...

— *Seguidamente* / *Después* / *Luego* / *A continuación* / *Más adelante* voy a exponer / tratar / explicar / referirme a / examinar / desarrollar los argumentos que apoyan / sustentan...

— *Por último* / *Finalmente* / *Por fin* / *En último* lugar / *Para terminar* / *Para concluir* veremos / voy a dejar claro / se entenderá que...

2. Al final del texto o la intervención oral: propuesta de recordatorio a modo de resumen de lo dicho, con formas y perífrasis verbales de sentido pasado:

— *Primero* / *En primer lugar* / *Para empezar* / *Ante todo* me he referido a...

— *Segundo* / *En segundo lugar* / *Después* / *A continuación* traté / expliqué / me referí a / examiné / desarrollé el

tema siguiente:

— *Tercero* / *En tercer lugar* / *Después* / *Luego* se trataron / se explicaron / se hizo referencia a / se examinaron / se desarrollaron los argumentos que se oponen a...

— *Seguidamente* / *Después* / *Luego* / *A continuación* / *Más adelante* hemos tratado / hemos explicado / nos hemos referido a / hemos examinado / hemos desarrollado los argumentos que apoyan / sustentan...

— *Por último* / *Finalmente* / *Por fin* / *En último lugar* / *Para terminar* / *Para concluir* vemos / dejamos claro / se entiende que...

Evidentemente, el texto puede tener menos elementos, pero no conviene que tenga más para facilitar la comprensión y retención del lector o del oyente.

■ USOS FUNDAMENTALES DE *SER* Y *ESTAR* (§30)

§30 USOS FUNDAMENTALES DE *SER* Y *ESTAR*

Éstas son algunas condiciones de uso más frecuentes de los verbos *ser* y *estar*.

Con SER se expresa	Con ESTAR se expresa

1. Cualidades esenciales
• Nacionalidad, procedencia o grupo
   El padre de Juan es chileno.
   Prueba estos dulces. Son de mi pueblo.
   María es ecologista
• Materia
   La camisa es de algodón.
• Profesión
   Mi hermano es mecánico.
   María es enfermera.
• Cualidad propuesta como permanente
   Esta película es divertidísima.
   Han construido una casa inteligente, es increíble.
   Carlos es muy antipático.
   María es alta
   Begoña es rubia.
   La bandera es azul y blanca.
   La casa de José es muy grande.
   Este vino es dulce.
	1. Cualidades circunstanciales
	• Disposición, actitud, opinión, intención
	   Los alumnos están a favor de la huelga.
	   Estoy seguro de vino María.
	   Estoy por irme a dar un paseo.
	• Cargo o función
	   María está de jefe de personal.
	• Actividad u ocupación
	   Juan está de mecánico.
	• Apreciación del hablante
	   Carlos está antipático.
	   María está alta.
	• Sensación
	   La comida está muy buena.
	   El agua está muy fría.
	   Este vino está dulce.
	• Situación temporal
	   Marina está embarazada.
	   Carlos está enfermo.
	   Estamos de fiesta.
	   Estamos en fiestas.

Apéndice gramatical

Con SER se expresa	Con ESTAR se expresa
2. Definiciones y caracterizaciones *El español **es** la tercera lengua más hablada en el mundo.* *Juan **es** el tercero por la derecha.* *La Tierra **es** una esfera.*	**2. Localización y postura** *Granada **está** en el sur de España.* *Su casa **está** a la derecha de la calle.* *Juan **está** aquí, está de pie.* *__Estamos__ en verano y hace calor.*
3. Precio fijo *¿Cuánto **es** la comida?* *¿A cómo **es** la langosta?* *Los plátanos **son** a 2 euros.*	**3. Precio temporal** *¿A cuánto **están** los plátanos?* *¿A cómo **está** la langosta?* *Los plátanos **están** a 2 euros.*
4. Fecha y hora *¿Qué hora **es** ahora?* *¿Qué día **es** el martes?* *__Es__ mediodía: **son** las 12.* *__Es__ invierno y hace frío.*	**4. Fecha y temperatura** *¿A cuántos **estamos** hoy?* *__Estamos__ a 20 de julio.* *__Estamos__ en 2002.* *El agua **está** a 22° centígrados.*
5. Lugar y momento de un evento *La conferencia **es** en la sala 18.* *El partido de fútbol **fue** el martes.* *Mañana **es** fiesta en Madrid*	**5. Situación de una acción** *La película **está** divertida.* *El ordenador **está** en marcha.* *El pájaro **está** muerto.*

■ MODALIDAD DEL ENUNCIADO (§31-§36)

La lengua dispone de distintos procedimientos para manifestar en el enunciado las distintas actitudes y consideraciones (suposición, obligación prohibición, esperanza, duda, etc.) del hablante respecto de lo que dice. A continuación te presentamos algunas de esas consideraciones más frecuentes y las distintas formas y procedimientos más comunes para expresarlas.

§31 SUPOSICIONES O HIPÓTESIS

1. Para expresar suposiciones o hipótesis se emplean las formas y estructuras siguientes más comunes:

— es (muy) probable que + [subjuntivo] + (todavía / ya):
> **Es (muy) probable que no haya venido (todavía).**
> **Es (muy) probable que sepan (ya)** dónde se celebra la reunión.

— posiblemente + [subjuntivo] + (todavía / ya):
> **Posiblemente no haya venido.**
> **Posiblemente haya venido ya.**
> **Posiblemente sepan (ya)** dónde se celebra la reunión.

— no creo que + [subjuntivo] + (todavía):
> No corras. **No creo que haya venido todavía.**

— puede que + [subjuntivo]:
> **Puede que pase** esta tarde por tu casa.

— es posible que + [subjuntivo]:
> **Es posible que haya visto** a alguien conocido y se retrase.

— [futuro]:
> Todavía no ha llegado. **Estará** trabajando.

— [futuro compuesto]:
> Todavía no ha llegado. Se **habrá parado** con alguien.

— [condicional]:
> ¿Llegó tarde a casa? **Saldría** tarde del trabajo.

2. Para manifestar una suposición antes de preguntarse por las consecuencias de una situación hipotética:

— ¿y si...?:
> **¿Y si** dice que no? ¿Qué le digo entonces?

— pongamos que + [indicativo / subjuntivo]:
> **Pongamos que** no **vienen.** ¿Qué haríamos?
> **Pongamos que venga / viniese.** ¿Qué haríamos?

— supongamos que + [indicativo / subjuntivo]:
> **Supongamos que** no **encontramos** habitación. ¿Dónde iríamos?
> **Supongamos que** no **acabaran** pronto.

— imaginemos que + [indicativo / subjuntivo]:
> **Imaginemos que tienes** razón. ¿Cómo lo solucionamos?
> **Imaginemos que tuvieras** razón. ¿Cómo lo solucionaríamos?

3. Para introducir suposiciones que el hablante considera muy posibles:
— debe de + [infinitivo]:
Debe de estar en casa.
— tiene que + [infinitivo]:
No sé dónde está. Tiene que estar en casa.
— seguramente:
Seguramente llegaremos a las nueve de la noche.
— con toda seguridad:
Con toda seguridad llegaremos a las nueve de la noche.

§32 OBLIGACIÓN

Para expresar distintos tipos de obligación personal o impersonal, se emplean las formas y estructuras siguientes más comunes.

1. Obligación personal, dirigida a alguien en concreto:
— [haber] de + [infinitivo]:
Siéntate. Has de esperar en esta sala.
— [deber] + [infinitivo]:
Debes tener un poco más de paciencia.

2. Obligación impersonal, general, dirigida a cualquiera:
— hay que + [infinitivo]:
Hay que ducharse antes de entrar en la piscina.
— es necesario + [infinitivo]:
Es necesario llevar el pasaporte.

§33 PROHIBICIÓN

Para expresar prohibiciones de diferentes clases se emplean las formas y estructuras siguientes más comunes.

1. Prohibición dirigida a alguien en concreto, sin imposición:
— no debes + [infinitivo]:
No debes hablar así a la gente mayor.

2. Prohibiciones generales, aplicables a cualquiera:
— te prohíbo + que + [subjuntivo]:
Te prohíbo que hables con la boca llena de comida.
— no debes + [infinitivo]:
No debes hablar con la boca llena de comida.

3. Prohibiciones impersonales, aplicables a cualquiera:
— está prohibido + [infinitivo]:
Está prohibido fumar aquí dentro.
— no está permitido + [infinitivo]:
No está permitido sacar fotos con flash.

4. Prohibiciones de carteles en lugares públicos:
— no + [infinitivo]:
No aparcar.
No fumar en esta sala.
— prohibido + [infinitivo]:
Prohibido aparcar.
Prohibido fumar en esta sala.

§34 ESPERANZA Y DESEO

Para expresar la esperanza de que ocurra algo se emplean las formas y estructuras siguientes más comunes.
— ojalá + [subjuntivo]:
Ojalá todo haya ido bien.
— [esperar] + que + [subjuntivo]:
Espero que no haya ningún problema.
Espero que recibas pronto esta postal.
— a ver si + [indicativo]:
A ver si todo sale bien.
A ver si recibes pronto esta postal.

§35 DUDA O RESERVA

Para manifestar duda, extrañeza o reserva sobre lo que se dice, se emplean los procedimientos siguientes más comunes.

1. Estructuras que manifiestasn duda o extrañeza:
— [dudar] + que + [subjuntivo]:
Dudo que sea útil.
— no + [estar] + seguro + de que + [subjuntivo]:
No estoy seguro de que lleguemos a tiempo a la reunión.
— no + [estar] + seguro + de [infinitivo]:
No estoy muy seguro de llegar a tiempo a la reunión.
— no + [estar] + seguro + de [nombre de acción]:
No estoy muy seguro de la llegada de Juan a la reunión.
— [me/te/le... extraña / extrañó...] + que + [subjuntivo]:
Le extraña que diga eso delante de Carlos.
Me extrañó que dijera eso delante de Carlos.

2. Respuestas o réplicas elípticas que manifiestan dudas del hablante sobre la intervención anterior:
💬 *Si vamos a las diez de la mañana no encontraremos cola.*
💬 *No estoy muy seguro.*

💬 *Vamos por la autopista y en dos horas estamos allí.*
💬 *Sí, puede ser.*

💬 *Con trescientos euros tendremos más que suficiente.*
  💬 **No sé, no sé.**

§36 VALORACIÓN

Para manifestar la consideración o valoración del hablante sobre algo se emplean las formas y estructuras siguientes más comunes:

— Me/Te/Le/Nos/Os + parece + [nombre] / [adjetivo] / [adverbio] + [infinitivo]:

  Le parece una tontería copiar *a mano todo el texto.*
  Me parece fantástico ir *a cenar al Sinsal.*
  ¿A ti **te parece bien salir** *de noche?*

— Me/Te/Le/Nos/Os + parece + [nombre] / [adjetivo] / [adverbio] + que + [subjuntivo]:

  Me parece una buena idea que te vistas *así.*
  Le parece fantástico que vayáis *a cenar al Sinsal.*
  ¿ **Os parece bien que** *los chicos* **salgan** *de noche?*

— (No) Es [adjetivo] / [nombre] + [infinitivo]:

  A los dieciocho años **es una barbaridad salir** *hasta las tantas de la noche con los amigos.*

— (No) Es [adjetivo] / [nombre] + que [subjuntivo]:

  Mira hijo, **no es normal que salgas** *hasta tan tarde.*

— (No) Está bien / mal + que [subjuntivo]:

  No está bien que hables *así.*

— No creo que + [presente de subjuntivo]:

  No creo que llame *Martín. A estas horas está trabajando.*

— No creo que + [perfecto de subjuntivo]:

  No creo que *Héctor* **haya roto** *el cristal. Es un buen chico.*

■ IMPERSONALIDAD (§37-§40)

Hay distintas formas de evitar una referencia específica o de hacer referencias indeterminadas con algunos usos de *se* o de elementos indefinidos. La construcción pasiva permite posponer o eliminar la mención del agente, la causa o el instrumento del evento.

§37 *SE DE INVOLUNTARIEDAD*

Se emplea la forma *se* para poner de relieve o destacar el objeto de la acción y sugerir que un suceso ha sido accidental y que el hablante no ha sido el causante o no ha intervenido en el proceso:

💬 *¿Qué ha pasado con el jarrón?*
  💬 *Nada.* **Se** *me ha caído y* **se** *ha roto.*

💬 *¿Por qué no aparece el texto en el ordenador?*
  💬 *He apretado esta tecla y* **se** *ha borrado todo.*

§38 *UNO, UNA, CUALQUIERA*

Las formas *uno* y *una* se pueden usar cuando una persona quiere hablar de sí misma, pero presentando la información como algo general, sin una mención específica de sí mismo. *Uno* se refiere a una persona masculina y *una* a una persona femenina. La forma *cualquiera* alude a una persona indeterminada masculina o femenina:

  Si **uno** *no tiene cuidado, puede meterse en problemas.*
  Cuando **uno** *lee con atención el periódico, descubre frases llenas de ingenio.*
  Los hombres son violentos a veces. **Una** *no sabe qué hacer en estos casos.*
  Cualquiera *sabe qué puede pasar cuando se va la luz.*

§39 AGRUPACIONES DE INDEFINIDOS

La presencia del adverbio *más* a continuación de alguno de los pronombres indefinidos siguientes introduce un sentido de cantidad o consideración cuantitativa:

— nadie más:

  ¿No ha llamado **nadie más***?*

— nada más:

  No sé **nada más** *del accidente de tráfico.*

— poco más:

  Casi no sé nada. **Poco más** *te puedo explicar.*

— alguno más:

  Mira a ver si encuentras **alguno más***.*

— alguien más:

  No sé si ha venido **alguien más***.*

— bastante más:

  Tienes que trabajar **bastante más** *de lo que haces.*

— mucho más:

  Espera, que tengo **mucho más** *que contarte.*

En algunos casos, también se emplea el adverbio *más* a continuación de los adjetivos indefinidos en concordancia con el nombre, con el mismo sentido de cantidad o consideración cuantitativa:

— algun(o)/a(s) + nombre + más:

  Mira a ver si encuentras **algunos libros más** *en la estantería.*
  Mira a ver si encuentras **algún libro más** *en la estantería.*

— poco/a(s) + nombre + más // poco/a(s) + más + nombre:

> Casi no sé nada. **Pocas cosas más** te puedo explicar.
> Casi no sé nada. **Pocas más cosas** te puedo explicar.

— mucho/a(s) + nombre + más // mucho/a(s) + más + nombre:

> Ven a mi casa, tengo **muchos discos más** y te puedo dejar alguno.
> Ven a mi casa, tengo **muchos más discos** y te puedo dejar alguno.
> Espera, que tengo **muchas cosas más** que contarte.
> Espera, que tengo **muchas más cosas** que contarte.

— bastante(s) + nombre + más // bastante(s) + más + nombre:

> Tienes que leer **bastantes libros más** de los que lees.
> Tienes que leer **bastantes más libros** de los que lees.

También se consigue un efecto parecido con la presencia de otro(s) a continuación de alguno de los pronombres o adjetivos (cuando se menciona un nombre) indefinidos siguientes:

— ningún otro + (nombre):

> He comprado este vestido. No he encontrado **ningún otro** que me guste.
> No he encontrado **ningún otro modelo** que me guste.

— algún otro + (nombre):

> ¿Te gusta este libro? Vamos a mirar a ver si encontramos **algún otro**.
> ¿Te interesa este libro? Vamos a buscar **algún otro libro** sobre el tema.

— muchos/as otros/as + (nombre):

> **Muchos otros** quisieran vivir como tú vives.
> También iluminan **muchas otras calles** en las fiestas.

— otros/as muchos/as + (nombre):

> Confórmate con ese trabajo. **Otros muchos** ni siquiera tienen trabajo.
> En las fiestas de San José se iluminan **otras muchas calles** de Valencia.

§40 CONSTRUCCIONES PASIVAS

La estructura pasiva con el verbo *ser* se usa muy poco en la lengua oral. Es más propia de la lengua escrita, especialmente en textos periodísticos y científicos o académicos de argumentación. Es una forma de no manifestar el agente (*muchos turistas*), que no se suele mencionar en estas construcciones, y permite poner el énfasis en el objeto de la acción (*la ciudad, las casas, el coche*), que se coloca al principio de la frase:

— [ser] + [participio] + (por):

> La ciudad **es visitada por** muchos turistas en verano.
> El coche **fue encontrado** a las afueras de la ciudad.
> Las casas **han sido reformadas** para que sean más cómodas.

■ ORACIONES COMPUESTAS (§41-§53)

Las oraciones compuestas están formadas por varias proposiciones reunidas en un enunciado con distintos elementos de enlace que introducen diferentes significados o funciones. Se distingue entre oraciones coordinadas, de proposiciones independientes, con la relación significada por el enlace, y oraciones subordinadas, que desempeñan una función de nombre, adjetivo o circunstancia adverbial de la otra oración.

§41 ORACIONES COORDINADAS

Para expresar una contraposición, restricción o limitación respecto a lo dicho se usa la conjunción *pero*:

> Nací en Valladolid, **pero** vivo en Santander.
> María está atenta en clase, **pero** a veces se distrae.
> A Juan le gusta viajar, **pero** los viajes son caros.
> **No** nací en Santander, **pero** vivo aquí desde hace años.
> María **no** está atenta en clase, **pero** lo entiende todo.
> A Juan **no** le gusta viajar, **pero** lee libros de viajes.

La conjunción *sino* significa oposición respecto de otra oración, que ha de ser negativa:

> **No** nací en Santander, **sino** en Valladolid.
> María **no** estudia matemáticas, **sino** ingeniería.
> A Juan **no** le gusta viajar, **sino** los libros de viajes.

También se puede indicar que dos informaciones nuevas contrastan o se oponen entre sí con otros enlaces como los siguientes:

— en cambio:

> En Barcelona, la vida es muy cara, **en cambio**, en Granada es más barata.

— sin embargo:

> Las calles son estrechas, **sin embargo**, están muy bien iluminadas.

— mientras que:

> A algunas personas les gustan los gatos, **mientras que** otras prefieren los perros.

Apéndice gramatical

§42 ORACIONES SUBORDINADAS SUSTANTIVAS

En los epígrafes siguientes se tratan dos aspectos relevantes de las proposiciones subordinadas sustantivas estudiados en este curso: el que su verbo pueda ir en forma personal de indicativo o subjuntivo, o bien en forma de infinitivo; y el uso de este tipo de proposiciones en el estilo indirecto, con las alteraciones que eso supone respecto a las oraciones correspondientes del estilo directo.

§43 SUSTANTIVAS CON INDICATIVO O SUBJUNTIVO

Tienes que fijarte en que verbos que significan una consideración del hablante (*creer, pensar, considerar*) en uso personal, y determinadas expresiones de sentido impersonal (*está claro, es evidente, es cierto, es verdad,* etc.) se construyen con una proposición afirmativa o negativa en indicativo; mientras que la negación de esos verbos y expresiones manifiesta en subjuntivo la proposición completiva introducida por *que*:

— creo / pienso / considero + que + (no) [indicativo]:

Creo que los jóvenes **tienen** *problemas para encontrar trabajo.*

Creo que los jóvenes **no tienen** *problemas para encontrar trabajo.*

— Estoy seguro de + que + (no) [indicativo]:

Estoy seguro de que la situación **es** *grave.*

— Está claro + que + (no) [indicativo]:

Está claro que la situación **es** *grave.*

— Es evidente / verdad / cierto + que + (no) [indicativo]:

Es evidente que (no) **es** *muy simpático.*

Es cierto que los jóvenes (no) **cambian** *la sociedad.*

Es verdad que (no) les **interesa** *la política.*

— No creo / pienso / considero + que + [subjuntivo]:

No creo que los jóvenes **tengan** *muchos problemas para encontrar trabajo.*

No pienso que **sea** *una buena idea.*

— No estoy seguro de + que + (no) [subjuntivo]:

No estoy seguro de que la situación (**no**) **sea** *grave.*

— No está claro + que + (no) [subjuntivo]:

No está claro que la situación **sea** *grave.*

— No es evidente/ cierto / verdad + que + [subjuntivo]:

No es evidente que **sea** *simpático.*

No es cierto que los jóvenes **cambien** *la sociedad.*

No es verdad que a los jóvenes les **interese** *la política.*

Pero fíjate en que en las frases interrogativas, aunque sean negativas, utilizamos el indicativo:

¿No es evidente que es un buen chico?

¿No crees que es una buena oportunidad?

§44 SUSTANTIVAS CON SUBJUNTIVO O INFINITIVO

En muchas frases con dos verbos, el primero referido a una consideración o actitud del hablante u otro sujeto, y el segundo referido a un evento cualquiera (tal como se puede apreciar en las especificaciones al final de cada frase) cuando el sujeto es el mismo, el segundo verbo va en infinitivo. Cuando los sujetos de los dos verbos son diferentes, el segundo verbo va en subjuntivo. Fíjate en que este verbo va en pasado, cuando el primero va en pasado o condicional. Entre corchetes, en cada oración, se indica el sujeto gramatical de los sucesivos verbos para que puedas apreciar mejor las diferencias.

Espero **ver**te. [yo / yo]

Espero que nos **veamos** *pronto.* [yo / nosotros]

Esperaba que nos **viéramos** *pronto.* [yo / nosotros]

Necesitamos **salir** *a pasear un rato.* [nosotros / nosotros]

Necesitamos que **vengas** *a pasear con nosotros.* [nosotros / tú]

Necesitábamos que **vinieras** *a pasear con nosotros.* [nosotros / tú]

Lamento **llegar** *tarde.* [yo / yo]

Lamento que **llegues** *tarde.* [yo / tú]

Lamenté que **llegaras** *tarde a la reunión.* [yo / tú]

Lamentaría que **llegaras** *tarde a la reunión.* [yo / tú]

María **quiere saberlo**. [María / María]

María **quiere** *que lo* **sepas.** [María / tú]

María **quería / quiso** *que lo* **supieras.** [María / tú]

¿Quieres **ayudarme**? [tú / tú]

¿Quieres que te **ayude**? [tú / yo]

¿Querías que te **ayudara**? [tú / yo]

Me **gustaría terminar** *pronto.* [yo / yo]

Me **gustaría** *que* **termináramos** *pronto.* [yo / nosotros]

§45 ESTILO INDIRECTO

Los verbos *decir, avisar, explicar, informar, comentar, sugerir, insistir en,* y otros menos comunes, sirven para introducir las palabras de otro con el verbo en indicativo:

CARLOS: *El domingo voy de excursión.*

🔊 *Carlos* **dice** *que el domingo* **va** *de excursión.*

🔊 *Carlos* **sugiere** *que el domingo* **va** *de excursión.*

🔊 *Carlos* **insiste** *en que el domingo* **va** *de excursión.*

Los verbos *recomendar, aconsejar, pedir, sugerir, insistir en,* y otros menos comunes, introducen la recomendación de otro hablante con el verbo en subjuntivo. Fíjate en que los verbos *sugerir* e *insistir* van en indicativo si introducen una aseveración, y en subjuntivo si presentan una sugerencia.

CARLOS: *¡El domingo vete de excursión!*
- 🗨 *Carlos* **recomienda** *que el domingo me* **vaya** *de excursión.*
- 🗨 *Carlos* **sugiere** *que el domingo me* **vaya** *de excursión.*
- 🗨 *Carlos* **insiste** *en que el domingo me* **vaya** *de excursión.*

Cuando se dice lo dicho por otra persona, cambian de forma algunos elementos de la frase dicha por esa otra persona. La situación ha cambiado respecto al momento en que se habla y hay que cambiar determinadas formas de la frase original correspondiente del estilo directo. En particular hay que fijarse en especial en estas clases de palabras, que te presentamos y ejemplificamos a continuación.

1. Los pronombres personales: *yo, tú, él, nosotros, vosotros, ellos* ⇨ *me, te, lo, la, le, nos, os, los, las, les*:

CARLOS: *Recuérdale₁ a Julián que me₂ llame a las ocho.*
- 🗨 *Oye, Julián, Carlos me ha pedido que* **te₁** *recuerde que* **le₂** *llames a las ocho.*

2. Los pronombres posesivos: *mi, tu, su, nuestro, vuestro, su,* etc.:

CARLOS: *He leído* **tu** *libro de viajes.*
- 🗨 *Dice Carlos que ha leído* **mi** *libro de viajes.*

3. Los demostrativos: *este, ese, aquel,* etc.:

CARLOS: *Te tienes que leer* **este** *libro.* [Carlos tiene un libro en la mano o cerca de él].
- 🗨 *Ha dicho Carlos que me tengo que leer* **ese** *libro.* [señalas el libro sin tenerlo en la mano]

4. Palabras que significan tiempo: *ayer, hoy, mañana,* etc.:

CARLOS: ***Mañana,*** *viernes, iré a ver a Juan.*
- 🗨 *Dijo Carlos que* **hoy**, *viernes, iría a ver a Juan.*

5. Palabras que significan lugar: *aquí, ahí, allí,* etc.:

CARLOS: *Si buscas por* **allí**, *en el armario, lo encontrarás.*
- 🗨 *Ha dicho Carlos que busques por* **aquí**, *en el armario.*

6. La persona del verbo:

CARLOS: *Dile a Julián que le* **he** *visto.*
- 🗨 *Oye Julián, dice Carlos que te* **ha** *visto.*

7. Verbos relacionados con la perspectiva de la persona: *ir* ⇨ *venir; llevar* ⇨ *traer:*

CARLOS: *Mañana* **iré** *a verte y te* **llevaré** *el libro.*
- 🗨 [Al día siguiente] *Dice Carlos que hoy* **vendrá** *a verme y me* **traerá** *el libro.*

8. Las formas verbales:

También pueden cambiar las formas de modo y tiempo de los verbos de la frase dicha por otra persona. Los cambios dependen fundamentalmente del tiempo presente o pasado de la frase introductoria de la persona que cuenta lo dicho por otro. En los cuadros panorámicos siguientes, se incluyen entre corchetes los sujetos para facilitar la comprensión mejor de las frases. En este primer cuadro puedes ver cómo quedan las frases de estilo indirecto en presente.

Estilo directo	Estilo indirecto	
Lo dicho por [Carlos]	Introducción de [Eva]	Lo dicho por [Carlos]
Indicativo	En presente	Indicativo
Salgo a las 5 de casa.		[Carlos] **sale** a las 5 de casa.
He comido fruta en la cena.		[Carlos] **ha comido** fruta en la cena.
Tenía hambre.		[Carlos] **tenía** hambre.
Fui de excursión el domingo.		[Carlos] **fue** de excursión el domingo.
Viajaré con Juan en el tren.		[Carlos] **viajará** con Juan en el tren.
En tren, **llegaría** cansado.		[Carlos] en tren, **llegaría** cansado.
A estas horas ya **habrá llegado.**	[Eva] **dice** que	[Carlos] a estas horas ya **habría llegado.**
Subjuntivo		Subjuntivo
Quizá **llegue** mañana a las 8.		Quizá [Carlos] **llegue** mañana a las 8.
Ojalá **comiera** más fruta.		Ojalá [Carlos] **comiera** más fruta.
Imperativo		Subjuntivo
Entra y **cierra** la puerta.		[Carlos le manda que] **entre** y **cierre** la puerta.

Estilo directo	Estilo indirecto	
Lo dicho por [Carlos]	Introducción de [Eva]	Lo dicho por [Carlos]
Indicativo	En pasado	Indicativo
Salgo a las 5 de casa.		[Carlos] **sale** a las 5 de casa.
		[Carlos] **salía** a las 5 de casa.
He comido fruta en la cena.		[Carlos] **había comido** fruta en la cena.
Tenía hambre.		[Carlos] **tenía** hambre.
Fui de excursión el domingo.		[Carlos] **fue** de excursión el domingo.
Ya **había salido** de casa.		[Carlos] ya **había salido** de casa.
Viajaré con Juan en el tren.		[Carlos] **viajará** con Juan en el tren.
		[Carlos] **viajaría** con Juan en el tren.
Habré leído unos 5 libros de Galdós.		[Carlos] **habrá leído** unos 5 libros de Galdós.
		[Carlos] **habría leído** unos 5 libros de Galdós.
En tren, **llegaría** cansado.		[Carlos] en tren, llegaría cansado.
A estas horas ya **habrá llegado**.	[Eva] **dijo** que [Eva] **ha dicho** que [Eva] **decía** que	[Carlos] a estas horas ya **habrá llegado**.
		[Carlos] a estas horas ya **habría llegado**.
Subjuntivo		Subjuntivo
Quizá **llegue** a las 8.		Quizá [Carlos] **llegara** a las 8.
Tal vez no **haya visto** la película.		Tal vez [Carlos] no **hubiera visto** la película.
		Tal vez [Carlos] no **habría visto** la película.
Imperativo		Subjuntivo
Entra y **cierra** la puerta.		[Carlos le mandaba / mandó / ha mandado / había mandado que] **entrara** y **cerrara** la puerta.
No **cierres** la ventana.		[Carlos le mandaba / mandó / ha mandado / había mandado que] no **cerrara** la ventana.

En el cuadro anterior puedes ver cómo quedan las frases de estilo indirecto en pasado. Hemos procurado mantener los ejemplos para que puedas comparar las diferencias de modo y tiempo (y persona) entre el estilo directo y el indirecto, y entre el estilo indirecto introducido en presente y en pasado.

§46 SUBORDINADAS ADJETIVAS EN INDICATIVO, SUBJUNTIVO E INFINITIVO

En el uso de las proposiciones adjetivas conviene fijarse en las distintas formas del verbo, en indicativo, subjuntivo o infinitivo y en el sentido y las condiciones que determinan cada forma.

Se usa el indicativo para referirse a personas, objetos, modos o lugares conocidos; y se usa el subjuntivo para referirse a personas, objetos, modos o lugares desconocidos:

*Busco a una persona **que sabe** alemán.*
*Busco a una persona **que sepa** alemán.*
*Hay pocas personas **que tengan** tanta paciencia.*
*Te llamaré desde **donde esté**.*
*Iré **adonde** me **dices**.* [Un lugar conocido del hablante]
*Iré **adonde** me **digas**.* [Un lugar desconocido del hablante]
*Lo haré **como pueda**.*
*Coge **cuanto quieras**.*

También usamos el subjuntivo cuando el antecedente está negado:
*Hay quien **dice** que ésta es la mejor zona de la ciudad.*
*No hay quien **diga** que ésta es la mejor zona de la ciudad.*
*Hay dos personas que **visten** igual.*
*No hay dos personas que **vistan** igual.*

El uso del infinitivo en la proposición subordinada de relativo permite referirse a un sujeto gramatical que puede ser el mismo de la proposición subordinante o cualquier otro:

> Busco un sitio **donde sentarme**. [yo ... yo]
>
> Juan busca una calle **donde abrir** un restaurante. [Juan ... Juan]
>
> Es una buena persona **con quien conversar**. [yo ... cualquiera]
>
> Es una buena idea **por la que luchar**. [yo ... cualquiera]

§47 SUBORDINADAS DE COMPARACIÓN

Éstas son algunas formas para expresar el objeto de la comparación, en proposiciones más o menos reducidas:

— en comparación con:

> **En comparación con** tu ciudad, la vida aquí es más tranquila.

— comparando con:

> **Comparando** con los demás, lo que haces está muy bien.

— a diferencia de:

> **A diferencia de** Sandra, yo nunca he hablado mal de ti.

— frente a

> Las mujeres dedican más tiempo al trabajo del hogar **frente al** que dedican los hombres.

— parecerse a:

> La vida aquí **se parece** bastante a la de tu ciudad.

— es distinto/a a/de:

> La vida aquí **es distinta a/de** la de tu ciudad.

1. Comparaciones de superioridad o inferioridad:
Para manifestar comparaciones de superioridad (*más*) o de inferioridad (*menos*) se emplean las formas y estructuras siguientes más comunes:

— [verbo] + más / menos + ([nombre]) + de + [artículo] + que + [verbo]:

> Gasta **más** dinero **del que** gana.
>
> Trabajo **menos** horas **de las que** trabajaba antes.
>
> Trabaja **menos de lo que** dice.

— es + más / menos + [adjetivo] + de lo que + [verbo]:

> Irene **es más** lista **de lo que** piensas.
>
> **Es menos** peligroso **de lo que** parece.

— es + mejor / peor + de lo que + [verbo]:

> **Es mejor de lo que** pensaba.

— lo + más / menos + [adjetivo] + de:

> Viajar es **lo más** interesante **de** este trabajo.
>
> **Lo más** interesante **de** este trabajo es viajar.

— no + [ser] + tan + [adjetivo] + como:

> **No** es **tan** fácil **como** decías.

— no + [estar] + tan + [adverbio] + como:

> **No** está **tan** cerca **como** pensaba.

— no + [verbo] + tanto/a/os /as + ([nombre]) + como:

> **No** duerme **tanto como** yo.
>
> **No** bebes **tanta** leche **como** decías.
>
> **No** comes **tantos** dulces **como** decías.

Para expresar que una acción influye en otra de forma progresiva, en un sentido (*más > más*) / (*menos > menos*) o bien en sentido alternativo (*más > menos*) / (*menos > más*), se puede usar la estructura siguiente:

— cuanto + más / menos + [verbo], + más / menos + [verbo]:

> **Cuanto más** trabajo, **más** dinero gano.
>
> **Cuanto menos** trabajo, **menos** dinero gano.
>
> **Cuanto más** trabajo, **menos** descanso.
>
> **Cuanto menos** duermo, **más** sueño tengo.

2. Comparaciones de igualdad:
Para manifestar comparaciones de igualdad se emplean las formas y estructuras siguientes más comunes:

— es igual de + [adjetivo] / [adverbio] + que:

> **Es igual de** alto **que** yo.

— tanto como:

> Viajo **tanto como** antes.

— [verbo] + lo mismo que:

> Viajo **lo mismo que** tú.

— igual que:

> Trabajo **igual que** antes.

§48 SUBORDINADAS MODALES

Sirven para expresar el modo en que se hace algo. Se usa con una forma de indicativo para referirse a algo pasado o conocido o habitual. Se usa con una forma de subjuntivo para referirse a algo futuro o desconocido:

— como + [indicativo]:

> Lo haremos **como dice** Juan.
>
> Lo haremos **como diga** Juan.

— según + [subjuntivo]:

> Lo hice **según** me **dijeron** unos amigos.
>
> Lo haré **según** me **digan** los amigos.

Para expresar el modo en que se hace algo de forma negativa se usa la estructura siguiente:

— sin + [infinitivo]:

> Se fueron **sin decir** nada.

§49 ORACIONES FINALES

Indican el propósito de la acción del verbo principal con las formas y estructuras que se ejemplifican a continuación. Aparecen en infinitivo cuando su sujeto gramatical coincide con el de la proposición principal. Se usa el subjuntivo cuando son diferentes los sujetos de cada verbo:

— para / con la intención de / con el propósito de / a fin de + [infinitivo]:

*Los jefes de estado han venido **para negociar**.*

*Los jefes de estado han venido **con la intención de negociar**.*

*Los jefes de estado han venido **con el propósito de negociar**.*

*Los jefes de estado han venido **a fin de negociar**.*

— para / con la intención de / con el propósito de / a fin de + que + [subjuntivo]:

*Los organizadores han preparado la reunión **para que negocien** los jefes de estado.*

*Los organizadores han preparado la reunión **con la intención de que negocien**.*

*Los organizadores han preparado la reunión **con el propósito de que negocien**.*

*Los organizadores han preparado la reunión **a fin de que negocien**.*

§50 ORACIONES CAUSALES

Para expresar la causa (en forma nominal o de proposición verbal) de lo dicho en otra proposición se usan formas y estructuras como las siguientes:

— al + [infinitivo]:

***Al** decir eso, me he acordado de una cosa que tengo que hacer.*

— debido a + [nombre]:

***Debido al** calentamiento del planeta, subirá el nivel del mar.*

— debido a + que + [verbo]:

***Debido a que** se está calentando la atmósfera, subirá el nivel del mar.*

— en vista de + [nombre]:

***En vista de** la escasa afluencia de público, cancelaron el concierto.*

— en vista de + que + [verbo]:

***En vista de que** había muy poca gente, cancelaron el concierto.*

Se presenta así una causa (nominal o verbal) que ha tenido una consecuencia positiva:

— gracias a + [nombre]:

*Tenemos el problema resuelto **gracias a** Jorge.*

— gracias a + que + [verbo]:

*Tenemos el problema resuelto **gracias a que** Jorge ha trabajado mucho.*

Para informar de que la causa ha tenido una consecuencia negativa, se puede hacer así:

— por culpa de:

*Nos hemos retrasado **por culpa de** Javier, que no me ha dicho nada.*

*Nos hemos retrasado **por culpa de** que Javier no me ha dicho nada.*

La causa de algo positivo o negativo se presenta simplemente así:

— por + [infinitivo]:

*Le pusieron una multa **por** saltarse un semáforo.*

§51 ORACIONES DE CONSECUENCIA

Recuerda que ya viste algunos otros procedimientos para expresar consecuencia en el nivel intermedio:

— así es que:

*Las ventas han aumentado. **Así es que** parece que el negocio va bien.*

— de ahí + [nombre]:

*Su padre tenía una tienda de coches. **De ahí** su interés por los coches.*

— de ahí que + [subjuntivo]:

*Su padre tenía una tienda de coches. **De ahí que** le interesen tanto los coches.*

— de modo que:

*Las ventas han aumentado. **De modo que** parece que el negocio va bien.*

— tanto/a tantos/as + [nombre] + que:

*Tenía **tanta** hambre, **que** entré a comer una hamburguesa.*

— tanto + que:

*Comí **tanto**, **que** no cené por la noche.*

— tan + [adjetivo / adverbio] + que:

*El viaje fue **tan** rápido, **que** no me dio tiempo ni a leer el diario.*

— por esta razón:

*Hoy hay huelga de autobuses. **Por esta razón**, el tráfico será horrible.*

— en consecuencia:

*Hoy hay huelga de autobuses. **En consecuencia**, el tráfico será horrible.*

— eso hizo que:

*El mercado se liberalizó y **eso hizo que** numerosas empresas tuvieran que adaptarse al nuevo modelo económico.*

La expresión siguiente permite manifestar la consecuencia de un relato o de un argumento:
— total, que:
> *Yo estaba muy cansado de conducir, Francisco también quería descansar y quedaba poca gasolina. **Total, que** nos quedamos a dormir en el pueblo.*

§52 ORACIONES CONDICIONALES

Expresan una condición, introducida generalmente con la conjunción *si*:
> *Si no tuviera tanto trabajo, iría al cine.*

Expresa una idea o condición improbable o irreal:
— si + [imp. subj.] + [condicional] / [condicional compuesto]:
> *Si **fuera** rico, **iría** a Australia.*
> *Si lo **supiera** te lo **habría dicho**.*
— en caso de que + [subjuntivo]:
> *En caso de que llame, dile que estoy ocupado.*

En muchas ocasiones no se dice la frase completa, sino sólo la primera parte:
> 💬 *¿Vienes con nosotros?*
> 💬 *Si pudiera...*

Para referirse a algo irreal en el pasado:
— si + [plusc. subj.], + [cond. comp.]:
> *Si **hubieras ido** a la fiesta, te **habrías divertido**.*

El hablante impone unas condiciones a una petición con las formas siguientes:
— siempre y cuando:
> *Te presto el disco **siempre y cuando** me lo devuelvas.*
— a condición de que + [subjuntivo]:
> *Te dejé el coche **a condición de que** lo **trataras** bien, y mira cómo lo traes.*
— con (tal de) que:
> *Puedes hacer la fiesta en casa **con tal de que** terminéis antes de las doce.*
— sólo si + [indicativo]:
> *Marisa dice que va a la cena **sólo si va** Irene.*

Las condiciones que serían el último obstáculo para hacer algo se pueden expresar así:
— a no ser que:
> *Te compraré unos guantes **a no ser que** quieras otra cosa.*
— a menos que + [subjuntivo]:

*Vamos al campo, **a menos que ya tengas** otros planes.*
— salvo que:
> *Terminamos la sesión **salvo que** alguien quiera decir algo más.*

Para expresar una condición que si no se produce tendrá consecuencias negativas, normalmente una amenaza o algo que se teme, se usa la estructura siguiente:
— como + [subjuntivo]:
> ***Como** no me **llame**, me voy.*
> ***Como** no **pongas** atención, tendrás un accidente.*

§53 ORACIONES CONCESIVAS

Indican una dificultad para que se realice la acción indicada por el verbo principal. *Aunque* es la palabra más usada para expresar este sentido; pero también se usan otras formas y estructuras con la misma función:
— aunque + [indicativo]:
> ***Aunque sabe** que no tiene razón, no lo aceptará.*
— a pesar de que + [subjuntivo]:
> ***A pesar de que seas** tan joven, tus razonamientos resultan muy maduros.*
— a pesar de + [infinitivo]:
> ***A pesar de no confiar** en él, se lo dijo.*
— pese a [nombre]:
> ***Pese a** los **pronósticos** en contra, ganó.*
— aun + [gerundio]:
> ***Aun siendo** una oferta, yo no lo compraría.*

Después de dar una información con sentido negativo, se usa la estructura siguiente:
— y eso que + [indicativo]:
> *No ha solucionado su problema, **y eso que ha hablado** con mucha gente.*

Se usa el indicativo para referirse a hechos que se sabe que son reales:
> *Aunque **tiene** mucho dinero, no es feliz./ No es feliz aunque tiene mucho dinero.*
> *Aunque **tuvo** mucho dinero, no fue feliz./ No fue feliz aunque tuvo mucho dinero.*

Se usa el subjuntivo para referirse a hechos que no se sabe si son reales, o para quitarles importancia:
> *Aunque (quizás) (tal vez) **tenga** mucho dinero, no será feliz.*
> *(Quizá)(Tal vez) No será feliz aunque **tenga** mucho dinero.*
> *Aunque (quizás) **haya tenido** mucho dinero, no ha sido feliz.*

Apéndice gramatical

*(Quizás) no ha sido feliz aunque **haya tenido** mucho dinero.*

■ LA ENTONACIÓN (§54-§55)

La entonación es la línea melódica con que se pronuncia una frase y constituye un rasgo particular de las lenguas y de los hablantes. Mediante la entonación el hablante manifiesta la intención de su intervención o su estado de ánimo. Así, la frase puede ser, por ejemplo, aseverativa, interrogativa o de exclamación.

La frase puede estar constituida por uno o varios grupos fónicos, que son partes del enunciado comprendidas entre dos pausas o cambios de inflexión.

Como las diferencias significativas de la entonación se manifiestan en la dirección descendente o ascendente de la curva melódica o inflexión, desde la última sílaba tónica hasta el final del grupo fónico, se suele representar mediante distintos símbolos, para indicar la dirección y el grado de descenso o altura de la curva, colocados al final del grupo fónico.

Símbolos de representación de la entonación:

1. Inflexión en cadencia, [⇓]: la entonación desciende al máximo.

2. Inflexión en semicadencia, [↓]: la entonación desciende en menor grado que en la cadencia.

3. Inflexión en anticadencia, [⇑]: la entonación asciende al máximo.

4. Inflexión en semianticadencia, [↑]: la entonación asciende en menor grado que en la anticadencia.

Los distintos tipos de oraciones compuestas y subordinadas tienen un patrón entonativo muy parecido, que puedes apreciar en los ejemplos que puedes encontrar en el cuadro siguiente.

§54 ENTONACIÓN DE LAS ORACIONES COMPUESTAS

Para practicar la entonación de las oraciones fíjate en las indicaciones de los símbolos, lee en voz alta los ejemplos para escucharte y compara con frases parecidas de los audios del nivel.

Oraciones	Entonación del ejemplo
Sustantivas	Es evidente⇑ que (no) es muy simpático.⇓ No es evidente⇑ que (no) sea muy simpático.⇓ Me gustaría⇑ que termináramos pronto.⇓ Sara me ha recomendado⇑ que leas este libro.⇓
Adjetivas especificativas	Busco una persona⇑ que sabe alemán.⇓ Busco una persona⇑ que sepa alemán.⇓ Una persona que sabe alemán⇑ busca a Juan.⇓
Adjetivas explicativas	Busco a Juan,⇓ que sabe alemán.⇓ Una persona,⇑ que habla alemán,↓ pregunta por Juan.⇓
Adversativas	Nací en Valladolid,⇑ pero vivo en Santander.⇓ No nací en Santander,⇑ pero vivo aquí desde hace muchos años.⇓ No nací en Santander⇑ sino en Valladolid.⇓
Comparativas	En comparación con tu ciudad,⇑ la vida aquí es más tranquila.⇓ Trabajo menos horas⇑ de las que trabajaba antes.⇓
Modales	Lo haremos⇑ como dice Juan.⇓ Lo hice⇑ según me dijeron unos amigos.⇓ Lo haré⇑ según me digan los amigos.⇓
Finales	Los jefes de estado⇑ han venido con la intención de negociar.⇓ Los organizadores han preparado la reunión⇑ para que negocien los embajadores.⇓
Causales	Debido a que se está calentando la atmósfera,⇑ subirá el nivel del mar.⇓ Nos hemos retrasado⇑ por culpa de que Javier no me ha dicho nada.⇓
De Consecuencia	Las ventas han aumentado. Así es que parece que el negocio va bien.⇓ El viaje fue tan rápido ⇑ que no me dio tiempo ni a leer el diario.⇓
Condicionales	Si fuera rico,⇑ iría a Australia.⇓ En caso de que llame,⇑ dile que estoy ocupado.⇓ Si hubieras ido a la fiesta,⇑ te habrías divertido.⇓
Concesivas	Aunque sepa que no tiene razón,⇑ no lo aceptará.⇓ Juan se ha casado con Paloma⇑ a pesar de que todavía es muy joven.⇓ No lo aceptará⇑ aunque sepa que no tiene razón.⇓ A pesar de que Juan todavía es muy joven,⇑ se ha casado Paloma.⇓

Enumeraciones		
Entonación	Colocación	Ejemplos
[antes ↑... ↓,.... ↓, ... ⇑ y.... ⇓]	-Enumeración en posición final del enunciado	En las casas del pueblo ↑ había vacas↓, caballos↓, perros pastores⇑ y otros animales domésticos.⇓
[...↓,....↓, y.... ⇑]	-Enumeración en posición NO final del enunciado	Las vacas↓, caballos↓, perros pastores↓ y otros animales domésticos⇑ se criaban en la granja.⇓
[antes ⇑... ↓,....↓, ...⇓]	-Enumeración SIN conjunción en posición final del enunciado	En las casas del pueblo⇑ había vacas↓, caballos↓, perros pastores, ↓ animales domésticos.⇓
[...↓,....↓,....↓, ...⇑]	-Enumeración SIN conjunción en posición NO final del enunciado	Vacas↓, caballos↓, perros pastores,↓ animales domésticos⇑ se criaban en la granja.⇓

§55 ENTONACIÓN DE ENUMERACIONES

Los elementos de las enumeraciones tienen una entonación parecida, generalmente descendente, que varía en el último elemento y en el anterior, según la posición de la enumeración, al principio o al final del enunciado. Lee los ejemplos del cuadro de arriba en voz alta para practicar.

■ LA COMUNICACIÓN Y EL TEXTO (§56-§68)

§56 EXPRESAR JUICIOS Y VALORACIONES

Las opiniones, juicios y valoraciones sobre algo pueden hacerse en indicativo si es algo que proponemos como ocurrido ciertamente; en subjuntivo si es algo de lo que no estamos seguros que ocurriera o es algo futuro, que no ha ocurrido. El infinitivo no hace esas precisiones. Éstos son algunos procedimientos estudiados en el curso:
— lo + [adjetivo] + es + que + [indicativo] / [subjuntivo]:
  Lo importante **es que** dijeron / dijeran que no.
  Lo curioso **es que** ha / haya dicho que está nervioso.
— lo + [adjetivo] + es + [infinitivo]:
  Lo lógico **es** decir que no.
— vale la pena + [infinitivo]:
  Vale la pena ir andando.
— merece la pena que + [subjuntivo]:
  Merece la pena que vayamos andando.

— es + [adjetivo] + que + [subjuntivo]:
  Es raro **que** María llegue tarde.
— [pronombre] + parece + [adjetivo] / [adverbio] + que + [subjuntivo]:
  ¿Te **parece** lógico **que** dijeran / digan **que** tenemos que trabajar el sábado?
  Me **parece** muy bien **que** salieran / salgan de excursión el sábado.

Para dar una opinión personal con prudencia:
— la verdad es que + [indicativo]:
  La verdad es que está enferma y que no sale de casa.
  La verdad es que no conozco a esa chica de nada.

§57 EXPRESAR MIEDO

Para expresar miedo se emplean las formas y estructuras siguientes más comunes:
— me da(n) miedo + [infinitivo] / [nombre]:
  Me da miedo andar sola de noche por este barrio.
  Me dan miedo las noches sin luna.
— me da miedo que + [subjuntivo]:
  Me da miedo que me den una mala noticia.
— tengo miedo de que + [subjuntivo]:
  Tengo miedo de que algo vaya mal.
— ¡qué miedo me da(n) + [nombre]!:
  ¡Qué miedo me da el niño solo en esta tienda!
  ¡Qué miedo me dan los niños solos en esta tienda!
— ¡qué miedo me da que + [subjuntivo]!:
  ¡Qué miedo me da que los niños anden solos a estas horas!

Apéndice gramatical

§58 PEDIR PERMISO

Para pedir permiso a un interlocutor para hacer algo se emplean las formas y estructuras siguientes más comunes.

— ¿me permite / me deja / podría + [infinitivo]?:

*¿**Me permite** pasar?, ¿**Me deja** pasar?, ¿**Podría** usar tu teléfono?*

— ¿te importaría + [infinitivo]?:

*¿**Te importaría** dejarme pasar?*

— ¿te molesta + que + [subjuntivo]?:

*¿**Te molesta que** ponga la música?*

— ¿te importa + que + [subjuntivo]?:

*¿**Te importa que** me lleve este disco?*

§59 CONCEDER PERMISO CON CONDICIONES

Para conceder permiso condicionado se emplean las formas y estructuras que se aprecian en los destacados de las réplicas en estos diálogos:

💬 *Este disco es buenísimo. ¿Me lo prestas?*
💬 *Puedes llevártelo **siempre y cuando** te **acuerdes** de traerlo el viernes.*

💬 *Necesito tu coche urgentemente. ¿Me lo podrías dejar?*
💬 *Puedes usarlo **a condición de que** lo **trates** bien.*

💬 *¿Puedo ir a la cena?*
💬 *Puedes ir **sólo si** va tu hermano contigo.*

§60 EXPRESAR RESIGNACIÓN

Para manifestar resignación ante algo que ha ocurrido, se emplean las formas y estructuras siguientes más comunes:

— ¡qué + le voy / vas/ vamos/ vais + a hacer!:

*Lleva cuatro días lloviendo. ¡**Qué le vamos a hacer**!*
*¡**Qué le vamos a hacer**! Lleva cuatro días lloviendo.*

— ¡qué + se le va + a hacer!:

*¡**Qué se le va a hacer**!, si lleva cuatro días lloviendo.*
*Si lleva cuatro días lloviendo, ¡**qué se le va a hacer**!*

§61 CONTINUAR OTRAS INTERVENCIONES

Para continuar una intervención anterior se usan distintas formas y procedimientos, como los que se señalan a continuación:

1. Expresando la idea con otras palabras:

es decir,

2. Con ejemplos:

por poner un ejemplo,

3. Con argumentos:

y no podemos olvidar que
y también conviene destacar que
yo diría además que

§62 INDICAR RESULTADOS DE UNA INFORMACIÓN

1. Para manifestar el resultado de una acción previa (nominal: *expansión, pesca, incendio*; o verbal: *ha sido, ha crecido*) se pueden usar verbos como los siguientes: *provocar, ocasionar, quedar, acabar, terminar, dejar*, etc.

*La expansión de un alga **ha provocado** la migración de especies autóctonas.*
*La pesca intensiva **ha ocasionado** la desaparición de varias especies.*
*Después del incendio, la montaña **ha quedado** muy erosionada.*
*El lago **ha acabado** sin vida por la falta de lluvias.*
*La solución del problema **ha sido** muy difícil y hemos terminado agotados.*
*La industria ha crecido enormemente y **ha dejado** la tierra muy contaminada.*

2. Estas perífrasis indican simplemente el resultado de una acción previa:

— terminar de + [infinitivo]:

*El conferenciante **ha terminado de** hablar.*

— terminar + [gerundio]:

*Discutieron mucho, pero **terminaron encontrando** una solución.*

— llegar a + [infinitivo]:

*La intensa actividad industrial **ha llegado a** calentar peligrosamente el planeta.*

— acabar de + [infinitivo]:

*Las predicciones catastrofistas sobre el futuro del planeta no **acaban de** concienciar a los responsables.*
*No sé nada porque **acabo de** llegar. El conferenciante ha terminado y **acaba de** salir.*

— acabar por + [infinitivo]:

*El uso de sistemas de aire acondicionado y de calefacción **ha acabado por** disminuir la capa de ozono.*

3. Para informar de que se obtiene un resultado tras un esfuerzo o una intención deliberada, se pueden usar verbos como *lograr, conseguir, acabar con,* en las siguientes estructuras:

— lograr / conseguir / acabar con + [nombre]:

Los ecologistas **han logrado** *la paralización de la construcción de la central nuclear.*

La protección de las ballenas **ha conseguido** *el crecimiento del número de ejemplares.*

La lluvia ácida **ha acabado con** *los bosques.*

— lograr / conseguir + que + [subjuntivo]:

Los ecologistas **han logrado que** *se paralice la construcción de la central nuclear.*

La protección de las ballenas **ha conseguido que** *crezca el número de ejemplares.*

4. Para informar de la cantidad de tiempo, esfuerzo y dedicación necesarios para conseguir algo tenemos la construcción siguiente:

— [faltar] + para:

Todavía **falta** *mucho trabajo* **para** *que el río esté totalmente limpio.*

5. También se añade información indicando resultados cuando se manifiesta la duración de un acontecimiento mientras dura otro, o bien que no termina hasta que termine el otro. Usa las estructuras que te recordamos aquí:

— [verbo (presente o pasado)]+ hasta que / mientras (no)+ [verbo en indicativo]:

No se **solucionó hasta que** *descubrieron una nueva fuente de energía.*

No se **soluciona hasta que** *descubren una nueva fuente de energía.*

No se **solucionó mientras (no) descubrieron** *una nueva fuente de energía.*

No se **soluciona mientras (no) descubrian** *una nueva fuente de energía.*

— [verbo (presente o pasado)]+ cuando / después de que + [Indicativo (presente o pasado)]:

Se **solucionó cuando descubrieron** *una nueva fuente de energía.*

Se **soluciona cuando descubren** *una nueva fuente de energía.*

Se **solucionó después de que descubrieron** *una nueva fuente de energía.*

Se **soluciona después de que descubren** *una nueva fuente de energía.*

— [verbo (futuro)]+ hasta que / mientras (no)+ [subjuntivo]:

Estudiarán *en Barcelona* **hasta que** *se licencien.*

Estudiarán *en Barcelona* **mientras no** *se licencien.*

No se **solucionará** *el problema* **hasta que** *descubran la alergia.*

No se **solucionará** *el problema* **mientras no descubran** *la alergia.*

— [verbo en futuro]+ cuando / después de que + [subjuntivo]:

Se **solucionará cuando descubran** *una nueva fuente de energía.*

Se **habrá solucionado cuando hayan descubierto** *una nueva fuente de energía.*

Se **solucionará después de que descubran** *una nueva fuente de energía.*

Se **habrá solucionado después de que hayan descubierto** *una nueva fuente de energía.*

§63 RECORDAR UN TEMA O INSISTIR EN ALGO TRATADO

A veces, al hablar, se recuerda o se insiste en temas ya tratados, o bien se introducen temas nuevos. Para centrar la intervención e indicar un tema, distinto o no, al que se está tratando, para advertir al interlocutor de que la intervención se va a referir a algo en particular, nuevo o no, se puede hacer con estas palabras:

— por cierto:

No sé si me presentaré al concurso. **Por cierto**, *¿tú te vas a presentar?*

— a propósito (de):

No sé si me presentaré al concurso. **A propósito**, *¿tú te vas a presentar?*

Todavía no he terminado el cuento. **A propósito de** *los cuentos, ¿tú cómo llevas el tuyo?*

— hablando de:

Todavía no he terminado el cuento. **Hablando de** *los cuentos, ¿tú cómo llevas el tuyo?*

— cambiando de tema:

Al final discutí con Pedro. **Cambiando de tema**, *¿qué harás mañana por la noche?*

§64 ACLARAR ALGÚN ASPECTO DE LA CONVERSACIÓN

Para aclarar algún aspecto de la conversación, se expresa con otras palabras o con un resumen algo que se acaba de decir para clarificarlo:

💬 *Ahora hay muy pocas personas que puedan hacer esto.*

💬 **Si no me equivoco, lo que quieres decir es** *que lo tengo que hacer yo.*

💬 **Es decir, que** *lo tengo que hacer yo.*

Apéndice gramatical

💬 *He hecho todo lo que he podido, pero tengo que volver a la oficina.*

> 💬 **No sé si te he entendido bien. Quieres decir que** *no lo has solucionado.*

> 💬 **O sea, que** *no lo has solucionado.*

> 💬 **Entonces**, *no lo has solucionado.*

💬 **Yo había entendido que** *haríamos fiesta el lunes.*

> 💬 *Quizá no me he explicado bien, pero yo no he dicho eso.*

Para pedir una aclaración se usa la expresión siguiente con proposición subordinada con *si* o un pronombre interrogativo cualquiera:

— no me queda claro si:

> **No me queda claro si** *vas a ir.*
> **No me queda claro si** *quieres el libro.*
> **No me queda claro si** *quieres que nos reunamos.*
> **No me queda claro si** *quieres ir en tren o en avión.*

— no me queda claro + [frase interrogativa indirecta]:

> **No me queda claro qué** *quieres decir.*
> **No me queda claro cuál** *es el libro que prefieres.*
> **No me queda claro dónde** *quieres que nos reunamos.*
> **No me queda claro cuándo** *quieres que nos reunamos.*
> **No me queda claro cómo** *quieres ir: en tren o en avión.*

§65 EL INCISO

El inciso permite hacer una intervención para interrumpir o replicar al interlocutor mediante cualquiera de los procedimientos siguientes:

1. Interrumpir a una persona con un inciso:

> **Sólo quería aclarar / añadir / decir** *una cosa, que este éxito es el resultado del trabajo de todos.*
> **Perdona que te interrumpa.** *Yo quiero decir que en este proyecto han trabajado muchas personas.*
> **Perdona que te interrumpa, pero yo** *no tengo nada que ver con ese asunto.*

2. Replicar intervenciones ajenas:

> **Con respecto a eso, yo quería decir que** *no tengo nada que ver con ese asunto.*
> **En cuanto a los fallos, yo** *no tengo nada que ver.*
> **Mira, si me permites, quiero dejar claro que yo** *no tengo nada que ver con ese asunto.*
> **No he dicho que** *sea tu responsabilidad,* **sino que** *hay que solucionarlo.*

§66 ORDENACIÓN DE LOS ELEMENTOS DEL TEXTO

Para ordenar los elementos de un texto más o menos largo tienes que recordar las formas siguientes, que permiten encadenar y poner de manifiesto la secuencia de ideas.

> al principio / en primer lugar
> ⇩
> luego
> ⇩
> antes / previamente
> ⇩
> después
> ⇩
> a continuación / en adelante
> ⇩
> por último / finalmente

A continuación puedes apreciar su uso en los dos ejemplos que siguen:

1. **¿Cómo preparar un viaje en moto?** Si quieres hacer un viaje en moto te recomendamos que sigas los pasos siguientes: **En primer lugar** comprueba el estado de la moto: las ruedas, la suspensión, los frenos, etc. **Luego**, planifica el itinerario que vas a seguir, las paradas que realizarás y el tipo de terreno con que te vas a encontrar. **Antes** de salir deberás comprobar las previsiones meteorológicas; si se espera mal tiempo pospón el viaje, más vale prevenir que curar. **A continuación**, y si estás decidido a iniciar la marcha, equípate como es debido: guantes, casco y protecciones. **Por último**, no tomes bebidas alcohólicas ni comidas pesadas antes del viaje; pueden darte sueño. Buen viaje.

2. **El deportista de elite, un trabajo en equipo.** **En primer lugar**, todo deportista sabe que su éxito no depende sólo de él: es el fruto de un trabajo en equipo. **Previamente**, claro está, ha de sentirse atraído por algún tipo de actividad deportiva y ha de destacar en ella por encima de sus compañeros. **Luego**, alguien ha de apreciar sus condiciones excepcionales y **después** debe ayudarle a prosperar. **A continuación** debe entrenar sin descanso para conseguir desarrollar al máximo sus aptitudes; **en adelante** la capacidad de sacrificio personal será su virtud más importante. **Finalmente**, el buen deportista debe encontrar un equipo humano que le ayude a mantenerse en la elite y a compensar sus debilidades. Como vemos, el deportista de elite nace y se hace.

§67 LA DESCRIPCIÓN

La descripción es un tipo de texto muy común que se refiere a una persona u objeto y permite al interlocutor o lector que se pueda hacer una representación o idea de esa persona u objeto por las características, condiciones o rasgos que lo hacen distinto de cualquier otro de su entorno y que permiten identificarlo. A continuación te señalamos, a título orientativo, los distintos elementos a los que se puede referir la descripción de una persona u objeto. Has de tener presente que este género de expresión escrita puede ser necesario en cualquier otro tipo de texto, y que es un formato muy útil en muy variados ejercicios y tareas para fomentar la expresión oral:

— La descripción suele comenzar así:

Es una persona / **un** objeto / **una** máquina / **un** aparato que...

— Se refiere a la forma:

Tiene forma circular / cuadrada / de hélice...

Es cuadrado / redondo / alargado / plano / helicoidal...

— Se refiere a las partes que componen el objeto:

Tiene tres puertas.

Un ordenador **con** sistema operativo instalado y con...

— Se refiere a la utilidad o a los usos para los que sirve el objeto. Sirve para / se usa para + [infinitivo]:

Sirve para secar la ropa.

Se usa para guardar los disquetes...

— Manifiesta determinadas cualidades que se especifican:

Es rígido / flexible / frágil / resistente / duro / blando...

— Indica un tamaño que se especifica:

Mide [X] de ancho / de largo / de alto...

Es del tamaño de un tambor / de un armario / de una caja...

— Presenta el material de que está hecho el objeto:

es de / **está hecho de** / **suele ser de** metal / madera / plástico...

— Compara el objeto de la descripción con otras personas u objetos semejantes:

Es como una especie de:

Es como una especie de libro / caja / sobre...

Se parece a:

Se parece a un animal / una bicicleta...

§68 ABREVIATURAS CORRIENTES

En los libros, escritos, carteles y rótulos te puedes encontrar con algunas palabras abreviadas, es decir, escritas sólo con algunas letras. Tienes que fijarte bien y conocerlas o aprender las más frecuentes en los textos españoles que sueles leer. Aquí te presentamos algunas de las más comunes, pero recuerda que los diccionarios y muchos libros suelen incluir una lista de las abreviaturas que utilizan para que las consultes en tu lectura.

Abreviatura	Significado
a. de C.	Antes de Cristo
admón.	Administración
apdo.	Apartado
cent. / cts.	Céntimo(s)
cf. / cfr.	Cónfer (compárese / véase)
cta.	Cuenta
d. de C.	Después de Cristo
D. P.	Distrito postal
depto. / dpto.	Departamento
desct.⁰ / dto.	Descuento
Dir. / Dir.ᵃ	Dirección / director / directora

Abreviatura	Significado
ed.	Edición / editor
fdo.	Firmado
id.	Ídem (el mismo / lo mismo)
NIF	Número de identificación fiscal
p. / pp.	Página(s)
pl. / plza. / pza.	Plaza
ppal. / pral.	Principal [piso de una casa]
s/n	Sin número
s. / sig.	Siguiente
s. / ss.	Siglo
S. / Sto. / Sta	San / santo / santa

transcripciones de los audios

Transcripciones de los audios

BLOQUEUNO1

lecciónuno1
JUVENTUD, DIVINO TESORO

1.1

LOLA: ¿Qué hacéis escondidos detrás de la puerta? ¡Anda! ¿Os estabais besando?

ANDREW: No creo que debamos contestar a esa pregunta.

BEGOÑA: ¿Por qué eres tan romántica?

JULIÁN: No hay quien duerma.

LOLA: Estoy tan cansada de este trabajo…

BEGOÑA: Bueno, chicos, tenemos una noticia importante que daros.

JULIÁN: ¿Cuándo es la boda?

LOLA: ¿Estás embarazada?

BEGOÑA: ¡Sólo nos hemos besado!

LOLA: ¿Ésa es la noticia?

BEGOÑA: Queremos formar nuestra propia compañía de teatro.

JULIÁN: ¿Nosotros?

BEGOÑA: Sí… fijaos en Los Tranquilos. Un grupo de amigos se juntan, sacan un disco y en dos semanas llegan al número uno.

LOLA: Yo ya estoy harta de trabajar de camarera.

BEGOÑA: ¿Y entonces? ¿A qué esperamos para triunfar? ¿No tenemos talento?

ANDREW: Tú, de sobra…

JULIÁN: Cierra la boca, anda.

1.3

PRESENTADOR: Tenemos en nuestro programa a Asunción García y a su hijo, Iván Sánchez García. Asunción dice que su hijo no habla con ella. Asunción, cuéntanos qué pasa.

ASUNCIÓN: Bueno, pues que tengo la impresión de que yo no tengo importancia para él. Mira Iván, en casa no hablas. Sólo tienes en cuenta a tus amigos.

IVÁN: Tal vez estoy equivocado pero el problema es otro. De hecho intento contarte mis problemas pero tú no me entiendes e intentas imponer siempre tus opiniones.

ASUNCIÓN: ¿No te parece normal que tu padre y yo suframos por ti? ¿No ves que hay tantas cosas malas en la calle, que,… que qué sé yo.

IVÁN: Mira, yo eso lo veo un pretexto para que yo no salga por la noche. A mi edad es normal salir, tener amigos, confiar en ellos y divertirse.

ASUNCIÓN: Sí, sí. Si yo esta idea la veo bien. Además, nosotros queremos lo mejor para ti, ya sabes…

IVÁN: Para serte sincero, siempre dices lo mismo: que si tengo que estudiar, que a ver si vuelvo pronto, siempre con pretextos. No me parece bien que estés siempre repitiendo lo mismo.

ASUNCIÓN: Bueno, vamos… ¿A ti te parece conveniente que te deje salir hasta las tantas?

IVÁN: Yo, salir por la noche lo veo normal, algo…

PRESENTADOR: Iván, perdona, si me disculpas, aquí está saliendo otro tema también conflictivo como es el de salir de noche, pero hoy nos ocupa el tema de la comunicación entre las generaciones. A ver, vamos a conocer otra opinión. Vamos a pasar a otra pareja, de padre e hija en este caso, que son…

1.4

ABUELO: La juventud ha cambiado mucho. Ya no es lo mismo, ahora lo tenéis todo y no lucháis por nada.

NIETA: No está tan claro que hayamos cambiado tanto. Lo que ha cambiado es la sociedad en que vivimos. Pero nosotros tenemos los mismos deseos que cuando vosotros erais jóvenes. Rompemos con las generaciones anteriores y no nos conformamos.

ABUELO: No pienso que la sociedad haya cambiado en el fondo. Antes había que luchar por lo mismo que ahora, por el trabajo, por la vivienda y por comer todos los días. Pero ahora, los jóvenes sois más conformistas.

NIETA: No, no, no lo somos. De ninguna manera. Nos parece injusto que los mayores hayan tomado decisiones por nosotros. Hemos cambiado muchas cosas que antes eran incuestionables, la mili, la forma de vestir… Además, yo creo que ahora hay más respeto por la diversidad.

ABUELO: Bueno, bueno, bueno, creo que antes había diversidad. Pero diferente. Porque ahora los chicos llevan el pelo largo y pendientes, o van con el pelo verde y yo que sé qué hacéis, pero ¿es esto diversidad? No, creo que no hay más diversidad.

NIETA: No es verdad eso de que no hay más diversidad. Mira abuelo, pienso que estás anclado en el pasado.

leccióndos2
RITMO LATINO

2.1

JULIÁN: ¿Pero qué clase de pintura es? ¿Un cuadro de Velázquez? ¿Un Picasso?

DIRECTOR: Julián, se trata de usar la imaginación.

LOLA: Pienso que este cuadro abstracto es muy expresionista.

JULIÁN: A mí no me gusta el arte abstracto. Prefiero el arte figurativo.

LOLA: Ya. ¿Y por qué?

JULIÁN: Un dibujo de una sandía, por ejemplo, todo el mundo sabe lo que es. La sandía puede estar bien pintada o no. Pero el arte abstracto… no se entiende.

LOLA: No hay nada que entender. Hay que interpretar. Fíjate en esa mancha, en sus formas suaves… ¿No te recuerda al impresionismo?

JULIÁN: A mí me recuerda una vez que se me cayó un bote de mayonesa en la alfombra.

LOLA: Para ti puede que sólo sea una mancha, pero para mí expresa la angustia de la época en la que vivimos.

JULIÁN: Muy bien, pues te lo regalo. Yo prefiero un cuadro con una sandía.

DIRECTOR: Muy bien, Julián, tu personaje era un experto en arte contemporáneo.

LOLA: Más bien parecía el dueño de una frutería.

JULIÁN: Es que tengo hambre, ahora mismo me comería una raja de sandía.

DIRECTOR: La verdad es que lo habéis hecho muy bien los dos… Os echaré de menos cuando el curso acabe.

2.3

LOCUTORA: Queridos oyentes, bienvenidos un día más a Hispamúsica, vuestro programa preferido de música hispana. Como sabéis, faltan muy pocos días para la celebración de uno de los acontecimientos musicales más importantes del año, donde la música procedente de todos los países del mundo es la protagonista.

Nos referimos a la cuadragésima tercera ceremonia de entrega de los premios Grammy y por eso hoy hemos preparado un programa especial que con toda seguridad os va a encantar. Atención porque a lo largo de la mañana tendremos muchas sorpresas: preguntaremos a los críticos musicales más destacados por sus predicciones sobre los ganadores y también entrevistaremos en directo a los artistas hispanoamericanos y españoles que pueden ser galardonados, que deben de estar muy nerviosos. Muchos de ellos sueñan con llevarse a casa el preciado galardón.

Este año los Grammy podrían ser un gran éxito para nuestros artistas, pero, como sucede en celebraciones de este tipo, hasta el último momento puede haber sorpresas.

Desde hace algunos años, además de las cuatro categorías musicales generales de los Grammy: Mejor grabación del año, Mejor álbum del año, Mejor canción del año y Mejor artista revelación, se han incorporado categorías especiales para la música latina, como el Mejor disco latino pop del año, el Mejor disco latino de música tradicional y tropical, el Mejor disco latino de rock alternativo, el Mejor disco de Merengue, el Mejor disco de Salsa, el Mejor disco mexicano y el Mejor disco tejano.

La ceremonia de entrega de los Grammy de este año se podrá ver en 175 países y se calcula que seguirán el evento millones de personas.

2.4

LOCUTORA: Y ahora queridos oyentes, una de las sorpresas que os anunciábamos al inicio del programa. Tenemos el placer de hablar en directo, vía telefónica, con uno de los posibles ganadores de esta noche. Él está en Los Ángeles y allí ahora mismo son las 11 de la mañana, siete horas menos que en la Península. ¡Buenos días, Eduardo!

EDUARDO: ¡Hola, buenos días!

LOCUTORA: Muchísimas gracias por atender nuestra llamada.

EDUARDO: De nada. Me encanta poder hablar con la gente de mi país en estos momentos.

LOCUTORA: Eduardo, imaginemos que esta noche ganas un *Grammy*.

EDUARDO: Bueno, la verdad es que la nominación ya puedo considerarla un premio. Es un honor para mí estar al lado de personas tan importantes.

LOCUTORA: ¿Y si te ofrecen un contrato multimillonario con alguna compañía discográfica norteamericana? Pongamos que te piden que te quedes a vivir allí.

EDUARDO: De momento prefiero no pensar en esa posibilidad. Hay que ser realista y no soñar demasiado.

LOCUTORA: Muy bien. Ahora supongamos que no ganas. ¿Qué pasaría con tu carrera profesional?

EDUARDO: Bueno, yo diría que mi vida seguirá igual, como hasta ahora. Los premios son importantes, pero lo que yo valoro más es el calor de mi público.

LOCUTORA: Eduardo, te deseamos toda la suerte del mundo. Tranquilo, mañana ya habrá pasado todo y piensa que la gente de tu país te querremos igual, con o sin premio.

EDUARDO: Muchísimas gracias por darme ánimos. Os mando un abrazo muy fuerte a todos desde Los Ángeles. Gracias.

leccióntres3
¡VIVAN LOS NOVIOS!

3.1

BEGOÑA: Espero que cuando seas famosa aún quieras ser mi amiga.

LOLA: Claro.

BEGOÑA: Yo me quejaré de mi aburrida vida de casada, y tú de tu apasionante vida de soltera.

LOLA: ¿Soltera? ¿Por qué soltera?

BEGOÑA: Lo siento pero es… es que no te imagino casada.

LOLA: ¿No?

BEGOÑA: Además tú dices que estás en contra del matrimonio, que es un mal negocio para una mujer, ¿no?

LOLA: La verdad es que nadie me ha pedido que me case con él.

BEGOÑA: Y si vas diciendo esas cosas por ahí no habrá hombre que se atreva.

LOLA: ¿Tú crees?

BEGOÑA: Además, ¿para qué quieres que te lo pidan si no quieres casarte?

LOLA: ¡Para decir que no!

BEGOÑA: ¡Ay! Lolita…

3.3

ANDREW: Begoña me dijo hace dos días que no estaba enamorada de Chema y fíjate.

JULIÁN: Lo que hace un anillo…

ANDREW: Y no se lo quita ni para dormir.

JULIÁN: ¿Y cómo lo sabes?

ANDREW: ¿Y a ti qué te importa?

JULIÁN: Le tendrás que comprar un anillo más caro.

ANDREW: Pero yo no me quiero casar.

JULIÁN: ¿No? Yo tampoco. ¿Qué es el matrimonio frente al amor?

3.4

ROSA: Hola María, ¿de dónde vienes?

MARÍA: Rosa, ¿qué tal? Vengo de las rebajas. No encuentro nada que me quede bien… Creo que estoy un poco más llenita de lo que estaba el año pasado, pero como igual que siempre.

ROSA: Estás muy bien, María, no digas tonterías. Por cierto, ¿has visto últimamente a Pili?

MARÍA: No, la verdad es que no. Yo ya no hablo con ella tanto como antes. ¿Y tú, la has visto?

ROSA: Sí, sí, la he visto y la verdad es que está peor de lo que yo pensaba, pero es normal, cualquiera en su lugar estaría igual. Hay que pensar que sólo tenía a su marido y, claro, desde que se murió se siente muy sola.

MARÍA: Por lo que me cuentas Pili está más afectada de lo que yo creía, y eso que siempre ha sido una mujer muy fuerte, pero, ya se sabe, estas cosas afectan más cuando eres mayor, porque ella es mayor que nosotras, ¿verdad?

ROSA: No, María, que Pili es igual de mayor que tú y que yo.

MARÍA: Ah, sí, tienes razón. De todas formas, lo más duro de esta situación, como te digo, es que no tiene a nadie, sólo a sus vecinas, como nosotras, y claro, tampoco podemos hacer tanto, ¿no?

ROSA: Sí, pero a veces ayudar no es tan fácil como parece, no sabes si es mejor visitarla todos los días o esperar a que ella pida ayuda.

MARÍA: Pili sabe cuidar de sí misma, así que yo, si no pide ayuda, prefiero no insistir.

BLOQUEDOS2

leccióncuatro4
CÓMO NOS RELACIONAMOS

4.1

LOLA: Hay que encargar el cava para la fiesta de Nochevieja y no sé cuántas botellas…

JULIÁN: ¿200? ¿2.000? Oye, ¿cómo llegaron los tres Reyes Magos al portal de Belén?

LOLA: Les guió una estrella.

JULIÁN: Pero de noche… y en camello. Yo habría ido en caballo.

ANDREW: Voy a hacerme rico, chicos.

LOLA: ¿Adónde vas con todo ese turrón?

ANDREW: Es para mis padres, para que lo vendan en Los Ángeles. No entiendo cómo no se le ha ocurrido antes a nadie.

LOLA: Yo quiero acciones de ese negocio, a ver Andrew, ¿quién te dio tu primer trozo de turrón?

ANDREW: Eso no te da derecho a hacerte rica.

LOLA: ¿Ah, no?

JULIÁN: No. Además el turrón fue introducido en España por los árabes hace siglos.

4.3

INMA: Tenemos una suma importante de dinero y tenemos que decidir para qué vamos a utilizarla. Hay varias posibilidades. En primer lugar, se podría destinar a la creación de una escuela de agricultura en Colombia. Después, también se puede utilizar para formar a más enfermeras y enfermeros para los hospitales rurales de México. Finalmente, podríamos invertirlo en una escuela en El Salvador. Tenemos que decidir qué es más urgente.

MAITE: Bueno, la última vez invertimos en una escuela en Colombia. Lo que se podría hacer es intentar repartir ahora el dinero entre México y El Salvador; de este modo sería más equitativo.

ENRIQUE: Estoy convencido de que esto sería más equitativo, pero seamos realistas. No disponemos de tanto dinero como para realizar dos proyectos como esos. Tenemos que centrarnos en uno y creo que la zona más necesitada es Colombia.

INMA: Sí, pero como ha dicho Maite, la última ayuda ya la destinamos a esa zona. Es más, las tres últimas veces hemos trabajado allí.

ENRIQUE: Ya lo sé, lo que pasa es que, aun así, su situación es peor que la de los otros lugares.

MAITE: No hace falta que nos repitas eso en cada reunión. Ya lo sabemos. Pero sigo pensando que hay que ser más equitativos. Los otros países tampoco están muy bien y aceptarían la oferta de buena gana.

Transcripciones de los audios

INMA: Yo también lo veo así. Sin embargo, tengo la impresión de que Enrique tiene razón en dedicarnos exclusivamente a una zona, porque, de este modo, podríamos desarrollar el proyecto de forma más completa.

MAITE: Está bien, en cuanto decidamos cual será el lugar elegido, podremos ponernos manos a la obra.

4.4

LAURA: Vamos a jugar a una cosa. Tenemos que crear un país absurdo entre todos.

JAIME: Vale, empiezo. A ver, es un país que está en medio de un mar muy tranquilo.

BEATRIZ: Sí. Además tiene una cultura propia porque no fue colonizado por ninguna otra civilización.

LAURA: Exacto. Es diferente al resto de países de la humanidad. Para que no surjan nuevas enfermedades no tienen ningún contacto con otros países.

BEATRIZ: No están muy avanzados, pero poseen el secreto de la invisibilidad. Sí, fue descubierto por una joven mezclando algunas plantas.

JAIME: Sin embargo tienen algunos problemas internos. Existen dos grupos de ciudadanos que viven separados. Unos al Norte y otros al Sur. Los del Norte fueron expulsados de los territorios del Sur porque tenían un rasgo físico diferenciador: tenían la nariz torcida hacia la izquierda en vez de hacia la derecha.

LAURA: Los del Sur los han echado para que no desaparezcan los rasgos característicos de su comunidad.

BEATRIZ: Y los del Norte, para vengarse, han construido un muro que separa el país en dos con la intención de que los del Sur no puedan pasar. Y lo han hecho invisible para que no sepan exactamente dónde está y se den de narices contra el muro.

JAIME: Pero a los del Sur no les va muy bien. En cambio, a los del Norte, sí. Tienen una sociedad más moderna y justa. Son más tolerantes.

LAURA: Ahora los del Sur quieren entrar en contacto con los del Norte para hacer alianzas y cooperar en proyectos que mejoren su situación.

BEATRIZ: Los del Norte han dicho que para que esto se haga realidad van a abrir sus puertas para que la gente se mueva libremente.

JAIME: Al final parece que los sureños accederán porque no les queda más remedio.

leccióncinco5
¡MAÑANA ES FIESTA!

5.1

BEGOÑA: *Yo solo con mi amor desconocido,*
sin corazón, sin llantos
hacia el techo imposible de los cielos
con un gran sol por báculo…

DIRECTOR: Has estado sublime.

BEGOÑA: ¿De veras?

DIRECTOR: García Lorca siempre me emociona.

BEGOÑA: Sí, y a mí. Estamos pensando montar un espectáculo con textos de sus obras.

DIRECTOR: Es una idea genial.

BEGOÑA: Bueno, fue idea de Lola.

DIRECTOR: Qué bien os lo pasáis todos juntos…

BEGOÑA: Sí. Mañana hacemos una fiesta. ¿Tiene planes para mañana por la noche?

DIRECTOR: ¿Mañana? ¿Qué es mañana? ¡Ah, Nochevieja! Tengo tantos planes que no sé cuál escoger.

BEGOÑA: Es que hacemos una fiesta y nos gustaría que viniera para comerse las uvas con nosotros.

DIRECTOR: ¿Sí?

BEGOÑA: Sí, Lola me pidió que le invitara y se me había olvidado. Espero que pueda venir.

DIRECTOR: Bueno, intentaré arreglarlo.

5.3

ELENA: ¿Qué haces, Martín?

MARTÍN: Estoy viendo las fotos de los carnavales de 1985. ¿Recuerdas?

ELENA: No, no lo recuerdo. ¡Hace tanto tiempo!

MARTÍN: Sí, ha pasado mucho tiempo, pero tienes que acordarte.

ELENA: ¡Que no!, ¡que no me acuerdo!

MARTÍN: Pero si fue el año de nuestra boda, Elena. ¿Te acuerdas de que fuimos de viaje de novios al carnaval de Tenerife?

ELENA: ¡Qué dices! Chocheas Martín, a Tenerife fuimos por Semana Santa.

MARTÍN: Pero si aquí tengo las fotos. Mira.

ELENA: ¡Uy! Ahora que lo dices. Tienes razón.

MARTÍN: Seguro que recuerdas que tú te pusiste enferma.

ELENA: Sí, sí, todo el mundo divirtiéndose en la calle con las comparsas y yo con 40 de fiebre.

MARTÍN: Sí, pero te recuperaste y pudimos ir a la playa. Tú llevabas un bañador rosa que… ¡qué guapa estabas!

ELENA: ¿De veras? Pues era un poco cursi.

MARTÍN: ¡Ay, fueron los mejores carnavales de mi vida! Y ¿el hotel? ¡Era fantástico!

ELENA: Sí, muy bonito, Martín, pero ya sabes que yo prefería ir a los carnavales de Río de Janeiro en lugar de ir a los de Tenerife. Podríamos celebrar nuestro próximo aniversario en Río, ¿qué te parece?

MARTÍN: Como quieras.

ELENA: Por cierto, ¿cuándo es?

MARTÍN: Pues en febrero. ¡Ay va! si quedan dos meses.

ELENA: Tu memoria cada vez es peor, Martín. Yo que tú habría apuntado la fecha en la agenda.

MARTÍN: Sí, pero tú también, porque tú tampoco te has acordado.

5.4

JULIA: Hola, Laura ¡Qué guapa estás!

LAURA: Hola. ¿En serio? Tú sí que estás guapa con este vestido.

JULIA: Pues es muy viejo.

LAURA: Mira, he traído este pastel para postre.

JULIA: No tenías que haber traído nada.

LAURA: Oye, tienes una casa preciosa. Está mejor que la última vez que vine.

JULIA: ¿Tú crees?

LAURA: Sí, si está mucho más bonita.

JULIA: Gracias.

(…)

JULIA: Bueno, pues… ¿cenamos ya?

LAURA: Como quieras.

JULIA: Venga. Vamos a la mesa. Siéntate ¿Quieres vino tinto o rosado?

LAURA: Me da igual. Lo que prefieras tú.

JULIA: Con los frijoles, mejor tinto.

LAURA: Julia, quiero ir de vacaciones a Cuba y como tú ya has estado allí, ¿qué me recomiendas que vea?

JULIA: ¡Ay, Cuba! Me gustaría ir otra vez. Bueno, a ver, yo, en tu lugar iría a La Habana directamente. Lo mejor es que vayas al Hotel Inglaterra. Está muy bien. Es un viejo hotel colonial que está en el centro, en La Habana vieja, que es un encanto. Bueno, aunque siempre está lleno de turistas.

LAURA: ¿Y…? En ese caso, tú ¿reservarías ahora?

JULIA: Sí, sí, yo te aconsejaría que llamaras ya porque en Navidad se llena. ¡Ah! Y sobre todo, sobre todo, te aconsejo que vayas a la Bodeguita del Medio y bebas un mojito. Hazme caso, no te arrepentirás.

LAURA: Mmm, estos frijoles que has hecho están deliciosos.

JULIA: Bueno allí, en Cuba, vas a comerlos mejor.

LAURA: ¡Ah! Eso, que no se me olvide. Tengo que ir a Santiago y no sé qué hacer; si ir en avión o en tren. ¿Qué harías?

JULIA: Bueno, no sé, si puedes pagarlo, el avión es más rápido ¿no?

LAURA: Sí, es mejor.

JULIA: ¿Quieres un café?

LAURA: Sí, por favor.

(…)

LAURA: ¡Uy! ¡Qué tarde que es!

JULIA: ¡Es verdad, es tardísimo!

LAURA: Me voy ahora mismo. Mañana tengo que trabajar. Julia, gracias por todo. La cena estaba muy buena y gracias también por las recomendaciones.

JULIA: Gracias a ti por venir. A ver si quedamos otro día.

LAURA: Vale, pero esta vez en mi casa.

JULIA: De acuerdo, como quieras.

LAURA: Hasta luego y gracias.

JULIA: ¡Hasta luego!

lecciónseis6
CIUDADAN@S DEL MUNDO

6.1

JULIÁN: ¿Por qué tiras todo eso?

LOLA: Son productos de empresas que experimentan con animales. Tengo una lista.

JULIÁN: ¿Y de dónde la has sacado?

LOLA: Me la han dado en la Asociación de Defensa de los Animales. Es una ONG, una organización no gubernamental.

JULIÁN: Me encanta firmar manifiestos a favor de la paz, por los derechos humanos, en contra del hambre… ¿Has visto que he firmado tu manifiesto?

LOLA: No me había fijado.

ANA: Vengo a recoger la basura. Ya sé que es temprano pero a quien madruga Dios le ayuda.

ANA: ¿Tiras todo eso sin abrir, muchacha?

LOLA: Sí.

ANA: ¿Qué te pasa? ¿Te sobra el dinero? ¿Te importaría si me lo quedara?

LOLA: Sí, me importaría. Mucho.

ANA: Qué rara… La gente tira las cosas aunque estén nuevas. ¿Adónde vamos a ir a parar?

6.3

IGNACIO: Hola, Mónica, ¿de dónde vienes?

MÓNICA: De la manifestación que ha convocado la Plataforma de la Ciudadanía esta mañana en el centro.

IGNACIO: Y, ¿cómo ha ido? ¿Había mucha gente?

MÓNICA: Ha sido increíble. Nunca había visto algo así. Había muchísima gente, de aquí e inmigrantes de todas partes, chinos, pakistaníes, árabes,… hombres, mujeres e incluso niños.

IGNACIO: ¿De veras? ¿No me digas?

MÓNICA: Como lo oyes. Es que no hay derecho, pobres. Vienen aquí buscando trabajo y un lugar para vivir y ¿qué se encuentran? Intolerancia, xenofobia,… Muchos de ellos viven en la calle y al servicio de las mafias que se aprovechan de su situación.

IGNACIO: Sí, la verdad es que es asombroso lo que hacen: abandonar a sus familias y venirse para aquí sin ninguna garantía.

MÓNICA: Yo creo que para que alguien abandone su país en estas condiciones tiene que estar muy desesperado. Nadie emigra de su país por gusto.

IGNACIO: Claro que no. Lo extraño es que haya tan poco interés por este problema social precisamente aquí, en nuestro país, donde tanta gente ha emigrado a otros países de Europa, como Francia y Alemania, o a Latinoamérica, en busca de una vida mejor.

MÓNICA: Sí, es verdad, yo estoy cansada de oír a la gente joven decir cosas como: ¡Qué lástima!, ¡Así es la vida! o ¡Qué le vamos a hacer! Pero a la hora de la verdad, cuando hay que actuar, nadie hace nada.

IGNACIO: Hombre, Mónica, no exageres. Hay de todo. Mucha gente colabora con organizaciones no gubernamentales y cada día hay más concienciación sobre este problema. Manifestaciones como las de hoy lo demuestran.

6.4

INMA: Oye, Pedro, ¿tú qué opinas sobre la globalización?

PEDRO: He oído algo sobre el tema en la radio y en la tele, pero exactamente no sé de qué se trata.

INMA: Es que estoy haciendo un trabajo para la universidad. Nos han pedido que escribamos un ensayo sobre las consecuencias de la globalización en la vida cotidiana de la gente.

PEDRO: Pues qué bien.

INMA: Yo lo encuentro un tema apasionante.

PEDRO: Pues a mí me es indiferente. Yo ya tengo bastantes problemas como para pensar en las consecuencias de la globalización. Eso es cosa de los políticos. Al fin y al cabo son ellos los que deciden, ¿no?

INMA: Pero la globalización nos afecta a todos. Tú mismo te pasas el día conectado a Internet, navegando, comunicándote con gente de otros países, de otras culturas.

PEDRO: Sí, pero lo hago porque me divierte. Lo demás me trae sin cuidado.

INMA: Pues debería importarte un poco más. Muchos dicen que existe el peligro de que todo el mundo acabe viviendo de la misma manera, de que sólo exista un modelo económico, y es verdad. Pero también es cierto que hoy en día todos podemos hacer pública nuestra opinión desde cualquier rincón del mundo.

PEDRO: ¿Y qué más da lo que piense gente que vive a miles de kilómetros de aquí? Ellos seguirán con sus problemas y nosotros con los nuestros.

INMA: ¿En serio te da lo mismo lo que pase fuera de estas cuatro paredes? No me lo puedo creer. La globalización es cosa de todos y tarde o temprano todos recibiremos las consecuencias, así que mejor que te vayas preparando. Ah, y en Internet puedes encontrar información al respecto.

BLOQUETRES3

lecciónsiete7
WWW.MEDALAGANA.COM

7.1

ANDREW: Pronto podrás visitar nuestra página web. La página web de la compañía.

ANA: Me pides un imposible porque no tengo ordenador.

ANDREW: ¿Cómo puede ser? La red es el futuro. Quien no esté conectado a ella vivirá fuera del mundo.

ANA: ¿Para qué quiero visitar la página web esa, si con subir cuatro escaleras os puedo visitar en persona?

ANDREW: ¿Por qué siempre tienes razón?

ANA: Sabe más el diablo por viejo que por diablo.

ANDREW: ¡Ah! ¿Y qué quiere decir eso?

ANA: Cuando seas viejo lo entenderás.

7.3

MATILDE: Hola, Francisco, buenos días. Uy, ¿por qué pones esa cara?

FRANCISCO: Porque llevo un día… A primera hora de la mañana estaba leyendo el correo electrónico y el ordenador se ha bloqueado.

MATILDE: Pero si la semana pasada revisaron todo el sistema informático.

FRANCISCO: Pues como lo oyes. Iba a responder a un correo y, de repente, ha aparecido una cosa en la pantalla y el ordenador se ha apagado, así, de pronto.

MATILDE: Pues tendremos que avisar a la compañía. Si falla el correo, de un momento a otro podemos tener algún problema con la conexión a Internet.

FRANCISCO: No te preocupes, ya he llamado yo y he quedado con ellos.

MATILDE: Y ¿ya lo sabe el jefe?

FRANCISCO: Sí. Hace un rato me ha pedido que le enviara unos correos urgentemente y cuando le he explicado lo que pasaba, ha puesto una cara… Cualquier día me llama a su despacho para decirme que tengo que hacer un curso intensivo de informática.

MATILDE: Y ¿ahora qué piensas hacer?

FRANCISCO: Pues, de momento, nada porque a eso de las dos va a venir el técnico, justo a la hora de comer, así que hoy comeré tarde, pero cuanto antes esté arreglado mejor. Por cierto, ¿qué hora es?

MATILDE: Las dos menos cuarto. El técnico estará a punto de llegar.

FRANCISCO: Oye, y tú, ¿cómo es que llegas tan tarde hoy?

MATILDE: Porque ayer envíe unos paquetes por correo, pero uno se ha perdido y esta mañana he tenido que ir a correos para intentar recuperarlo. Me han dicho que en un par de horas lo tendrán solucionado, que llame a partir de las cuatro.

FRANCISCO: Ya veo que hoy no soy el único que tiene un mal día.

7.4

MACARENA: Hola, soy Macarena Montoya, la nueva investigadora.

NIEVES: Bienvenida, Macarena. Yo soy Nieves.

MACARENA: Encantada.

NIEVES: Oye, ¿de qué parte de Andalucía eres exactamente? Prefiero preguntártelo antes de meter la pata, ya sabes, por si me equivoco.

MACARENA: Soy de un pueblo que está cerca de Málaga.

NIEVES: En verano debe de hacer mucho calor, ¿no?

MACARENA: Sí, allí los veranos son muy calurosos, mucho más que en Madrid.

NIEVES: Pues así, te gustará vivir aquí algún tiempo.

MACARENA: Sí, sí, la gente es muy agradable y la comida está muy buena.

NIEVES: Me alegro de que te guste. Oye, ¿qué te parece si te enseño la planta para que te sitúes?

MACARENA: Fantástico.

NIEVES: Mira, esto es la sala de reuniones. Las conferencias siempre son aquí. Y ésta es la sala de los ordenadores. Como investigadora tienes acceso libre a esta sala las 24 horas del día. Si quieres, puedes trabajar hasta las tantas, las 2 o las 3 de la madrugada, no hay problema. Todos los ordenadores tienen conexión a Internet.

MACARENA: Hoy en día Internet es indispensable para cualquier tipo de investigación.

NIEVES: Sí, ya se sabe, la técnica... Mira por allí viene Carlos. Buenos días Carlos, te presento a Macarena, es andaluza. Macarena, éste es Carlos.

CARLOS: Mucho gusto.

MACARENA: Encantada. ¿A qué te dedicas, Carlos?

CARLOS: Pues, en realidad soy profesor de Física, pero aquí estoy de programador, siempre me ha interesado la informática.

NIEVES: Últimamente Carlos está muy ocupado y no tiene tiempo para nada, pero siempre está dispuesto a echar una mano a los demás para ayudar con los problemas técnicos. Es un buen compañero. Bueno, Macarena, ¿seguimos con la visita?

lecciónocho8
¿CÓMO TE ENCUENTRAS?

8.1

JULIÁN: ¡Ay, madrecita, ay!

LOLA: ¡Te he visto! Te estás rascando.

JULIÁN: ¡Yo no he sido!

LOLA: El médico te dijo que si te rascabas te quedarían señales.

JULIÁN: Si el médico hubiera tenido la varicela, no se le ocurriría decir una cosa así.

LOLA: Muy bien, haz lo que quieras..., pero cuando tu cara parezca una foto de la Luna no te quejes.

JULIÁN: Vale... ¿me puedes poner polvos, Lolita?

(...)

LOLA: ¿Quieres estar quieto? Ya verás cómo con esto no te pica.

JULIÁN: ¿Estás guapísima hoy o es que tengo fiebre?

LOLA: Lo que estás es como una cabra. Y si sigo pegada a ti me contagiarás la varicela.

8.3

PACO: Oye, ¿cómo está tu gata? El otro día me dijiste que estaba enferma.

JULIA: Pues sí. Estoy muy preocupada porque casi no come y no tiene ganas de hacer nada.

PACO: ¿Por qué no la obligas a moverse? No sé, hazla correr.

JULIA: Sabes, es que me da miedo que empeore si la muevo mucho, y

también me da miedo obligarla a comer. Supongo que si no come es porque se encuentra mal.

PACO: Ya. A mí me pasó una cosa parecida hace algunos años con mi perro. Tú conociste a Canelo, ¿verdad?

JULIA: Sí, y tanto. Era muy mono.

PACO: Pues un día se puso muy enfermo y lo llevamos al veterinario. Yo tenía mucho miedo de que se muriera, y sólo pensaba: "ojalá se ponga bien", y por suerte al final se recuperó. Murió el año pasado de viejo.

JULIA: Pues a ella todavía le están haciendo pruebas. Dicen que es muy extraño y que quizás está deprimida.

PACO: ¿Deprimida? ¿Una gata deprimida? ¡Qué bueno!

JULIA: Yo no sé si está deprimida o no, pero espero que se cure pronto.

PACO: Y ¿qué vas a hacer? ¿La vas a llevar a un psicólogo?

JULIA: Paco, no te rías que estoy muy preocupada.

PACO: Bueno mujer, tranquila. Ya verás como se soluciona rápido.

JULIA: A ver si tienes razón, porque estoy muy nerviosa.

8.4

ÁNGELA: Pero, ¿qué haces? ¿No sabes que está prohibido fumar en los hospitales?

MIGUEL: Pero si aquí no hay nadie. No molesto.

JAVIER: Eso no importa. Está prohibido y listo. Apaga ese cigarrillo ahora mismo.

MIGUEL: No te pongas así, hombre. Ya lo apago. No sé como podéis vivir respetando siempre todas las normas de la sociedad. Yo soy incapaz de hacerlo.

ÁNGELA: ¿Por qué no piensas un poquito en los enfermos que hay aquí dentro? A ellos les perjudica el tabaco. Además, aquí tampoco está permitido hablar tan alto, así que baja un poco la voz.

MIGUEL: No puedo fumar, no puedo hablar. ¡Qué le vamos a hacer! No diré ni una palabra y voy ahora mismo a tirar el cigarro. ¿Os importaría dejarme pasar? Es que voy a la papelera.

(...)

MIGUEL: Hola Luisa, ¿cómo estás? Sabes, hoy Javier y Ángela me han enseñado que en los hospitales no se debe hablar en voz alta y no debes fumar. ¿Has visto qué buenos amigos?

LUISA: Ya os habéis enfadado ¿verdad?

JAVIER: Es culpa suya. Siempre tiene que romper las normas.

LUISA: Bueno, tranquilizaos, que no estoy para enfados.

ÁNGELA: Es verdad, pobrecita. ¿Te molesta que me siente en la cama?

LUISA: Claro que no, te puedes sentar siempre y cuando no me des en la herida.

lecciónnueve9
MUJERES Y HOMBRES

9.1

LOLA: No puedo creer que seas tan cerdo.

JULIÁN: Fue un descuido.

BEGOÑA: Ja. ¿Un descuido? Debajo de tu cama había restos de comida de Navidad.

LOLA: Turrón y polvorones.

LOLA: ¿Lo ves?

BEGOÑA: ¡Todos los hombres sois iguales!

JULIÁN: No, no, eso sí que no es cierto. No esperaba que me dijerais algo así nunca.

LOLA: Pues ya que hemos sacado el tema: me parece que las responsabilidades domésticas no están bien repartidas en esta casa.

BEGOÑA: Es una verdad como un templo. Lola y yo hacemos la compra, cocinamos, fregamos, limpiamos, planchamos, os soportamos. Y vosotros...

JULIÁN: Nosotros os ayudamos. ¿O no es verdad?

LOLA: Ya, pero eso no es bastante. A partir de ahora las cosas van a cambiar aquí.

BEGOÑA: ¿Lo ves? Mi padre también lo hace.
LOLA: Todos los hombres sois iguales.
BEGOÑA: Igual de cerdos.

9.3
ANDREW: No hay leche.
JULIÁN: Ni café, ni galletas, ni queso, ni pan. Nada. Las odio.
ANDREW: ¿Y tú qué haces viendo la tele tan temprano?
JULIÁN: Me grabé el partido de ayer. Las odio. El feminismo es injusto para los hombres. Las odio.
ANDREW: Yo también las odio. ¿Por qué las mujeres se ponen de mal humor cuando algo está sucio? Yo creía que no era machista.
JULIÁN: Cada vez las entiendo menos. Yo creía que era feminista. Pero por lo visto hay que fregar platos.
ANDREW: Creo que sé cómo arreglarlo.
JULIÁN: ¿Con un cambio de sexo?
ANDREW: Más fácil.
JULIÁN: Yo no voy a convertirme en su esclavo.
ANDREW: No hará falta.
JULIÁN: ¡Goool! ¡Goool! ¡Goool! ¡Goool!

9.4
VICTORIA: Tienes mala cara, Paula. ¿Te pasa algo?
PAULA: Estoy hecha polvo. Hoy ha sido un día agotador. Además, ayer no pude pegar ojo porque los vecinos de arriba no dejaron de hacer ruido. Y tú, ¿qué tal estás? ¿Cómo te ha ido el examen? Era hoy, ¿no?
VICTORIA: Sí, hoy. Me ha ido bastante bien. Creo que lo voy a aprobar con una buena nota.
PAULA: Ves, ya te dije que era pan comido.
VICTORIA: No exageres. Llevo dos meses encerrada en mi habitación, incomunicada, sin saber qué pasaba en el mundo. Lo único que he hecho ha sido estudiar.
PAULA: Tienes razón. Has estudiado muchísimo. Eres una buena estudiante. Por cierto, ahora que me fijo, has adelgazado, ¿verdad?
VICTORIA: Sí, creo que sí. Últimamente como muy poco, he perdido el apetito.
PAULA: Pues, estás quedándote en los huesos. ¿Has ido al médico?
VICTORIA: No, ya sabes que no me gustan los médicos.
PAULA: Pero, Victoria, tienes que ir. Quizá estés enferma.
VICTORIA: No, no estoy enferma. Lo que me ha debido pasar es que, con los nervios del examen, he perdido el apetito.
PAULA: Sí, es verdad. Eso de adelgazar en época de exámenes es normal.
VICTORIA: Oye, hablando de comida, ¿has cenado ya?
PAULA: No, te estaba esperando.
VICTORIA: Pues, podríamos salir fuera a cenar y ponernos moradas. ¿No te parece?
PAULA: Vale, de acuerdo.
VICTORIA: ¡Qué bien! De paso me cuentas cómo acabó la historia con Pablo.
PAULA: Eres una cotilla.
VICTORIA: ¡Qué va! Lo que pasa es que me gusta estar al día de tus novios.
PAULA: Ahora es mi ex novio. Venga, pásame la chaqueta y vámonos.
VICTORIA: Vale, ¿qué chaqueta? ¿Ésta?
PAULA: No, ésa, la negra. Gracias.
VICTORIA: De nada.

BLOQUECUATRO4

leccióndiez10
MADRE TIERRA

10.1
BEGOÑA: Mira, Lola, Andrew ha hecho una nueva versión del folleto. Salimos todos en una foto.
LOLA: No estoy muy segura de que vaya a funcionar, pero es más bonito que el otro, desde luego.

BEGOÑA: No puede ser que en un día hayamos gastado todo este papel. No es normal.
LOLA: Eso debe de ser un bosque entero.
ANDREW: He tenido que hacer muchas pruebas para diseñar el folleto.
LOLA: Somos unos destructores…, no pensamos en el futuro, en nuestros hijos…
BEGOÑA: ¿No exageras un poco?
LOLA: ¿Exagerar? Ayer dijeron en la tele que cada día desaparece una especie animal del planeta, y que cada minuto se queman no sé cuántos metros cuadrados de selva amazónica.
BEGOÑA: Quizás sea mejor que no imprimas más pruebas.
ANDREW: ¿Y qué importa una prueba más si vamos a imprimir mil folletos?
LOLA: ¿Cuántos árboles deben ser mil folletos? Me pregunto si un hijo mío podrá ver alguna vez un bosque sin que sea por la tele.
BEGOÑA: Tengo una idea: a partir de ahora imprimiremos sólo lo que sea necesario, y lo haremos por las dos caras, ¿vale?

10.3
LOCUTOR: Buenas noches. Hoy, debido a la celebración del día mundial *Por un mundo más ecológico*, tenemos en el estudio a tres ecologistas. Paula, de la comunidad rural *Ecoaldea*, Gema, de la asociación naturista *Sol y Luna*, y Jorge, perteneciente a *Amigos de la bici*. A ver, Paula, tú ¿por qué te fuiste a vivir al campo?
PAULA: Bueno, pues, hace un par de años estaba sin trabajo y decidí apuntarme a un curso de agricultura biológica. Empecé a colaborar en proyectos ecologistas gracias a ese curso. Tuve varios trabajos temporales hasta que un día conocí a la gente de *Ecoaldea*. Me propusieron trabajar para ellos y me trasladé a vivir a un pueblo de Asturias. Por fin, al cabo de mucho tiempo, me dedico a lo que me apasiona.
LOCUTOR: Y tú, Gema, que vives en la ciudad, ¿crees que es posible ser ecológico en la ciudad?
GEMA: Sin duda. *Sol y Luna* ha logrado concienciar a gran cantidad de gente que vive en zonas urbanas sobre la necesidad de consumir productos biológicos. El consumo de productos no biológicos, además de los graves problemas de salud que ha provocado, también ha ocasionado el deterioro progresivo del suelo por culpa de la utilización de productos químicos muy agresivos.
LOCUTOR: Y, según tu opinión, Jorge, ¿qué otras medidas crees que existen para luchar por un mundo más ecológico?
JORGE: Pues lo principal es cambiar nuestros hábitos diarios. En cuanto al transporte, nosotros dudamos que la política del gobierno sea la más adecuada. En vista de que no se toman medidas suficientes para implantar un transporte no contaminante y más barato, consideramos que es importante potenciar el uso de la bicicleta en las ciudades.

10.4
RAQUEL: Oye, Emanuelle, he pensado que podríamos hacer algo para mejorar el medio ambiente. ¿Qué te parece?
EMANUELLE: Es una idea estupenda. Los chicos de abajo, los que estudian teatro, han empezado a reciclar. El otro día, al lado de la puerta de su piso, había una montaña de papeles para reciclar.
RAQUEL: Pues nosotras podríamos hacer lo mismo, reciclar papel, ahorrar agua,… En lugar de bañarse, ducharse, por ejemplo.
EMANUELLE: Claro. En mi país en los pisos y en las casas hay un… no sé cómo se llama. Es como un cubo de basura pero más grande que sirve para reciclar, ¿cómo se dice?
RAQUEL: En español se dice contenedor.
EMANUELLE: Eso, contenedor. En casa de mis padres tenemos uno con cuatro departamentos separados. En uno tiramos los envases de plástico: botellas, bolsas, productos de limpieza,… En otro, los restos orgánicos, es decir, las sobras de los alimentos. Los periódicos, revistas y el papel van en otro departamento,… ¿Cómo dices que se llama?
RAQUEL: Contenedor.
EMANUELLE: Contenedor. En mi país hay contenedores de muchos tipos. Creo que la gente tiene más conciencia sobre la necesidad de reciclar.

RAQUEL: Sí, puede ser, es cuestión de hábitos.

EMANUELLE: O quizá es que llevamos más tiempo reciclando y ya nos parece muy normal, es un hábito más.

RAQUEL: Pero, un contenedor ocupa mucho lugar, ¿no? Dudo que quepa en nuestro piso.

EMANUELLE: Lo podemos poner en la galería, junto a la lavadora. Además tenemos la cocina cerca.

RAQUEL: Me extraña que propongas eso, a ti siempre te estorban los trastos.

EMANUELLE: Sí, tienes razón, pero si queremos reciclar…

RAQUEL: Es verdad, uno tiene que ser consecuente con sus ideas y hacer siempre lo que cree oportuno.

lecciónonce 11
ÉRASE UNA VEZ…

11.1

ANDREW: Vale la pena editar unos folletos para dar a conocer la compañía.

LOLA: Sí, puede ser, ¿pero no nos costará muy caro?

ANDREW: Bueno, los folletos no son un gasto sino una inversión.

BEGOÑA: Andrew es el productor y sabe lo que hace. Me parece lógico. Y deja de comer aceitunas, que te va a dar algo.

LOLA: Hace dos días que no paro de comer.

BEGOÑA: Serán los nervios del estreno y todo eso.

JULIÁN: O sea, que editamos el folleto, ¿de acuerdo? ¿Pero qué ponemos en el folleto?

ANDREW: Pues… quiénes somos… Qué obra representamos…, nuestra página web, muchas cosas.

11.3

CLAUDIA: ¿Diga?

BEATRIZ: Hola, Claudia, ¿qué tal?

CLAUDIA: Bien ¿y tú?

BEATRIZ: También bien. ¿Y Sonia?

CLAUDIA: Bien.

BEATRIZ: Mira, os llamo para pediros un favor. Se me ha estropeado el coche y esta tarde lo he tenido que dejar en el taller. No tengo coche, así que mañana no puedo ir a clase. ¿Podéis venir a buscarme a mi casa? Es que mañana tengo el examen de literatura.

CLAUDIA: Claro, no te preocupes.

BEATRIZ: Gracias, ¿Sonia está?

CLAUDIA: No, no está.

BEATRIZ: Pues recuérdale que mañana necesito mi libro de Carmen Laforet, que por favor me lo traiga.

CLAUDIA: Vale. Por cierto, Beatriz, ¿has hablado con Carlos?

BEATRIZ: Sí, ayer me llamó. Al final hemos decidido celebrar la fiesta en un bar.

CLAUDIA: Perfecto. Oye, Beatriz, te tengo que dejar. Alguien está llamando a la puerta.

BEATRIZ: Vale, Claudia. Hasta mañana.

CLAUDIA: Adiós.

(…)

SONIA: Hola, Claudia. Menos mal que estás en casa. No encuentro mis llaves.

CLAUDIA: Acaba de llamar Beatriz.

SONIA: ¿Ah, sí? ¿Y qué te ha dicho?

CLAUDIA: Que se le ha estropeado el coche y esta tarde lo ha tenido que dejar en el taller. No tiene coche, así que mañana no puede ir a clase. Me ha preguntado si podemos ir a buscarla a su casa. Mañana tiene el examen de literatura.

SONIA: De acuerdo.

CLAUDIA: Me ha pedido que te recuerde que mañana necesita su libro de Carmen Laforet, que por favor se lo lleves.

SONIA: Vale. ¿Ha hablado con Carlos?

CLAUDIA: Sí, dice que la llamó ayer y que al final han decidido celebrar la fiesta en un bar.

SONIA: Perfecto. ¿Algo más?

CLAUDIA: No, eso es todo.

11.4

JOSÉ: ¿Vas a presentarte al concurso?

RAMÓN: No sé, todavía no he terminado el cuento y no sé si…

JOSÉ: O sea, que como siempre te vas a rendir.

RAMÓN: No, estoy trabajando mucho en mi cuento, pero es que me falta inspiración, me repito mucho y me aburre escribir siempre sobre los mismos temas.

JOSÉ: Cambia de tema…

RAMÓN: Sí, pero como te he dicho me falta inspiración. Aparte, lo de Olga me ha afectado mucho.

JOSÉ: Pero no me dijiste ayer que ya estabais bien. Yo había entendido que os habíais reconciliado.

RAMÓN: ¡Qué va! al contrario, estamos muy mal, y hace días que no nos hablamos.

JOSÉ: Es decir, que ¿no vais a volver?

RAMÓN: Por ahora no, Olga no lo tiene claro y no sabes cómo me aburre esta situación de ahora quiero, ahora no. Así no puedo concentrarme en mi cuento y no quiero dejar escapar esta oportunidad.

JOSÉ: Entonces, ¿vas a presentarte?

RAMÓN: Ya veremos. Por cierto, me dijo Ricardo que fuiste al cine con María, ¿qué tal?

JOSÉ: Bien.

RAMÓN: O sea, que vais a volver a quedar.

JOSÉ: No lo sé.

RAMÓN: ¿Qué película fuisteis a ver?

JOSÉ: Una romántica.

RAMÓN: ¿Tú has ido a ver una película romántica?

JOSÉ: Sí, ¿qué pasa?

RAMÓN: Pero si siempre dices que te aburren las películas románticas.

JOSÉ: Ya pero a ella le gustan…

RAMÓN: Ya veo… Oye, si no me equivoco, estás haciendo méritos con ella.

JOSÉ: No me queda claro qué quieres decir.

RAMÓN: Pues, que estás intentando gustarle, ¿o no?

JOSÉ: Vale. Sí, tienes razón, quiero gustarle… A propósito, ¿no tenías tanto trabajo? Venga a escribir.

RAMÓN: De acuerdo, pero seguiremos hablando…

leccióndoce 12
¿QUÉ ES UNA EMPRESA?

12.1

ANDREW: Hemos vendido 200 entradas para el estreno.

LOLA: ¡Bien! Mientras se vayan vendiendo entradas habrá esperanza. Estoy aterrada, señor productor.

ANDREW: Yo también, señora directora. Pero triunfaremos.

BEGOÑA: ¡Hola!… Menos mal que el traje estaba listo. Quería ponérmelo esta noche en el ensayo general.

ANDREW: Han llamado tus padres. Llegarán mañana a las 10 de la mañana.

BEGOÑA: Iremos a recogerles al aeropuerto y después iremos a…

ANDREW: No es que no quiera ir al aeropuerto, pero preferiría ir poco a poco con tus padres.

BEGOÑA: ¿Es que no quieres que te los presente?

ANDREW: No es eso, me hace mucha ilusión, pero también me da un poco de miedo.

BEGOÑA: No te van a comer.

ANDREW: A las diez y media tengo una cita con el director del banco para lo del préstamo. Y luego tendré que hacer las últimas llamadas a la prensa, y por último comer con el gerente del teatro.

BEGOÑA: Ya. Estás tan ocupado que no nos veremos hasta el ensayo.

ANDREW: No pensarás que no quiero conocerlos o algo así.

BEGOÑA: Pues mira qué casualidad, estaba a punto de decirlo.

12.3

BEGOÑA: Venga, Lola, explícanos tu futuro ideal.

LOLA: No lo tengo muy claro. Pienso que primero pasaré muchos años trabajando duro hasta que finalmente nuestra compañía funcione. Pasará bastante tiempo antes de que pueda dejar de trabajar como camarera, pero al final…

(…)

LOLA: Mi nueva obra trata de la soledad de los seres humanos y de su incapacidad para expresar los sentimientos. Mi compañía la está ensayando en estos momentos y el próximo verano iremos a Buenos Aires, Caracas… como las mejores compañías de los años treinta. Haremos las Américas, como los mejores toreros.

(…)

LOLA: No, no hablo de mi vida privada. ¿Alguna pregunta más?

12.4

SRA. MONAL: Bueno, vamos a empezar por lo más importante. El aumento de la competencia y la disminución de las ventas en los últimos meses.

SR. NANTES: Bien, sobre este tema, yo sólo quería aclarar una cosa, que los resultados no son tan negativos como hacían pensar los primeros estudios. Es verdad que en los primeros meses del año bajaron las ventas, pero fue debido a la entrada en el mercado de dos nuevas empresas que fabrican productos muy parecidos a los nuestros. Este mes ya hemos recuperado el volumen de ventas habitual e incluso la producción ha empezado a aumentar ligeramente.

SRA. REINAL: Con respecto a eso, yo quería añadir que la recuperación de antiguos consumidores por parte de nuestra empresa se ha producido debido a la mala calidad de los productos lanzados por la competencia y por la fuerte campaña de publicidad ideada por el departamento de márketing. Nuestros productos son superiores a los de las otras compañías en calidad, nuestros clientes lo saben y por esta razón no les importa pagar un poco más por un producto más bueno. Los consumidores se han vuelto muy exigentes y…

SRA. MONAL: Perdone que le interrumpa, pero creo que aunque hayamos recuperado a algunos consumidores no hemos alcanzado el nivel de ventas del año pasado.

SR. NANTES: En cuanto a eso, opino que deberíamos esperar todavía unos seis meses para comprobar si la recuperación es absoluta o sólo parcial. Si la campaña de publicidad se intensifica aún podemos aumentar el número de consumidores captando nuevos clientes.

SRA. MONAL: Sí, sí, claro, no he dicho que exija resultados inmediatos, sino que tenemos que trabajar para alcanzar los niveles de ventas y de productividad del año pasado.

soluciones

Soluciones

lecciónuno 1

1a
¡no hay quien duerma!: expresión utilizada cuando, por algún motivo, es imposible dormir.
estar embarazada: esperar un hijo.
estar harto de algo: estar cansado de algo o de alguien.
tener talento de sobra: tener muchas facultades o capacidades artísticas y/o intelectuales.

1b
ANDREW: No creo que debamos contestar a esa pregunta.

1c
Andrew no quiere contestar a la pregunta de Lola.

1d
No **creo que** + verbo en **subjuntivo**

1e
Julián cree que la noticia es... que se van a casar.
Lola cree que la noticia es... que Begoña está embarazada.
Begoña dice: "Queremos formar nuestra propia compañía de teatro".

1f
Un grupo musical.

2a
abandono del hogar: el hecho de irse de casa (en el artículo se refiere al hecho de independizarse los jóvenes).
encuesta: conjunto de datos obtenidos mediante consulta o interrogatorio a un número determinado de personas sobre un asunto.
promedio: cantidad o valor medio que resulta de dividir la suma de todos los valores entre el número de estos.
coste social: conjunto de consecuencias sociales que se derivan de un hecho o fenómeno (en el artículo, consecuencias que se derivan del retraso del abandono del la casa de los padres por parte de los jóvenes españoles).
uno/a de cada cinco: expresión utilizada en las encuestas y los estudios sociológicos para referirse a la proporción de personas que realiza una actividad o manifiesta una determinada opinión sobre algún tema o fenómeno.
envejecimiento de la población: proceso derivado del aumento del número de personas mayores y de la disminución del número de nacimientos en una sociedad.
contrato de trabajo eventual: contrato laboral que no es fijo ni regular sino que depende de la demanda de trabajo.
inseguridad laboral: se refiere a la situación caracterizada por un aumento de los contratos temporales.
porvenir: desarrollo o situación futura en la vida de alguien.
tareas domésticas: trabajos que se realizan en casa como lavar, tender y planchar la ropa, fregar los platos o hacer las camas entre otros.
sonrojarse: hacer salir los colores al rostro de vergüenza.
crecer a un ritmo vertiginoso: crecer a un ritmo muy rápido.

2c
1 A los veintiséis años.
2 Que formen una familia más tarde, que tengan hijos más tarde, que tengan menos hijos y el envejecimiento de la población.
3 Por la inseguridad laboral o por los contratos de trabajo eventuales.
4 Muchos no hacen tareas domésticas.
5 Sentirse queridos y encontrar trabajo.
6 Ver la televisión.
7 Disminuye.

2d
Para exponer argumentos.

2e
1 es decir   2 asimismo   3 sin duda alguna   4 y por esa razón, debido a que   5 por un lado... por otro lado   6 de hecho

3a
tener en cuenta a alguien: tener en consideración a alguien, valorar la opinión de una persona.
imponer una opinión: obligar a alguien a aceptar una idea o un criterio respecto algo.
sufrir: preocuparse por alguien, padecer por alguien.
pretexto: motivo que se da como excusa para hacer o no haber hecho algo.
ser sincero: actuar sin hipocresía, decir lo que uno piensa sin falsedad ni engaño.
salir hasta las tantas: salir hasta muy tarde.

3b
1 Asunción dice que Iván no habla en casa.
2 Iván dice que Asunción no escucha y quiere imponer su opinión.
3 Asunción dice que Iván llega muy tarde a casa.
4 Iván dice que es normal salir por la noche.
5 Asunción dice que sufre cuando Iván sale por la noche.
6 Iván dice que Asunción pone pretextos para que no salga.

3c
1 la impresión de que   2 estoy equivocado pero   3 te parece normal que   4 eso lo veo / es normal salir   5 esta idea la veo   6 serte sincero / me parece bien   7 te parece conveniente que   8 lo veo normal

3d
Para juzgar y valorar.

4a
romper con algo: referido a las tendencias o costumbres, dejar de seguirlas.
conformarse: aceptar algo sin protestar, sin mostrar ningún tipo de queja ni objeción.
luchar por algo: esforzarse por conseguir algún objetivo. También, abrirse paso en la vida.
vivienda: edificio, construcción o habitación adecuado para que vivan las personas.
conformista: persona que se adapta a cualquier circunstancia o situación con excesiva facilidad.
incuestionable: que no se puede poner en duda o discutir porque es muy claro o evidente.
mili: manera coloquial de referirse al servicio militar obligatorio, servicio que presta un ciudadano siendo soldado durante cierto tiempo.
diversidad: variedad, diferencia, abundancia de cosas distintas.
pendientes: joya o adorno que se pone en la oreja.
estar anclado en el pasado: aferrarse a una idea o actitud característica del pasado.

4b
Verdadero (V): 3, 5, y 6   Falso (F): 1, 2 y 4

4c
1 hayamos cambiado   2 haya cambiado   3 hayan tomado / hay   4 había   5 hay

4d
La nueva forma verbal aparece en las frases n.º 1, 2 y 3.

yo: haya cambiado   nosotros/as: hayamos cambiado
tú: hayas cambiado   vosotros/as: hayáis cambiado
él, ella, usted: haya cambiado   ellos, ellas, ustedes: hayan cambiado

5a
1 por otra   2 sin duda alguna   3 En otras palabras   4 por esa razón   5 por el otro   6 Además   7 En conclusión

5b

Posible solución:

El gobierno hace muchas campañas para potenciar la lectura **debido a que** quieren que la gente lea mucho. **De hecho,** mucha gente tiene interés en leer, y **sin duda alguna** hay personas que leen con frecuencia.

El problema es que los libros son muy caros. **Por una parte** los libros nuevos cuestan entre 12 y 15 euros, precios inasequibles, y **por otra parte,** en las bibliotecas públicas hay una oferta muy limitada. **En otras palabras,** no podemos comprar libros y en las bibliotecas no encontramos lo que deseamos leer.

Ciertamente una solución puede ser hacer promociones. **Asimismo,** también se pueden hacer descuentos para estudiantes y gente parada. **Además,** hay que construir más bibliotecas y hacer que éstas tengan más libros.

6

1 Asimismo: además; En definitiva: en conclusión   2 Al presente de subjuntivo   3 promuevan, se sientan, se encuentren.

7

1 podemos   2 sea   3 seáis   4 es   5 limpien

8a

Lugar donde viven las abejas y fabrican los paneles de miel.

8b

notario: funcionario público autorizado para dar fe de los contratos, testamentos y otros actos extrajudiciales.

oposiciones: procedimiento selectivo para cubrir ciertos cargos o puestos de trabajo consistente en una serie de exámenes en que los aspirantes deben demostrar su respectiva competencia, juzgada por un tribunal.

sacar plaza: conseguir un puesto o empleo.

tomar una ciudad: ocupar o adquirir por la fuerza una ciudad.

siete años y pico: la expresión *y pico* se refiere a la parte en que una cantidad excede a un número redondo.

abrumar: molestar; incomodar a una persona, por exceso de explicaciones, atenciones u otros motivos.

8c

1 Tarragona   2 Madrid   3 Barcelona   4 Valencia   5 Sevilla
6 Zaragoza   7 Zamora

8d

La guerra civil española.
La conquista de la ciudad de Zamora.

8e

1-c   2-e   3-b   4-f   5-a   6-d

8f

1 No, papá, no hay color.
2 Lo que pasa es que para no sacar Madrid o Barcelona, no merece la pena.
3 Sí, pero, vamos... ¿Y Valencia? ¿Y Sevilla? ¿Y Zaragoza? También deben estar bastante bien, creo yo.
4 No, papá, sufres un error de enfoque.
5 No se tomó Zamora en una hora, papá.
6 No, hijo, pero mira, en siete años y pico ya hubo tiempo de levantar otra Zamora al lado, ¿eh?
7 Ventura Aguado Sans hace lo que quiere de su padre, lo abruma con eso de la composición de lugar y el error de enfoque.

evaluación

1 me parece   2 No es normal que   3 Lo cierto   4 pero   5 Pienso que   6 sea   7 y por esa razón   8 es   9 por un lado   10 por otro   11 haya hecho   12 escuche   13 En conclusión   14 hacerlo   15 creo que no

lección**dos2**

1a

Velázquez, Picasso.

1b

abstracto, expresionista, figurativo, impresionista, contemporáneo

1c

1 Julián   2 Julián   3 Lola

1d

LOLA: Para ti puede que sólo sea una mancha, pero para mí expresa la angustia de la época en la que vivimos.

Formula una hipótesis sobre la opinión de Julián respecto al cuadro.

1e

Porque Julián dice que prefiere un cuadro con una sandía.

2a

El son.

2b

Porque en Cuba existen ritmos de todo tipo, desde los más tradicionales, como el son, hasta los más modernos, como el rap.

2c

1-g   2-e   3-c   4-f   5-b   6-d   7-a

2d

1 el mambo   2 el cha-cha-chá   3 el son   4 el danzón   5 el jazz
6 la trova   7 el rock   8 el rap   9 la salsa

2e

1 ...todo le va bien.   2 ...hay muchos ritmos diferentes.   3 ...tienen planes para trabajar en La Habana.   4 ...están muy bien preparados.

2f

Para formular hipótesis.

2g

Es muy probable
No creo
Es posible   } + que + [verbo en subjuntivo]
Posiblemente

3a

A la música de todos los países.

3b

Verdadero (V): 2, 4 y 5   Falso (F): 1 y 3

3c

1 Nos referimos a   2 con toda seguridad   3 preguntaremos a   4 deben de estar   5 sueñan con   6 podrían

3d

1 Nos referimos a, con toda seguridad, sueñan con   2 con toda seguridad, deben de estar   3 podrían

4a

en directo: en radio y televisión, se dice del programa que se emite a la vez que se realiza.

contrato multimillonario: contrato de muchos millones de pesetas.

compañía discográfica: compañía de producción y gestión de discos musicales.

ser realista: ser práctico, ajustarse a la realidad.

carrera profesional: profesión.

Soluciones

calor del público: afecto y acogida que transmiten los seguidores a un artista, un músico, etc.
dar ánimos: animar a alguien, transmitirle energía, darle confianza.

4b
Con uno de los posibles ganadores.

4c
1 imaginemos que   2 Y si... / Pongamos   3 supongamos

4d
Para preguntarle qué pasaría con su carrera si ganara el premio.

4e
1 pasaría   2 diría   3 habrá pasado   4 querremos

4f
1 Condicional.   2 Futuro.

5a
Cultura y espectáculos.

5b
Véase el texto modelo del ejercicio *5a*.

6a
Una entrada para asistir a un acto cultural.

6b
1 3 €   2 ENTIDAD CULTURAL RINCÓN DEL ARTE   3 En homenaje a todos los alumnos y socios de la entidad   4 RINCÓN DEL ARTE Y LA MÚSICA DE A. Y C.   5 TEATRO PRINCIPAL, DOMINGO 10 DE DICIEMBRE DE 2000, A LAS 19:00h   6 FESTIVAL DE NAVIDAD   7 Fila:18 Núm.:7

6c
La palabra *rincón* puede ajustarse a cualquiera de las cuatro definiciones dependiendo de cómo imaginemos el local de la asociación, su ubicación y a sus asociados. Puede que el local esté situado en un rincón de la calle, que esté retirado, que sea pequeño y que los asociados pasen muchas horas en él practicando sus aficiones.

7
1 Me pregunto   2 algo malo   3 Estará enfadada

8a
Verdadero (V): 2, 3, 5, y 6   Falso (F): 1, 4 y 7

8b
trinchera: lugar que utilizan los soldados para protegerse durante la batalla.
mina: objeto explosivo que normalmente está escondido bajo tierra.
batalla: combate, lucha o enfrentamiento entre un ejército y otro
detener a alguien: arrestar y privar a alguien de su libertad.
sindicato: asociación de trabajadores que defiende los intereses económicos y laborales de sus miembros.
incautar: tomar posesión de las propiedades o los bienes de otra persona u organización en nombre de la autoridad.
quinta: grupo de jóvenes que se incorporan al servicio militar el mismo año.
abastecimiento: productos y alimentos necesarios para sobrevivir durante la guerra.
población civil: sector de la población que no incluye ni a militares ni a eclesiásticos.
caudillo: jefe de un ejército. En la obra, se refiere al general Francisco Franco.
depuración: eliminación de una organización o partido político de los miembros que no siguen las órdenes establecidas.
campos de concentración: lugar en el que se obliga a vivir a cierto número de personas como prisioneros, generalmente por razones políticas o bélicas.

8c
1 Son padre e hijo.   2 Después de la guerra.   3 La posibilidad de que lo detengan.   4 Al de los republicanos.   5 Detienen y llevan a mucha gente a campos de concentración.

8d
1 Es posible que me detengan...   2 Creo que hacen una depuración.
3 Supongo que al fin acabarán soltándonos.

8e
Porque habla de una situación hipotética, posible.

evaluación

1 habrá ocurrido   2 tenga   3 qué crees   4 posible   5 exposición
6 estar   7 con   8 soñando con   9 habrá llamado   10 habré salido
11 artistas   12 habrá sido   13 y si   14 posibilidad   15 diría

lección**tres3**

1a
Lola: 1, 5 y 6   Begoña: 2, 3 y 4

1b
Para la mujer casarse tiene más desventajas que ventajas.

1c
1 pero   2 no...pero   3 sin embargo   4 en cambio
5 mientras que   6 no...sino

1d
Para oponer ideas.

2a
La situación de desigualdad de la mujer y el trabajo doméstico.

2b
1 Tener cariño por algo.   2 Avisar de algo.   3 Estar expuesto a algo.
4 Aceptar.   5 Ayudar.   6 Tener en cuenta.   7 Realizar algo.
8 Descubrir, mostrar.

2c
1 planchar las camisas   2 coser un botón   3 cocinar   4 lavar   5 cuidar un bebé   6 hacer la cama   7 limpiar la casa   8 tender la ropa   9 fregar los platos

2d
1 De independencia, apego a la familia y respeto a la igualdad de sexos.
2 Las mujeres emplean diariamente una media de siete horas y media. Los hombres dedican tres horas.
3 Estudia crear una nueva asignatura en los colegios que enseñe a chicos y chicas a planchar, cocinar, coser, lavar o cuidar un bebé.
4 Los jóvenes hasta los 18 años rara vez o nunca hacen la cama, limpian la casa, tienden la ropa, cocinan o friegan los platos.

2e
1 en comparación con   2 frente a   3 A diferencia de   4 se parece a
5 distinta de   6 Comparando con

2f
Para comparar ideas.

2g
Llamar la atención del lector sobre la dureza del trabajo doméstico.

3a

Verdadero (V): **2, 3, 5** y **6**   Falso (F): **1** y **4**

3b

1 más caro   2 Pero   3 frente al

3c

Frase n.° 3, frase n.° 2, frase n.° 1

3d

1 lo peor - **a**   2 lo de - **c**   3 lo del anillo - **d**   4 lo caro que es - **b**

4a

rebajas: venta de existencias a precios más bajos, durante un tiempo determinado.
llenita: dicho de persona, un poco gorda.
morir: llegar al término de la vida.
afectada: aquejada.
cuidarse: mirar alguien por su salud.
insistir: repetir o hacer hincapié en algo.

4b

1 María   2 Rosa   3 María y Rosa   4 Pili   5 Pili

4c

1 más llenita...igual que   2 tanto como   3 de lo que yo pensaba   4 más afectada   5 igual de mayor que   6 lo más duro   7 no es tan fácil como

4d

Para comparar.

5a

Comida, Gente joven, Familia, Medios de transporte

5b

Mayoría de a: ¿Estás seguro de que lo tuyo es viajar? ¿Y si buscas otra afición? Es broma, de todas formas te aconsejamos que antes de viajar hagas los preparativos necesarios para no encontrarte con dificultades. Te recomendamos llevar una buena guía y equipaje ligero. Cuando llegues a algún sitio, intenta descubrir todo lo que hay allí. Viajar es una experiencia muy enriquecedora. ¡Buen viaje!

Mayoría de b: Bueno, no está tan mal, pero si lo que te preocupa es encontrar un restaurante típico de tu país no vamos por buen camino. Piensa en todo lo que se descubre viajando y que todo lo que se puede conocer es enriquecedor; depende sólo de nosotros. No olvides llevarte una guía con los mapas y una buena cámara de fotos. ¡Buen viaje!

Mayoría de c: ¡Felicidades! Tienes todos los requisitos para poder realizar buenos viajes. No olvides que cuanto más informado estés acerca del lugar de destino, más vas a aprovechar el tiempo. ¿Qué más te podemos decir? Simplemente, ¡buen viaje!

5c

Véase texto modelo ejercicio *5a*.

6a

Ninguno de los dos: **2** y **4**
Sí, quiero: **1** y **6**
Alvariño: **3** y **5**

6b

1 El restaurante *Alvariño* tiene vistas panorámicas, mientras que el restaurante *Sí, quiero* tiene local climatizado.
2 El restaurante *Alvariño* tiene amplios jardines. Sin embargo, el restaurante *Sí, quiero* tiene aparcamiento gratuito.
3 El restaurante *Sí, quiero* tiene menú a base de pescado. En cambio, el restaurante *Alvariño* tiene menús a su gusto.

4 El restaurante *Alvariño* se adapta al presupuesto. Sin embargo, el restaurante *Sí, quiero* tiene presupuesto establecido.

7a

1 Teatro   2 Novela

7b

1-**e**   2-**c**   3-**a**   4-**b**   5-**d**   6-**f**

7c

1 *La casa de Bernarda Alba.*   2 La condición de la mujer en la sociedad española de la época.   3 Bernarda.   4 *Aquí se hace lo que yo mando.*
5 Ocho años.   6 *Malditas sean las mujeres.*   7 Sonsoles.

7d

Hay un trabajo para la mujer y otro para el hombre.

7e

1 el ajuar   2 respetar el luto   3 es una recién casada   4 está hecha una ruina   5 quedarse viuda   6 es una desdichada

evaluación

1 en cambio   2 lo de soltera   3 mucho mejor de lo que   4 lo de salir
5 A diferencia de   6 bastante más que   7 Pero   8 una   9 tan dispuesta como
10 En cambio   11 menos   12 como   13 pero   14 alguien más   15 uno

evaluaciónbloque 1

1

1 hayan llegado   2 Lo de   3 ¿Tú qué crees?   4 interese   5 Por un lado
6 habrán vendido   7 tanto como   8 sin embargo   9 de lo que
10 enamorado de

2

1 Yo, eso de salir hasta las seis de la mañana de vez en cuando no **lo** veo mal.
2 ¿A tus padres no les parece bien **que** vayas a vivir con tu novia?
3 Creo **que** la competitividad entre los jóvenes es muy dura.
4 Encontrar un buen trabajo no es **tan** fácil como piensan algunos padres.
5 No entiendo el arte abstracto **pero** me gusta.
6 **Una** no sabe nunca si es mejor casarse o quedarse soltera.
7 ¿Te acuerdas **de** los chicos de Picadillo de Circo? ¡Pues ahora son famosos!
8 El concierto **con** toda seguridad habrá sido un éxito.
9 Lo **de** comer sano está muy bien, pero si comes fuera de casa es muy difícil.
10 ¿Por qué te empeñas **en** decir que te quedarás soltera?

3

1 inconformistas   2 piensa en   3 soltera   4 mientras que   5 más
6 domésticas   7 lavar la ropa   8 lo mejor es   9 No crees que   10 Sin duda alguna

leccióncuatro4

1a

1-**c**   2-**e**   3-**a**   4-**b**   5-**d**

1b

Verdadero (V): **1, 2** y **3**   Falso (F): ninguna

1c

1 Habría ido en caballo.   2 Para sus padres.   3 Para que lo vendan en Los Ángeles.   4 No, no quiere ir a medias, sólo quiere algunas acciones.

5 No, no le da derecho alguno.   **6** El turrón fue introducido por los árabes en España hace siglos.

2a

tras: después.
desafío: objetivo difícil con el que alguien se enfrenta.
integrar: unir a alguien o algo a un grupo.
vencer: ganar.
acordar: tomar una decisión dos o más personas de común acuerdo.
cumbre: reunión de los representantes de muchos países.
fortalecimiento: adquisición de fuerza física o moral.
equidad: igualdad.
protocolo: conjunto de reglas y ceremonias establecidas para actos sociales o solemnes.
advertir: notar, darse cuenta.
percepción: representación de una cosa en la mente.

2c

1 Querían hacer sentir el papel de la comunidad iberoamericana en el resto del mundo como una unidad económica, cultural y política.
2 Sus objetivos son mejorar los sistemas democráticos, respetar los derechos humanos, integrar la región, establecer intercambios comerciales y, por último, superar los problemas sociales.
3 Que la comunidad iberoamericana se asienta en la democracia, los derechos humanos, el comercio y los problemas sociales.
4 Mucha gente tiene la impresión de que las iniciativas presentadas en estas cumbres no se realizan; sin embargo, se ponen en marcha muchos proyectos.
5 Dice que han sido invertidos 30 millones de dólares al año en programas y proyectos que ya están en marcha.

2d

1 con el propósito de   2 tuvieron la impresión de que   3 de esta forma
4 la verdad es que   5 así

2e

1 De esta forma... / Así...
2 La verdad es que... / Lo que pasa es que...
3 Tener la impresión de que... / Estar convencido de que...
4 Con el propósito de... / Con la intención de...

3a

Asociación sin ánimo de lucro, que hace proyectos en países pobres para ayudar a su desarrollo.

3b

Lo que se podría hacer...; Estoy convencido de que...; Lo que pasa es que...;
No hace falta que...; Yo también lo veo así; Tengo la impresión de que...

3c

1 No importa que...   2 Tengo la impresión de que...   3 No hace falta que...   4 Yo también lo veo así.   5 Estoy convencido de que...
6 Lo que pasa es que...   7 Lo que se podría hacer
8 Lo que conviene es que...

3d

1 Tenemos una suma importante de dinero y tenemos que decidir para qué vamos a utilizarla. Hay varias posibilidades.
2 En primer lugar, se podría destinar a la creación de una escuela de agricultura en Colombia.
3 Después, también se puede utilizar para formar a más enfermeras y enfermeros para los hospitales rurales de México.
4 Finalmente podríamos invertirlo en una escuela en El Salvador. Tenemos que decidir qué es más urgente.

4a

absurdo: ilógico; **colonizar**: conquistar; **surgir**: aparecer; **mezclar**: combinar;
rasgo: característica; **alianza**: pacto; **cooperar**: colaborar

4b

1 fue colonizado   2 fue descubierto   3 fueron expulsados

4c

1 Ninguna otra civilización.   2 Una joven.   3 Los del Sur.

4d

Pasiva

4e

1 surjan   2 desaparezcan   3 correcto   4 sepan
5 correcto   6 mueva

5a

¿Los bancos tratan igual a todo el mundo?

5b

Verdadero (V): **1, 2** y **5**   Falso (F): **3** y **5**

5c

Véase el texto modelo del ejercicio *5a*.

6a

1 OPEP   2 UEM   3 OIT   4 IED

6b

Instituto de **R**elaciones **E**uropeo-**L**atino**a**mericanas

6c

1 materia económica   2 desarrollo social   3 materia política

7b

La soledad y el olvido.

7c

1 correspondencia   2 titulares   3 destacado
4 respectivo   5 meter

7d

1 Para poder saber cada uno lo que pasa en su país.   2 Un gobierno represivo.   3 Un hombre con bigotes, con una guitarra y un revólver.
4 No, no lo entienden.   5 Siente pena y tristeza.

7e

1 El médico y el coronel hablan mientras leen el periódico.
2 Sólo se pueden leer noticias del extranjero, porque las nacionales han sido censuradas por el gobierno.
3 Proponen intercambiarse con los habitantes de Europa para que todos puedan enterarse de las noticias de sus propios países.
4 El médico recibió su correspondencia, pero antes de abrirla se dio cuenta de que no había nada para su amigo, el coronel.
5 Preguntó si no había nada para el coronel.
6 El administrador, sin volver la cabeza, dijo que el coronel no tenía quien le escribiera.

evaluación

1 así   2 la verdad es que   3 en cuanto   4 Primero   5 Yo también lo veo así   6 tengo la impresión de que   7 Lo que conviene   8 soluciones
9 fueron puestos   10 fueron descubiertas   11 ONU   12 tengas

leccióncinco5

1a

sublime: excelente, admirable.
tener planes: tener proyectos.

Nochevieja: la última noche del año.
comerse las uvas: ritual que realizan los españoles el día 31 de diciembre para celebrar la entrada del nuevo año.

1b
Verdadero (V): **1, 4** y **6**   Falso (F): **2, 3** y **5**

1c
1 ¿De veras?   2 Bueno, fue idea de Lola.

1d
DIRECTOR ➪ Felicita a Begoña, la elogia, le hace varios cumplidos.
BEGOÑA ➪ Quita importancia a los elogios, a los cumplidos del director.

2a
Los carnavales de antes eran mejores que los de hoy en día.

2b
1 El Carnaval es: SÍ   NO

una fiesta pagana.   ✓
una fiesta religiosa.   ✓

2 Por Carnaval la gente...

se disfraza.   ✓
baila.   ✓
hace desfiles.   ✓
se divierte.   ✓
come turrón.   ✓

2c
1 Carnavales eran los de antes.
2 La gente se agolpaba a ver pasar el desfile de los enormes cabezudos, los hermosos carros alegóricos, las comparsas y los lubolos.
3 Una semana.
4 No.
5 La consigna era hacer todo aquello que durante el resto del año estaba prohibido, y hacerlo a la vista.
6 En retroceso, porque hoy en día el ciudadano goza de una gran variedad de posibilidades de entretenimiento que le resultan más atractivas que asistir a la actuación de un conjunto de parodistas o de una murga.

2d

	1 aunque		2 a pesar de que	
	SÍ	NO	SÍ	NO
aun		✓		✓
pese a que	✓		✓	
y eso que	✓			✓

2e
1 haga   2 siendo   3 tiene   4 puso   5 estudiar   6 tengo   7 ha salido
8 yendo   9 toque   10 salir

2f
Verdadero (V): **1** y **4**
Falso (F): **2** (va seguido de gerundio) y **3** (pueden ir con nombre e infinitivo)

3a
1-e   2-d   3-a   4-c   5-b

3b
Verdadero (V): **2, 3** y **4**   Falso (F): **1, 5** y **6**

3c
1 faltan dos meses.   2 Tú memoria esta cada vez peor.   3 Yo que tú habría apuntado la fecha.   4 pasada.   5 habría apuntado.
6 condicional compuesto.

3d
Verdadera

4a
1 Sí.   2 Sí, también.   3 Sí.

4b
1 Le dice que está muy guapa.   2 Elogiando a Julia.   3 Quitándole importancia.   4 Preciosa.   5 A Cuba.   6 Porque Julia ya ha estado en Cuba.

4c
HACER UN CUMPLIDO
¡Qué guapa estás!
Tienes una casa preciosa.
Está mejor que la última vez que vine.

REACCIONAR ANTE UN CUMPLIDO
¿En serio? Tú si que estás guapa con este vestido.
Pues es muy viejo.
¿Tú crees?

4d
1 qué / recomiendas, vea   2 en / tu / iría   3 mejor / vayas   4 ese / reservarías   5 te / aconsejaría / llamaras   6 aconsejo / vayas / caso
7 sé / hace / harías

Se piden: **1, 4, 7**   Se dan: **2, 3, 5, 6**

5a
Para felicitarles las fiestas.

5b
Véase texto modelo *5a*.

6a
1 tres   2 Melchor, Gaspar y Baltasar   3 camello   4 regalos   5 seis

6b
2 Desde Oriente   3 A la persona que sabía interpretar las estrellas
4 Una estrella   5 Hacia Jerusalén   6 Desde el siglo XIV   7 Con regalos para el Niño   8 Con tres   9 Para el Padre   10 El incienso para el Espíritu Santo y la mirra para el Hijo

7a
Verdadero (V): **1, 2** y **4**   Falso (F): **3** y **5**

7b
1-c   2-e   3-a   4-f   5-h   6-g   7-b   8-d

7c
1 preocupada   2 Julita   3 en apuros   4 Filo   5 le parecen bien   6 casa del señor Ramón   7 cabal

7d
1 convendría   2 sería   3 esperarían   4 se presentaría   5 sería

evaluación

1 vaya / iría   2 saliendo   3 guapa / veras   4 consiguió   5 cuándo / Desde
6 habría contado   7 mejor / juegues   8 Hasta / mes   9 acuérdate
10 Navidades / ha comido   11 preciosa / serio   12 están
13 aunque / tenemos   14 Hazme

lecciónseis6

1a
1 Experimentar con animales   2 Estar a favor o en contra de algo
3 Firmar un manifiesto   4 Tirar algo a la basura
5 Organización no Gubernamental

1b
Si uno se levanta temprano tiene tiempo de hacer muchas cosas durante el día.

1c
1 todo eso   2 te pasa   3 el dinero

Las intervenciones expresan asombro.

1d
Que la gente tire las cosas aunque estén nuevas.

2a
1 inmigrante   2 ser tolerante   3 respetar los derechos humanos
4 no tener documentos   5 movimientos migratorios
6 choque de culturas   7 reacciones xenófobas

2b
1 migrantes   2 los recién llegados

2c
1 La Plataforma Sudamericana de Derechos Humanos.
2 Sobre la tristeza del desarraigo. Sobre la situación que viven los hombres y mujeres latinoamericanos desde el momento en que parten de su país de origen hasta que llegan a uno nuevo.
3 Una fuente segura de trabajo, ahorro y ascenso social.
4 Económicos, políticos y sociales.
5 Como chivos expiatorios de los problemas que sufre el país al que arriban / Como los responsables de la desocupación, la ilegalidad y la delincuencia.

2d
Lamentarse por la situación que viven los inmigrantes.

2e
En la frase **1** el verbo va en subjuntivo.
En las frases **2**, **3** y **4** el verbo va en indicativo.

2f
Porque los emigrantes no saben si la sociedad argentina los acogerá.

3a
Mostrar apoyo a los inmigrantes que hay en la ciudad.

3b
1 Ha sido increíble   2 Nunca había visto algo así   3 ¿De veras?
4 ¿No me digas?

3c
Asombro, sorpresa.

3d
¡Qué lástima!; ¡Así es la vida!; ¡Qué le vamos a hacer!

3e
1 Ignacio   2 Mónica

4a
Las consecuencias de la globalización en la vida cotidiana de la gente.

4b
1 qué bien   2 me es indiferente   3 me trae sin cuidado   4 qué más da

4c
A Inma le apasiona, pero a Pedro le da lo mismo.

4d
1-f   2-e   3-d   4-c   5-a   6-b

5a
Presentarse y animar a la gente a que colabore con la organización.

5b
Desgraciadamente

5c
Ayuda a cualquier víctima, sin importarles su ideología o país de origen.

5d
Véase el texto modelo del ejercicio *5a*.

6
Mejorar la situación psicológica de niños, niñas y adolescentes de países y zonas en conflicto.

7a
Para sugerir ideas.

7b
Al subjuntivo.

8a
Ventana abierta en un techo o en la parte superior de una pared.

8b
1-h   2-g   3-c   4-b   5-e   6-a   7-d   8-f

8c
1 Está preocupada porque no sabe de dónde sacar dinero.
2 Está enfermo y por eso no puede trabajar.
3 Desde hacerse religiosa hasta dedicarse a la prostitución.
4 Si protegería a su hijo si lo tuviesen.

8d
Piensan en posibilidades que por la situación en la que viven son poco probables.

8e
Si + imperfecto de subjuntivo + **condicional**

8f
La marginación de los que perdieron en la guerra y la esperanza en el futuro.

evaluación

1 a favor de   2 Es asombroso   3 le trae sin cuidado   4 fuerais   5 gustaría
6 organizaciones   7 Papeles   8 xenofobia   9 ilegal   10 manifiesto
11 sería conveniente que   12 Lamentablemente   13 en el que

evaluaciónbloque2

1
1 tengo la impresión de que   2 Desde cuándo   3 participarais   4 Opino
5 ¿En serio?   6 colabore   7 Cuando   8 en la que   9 Acuérdate de
10 dejaría   11 fue reformado

2
1 En la cumbre se habló en primer lugar de los derechos de los niños y niñas.
2 Los estudiantes se han reunido para manifestar su apoyo a los inmigrantes.

3 Yo en tu lugar hablaría con Ana sobre el alquiler de este mes.
4 ¿Por dónde tengo que ir para llegar a la plaza del Ayuntamiento?
5 A pesar de que llueva, celebraremos la verbena como siempre.

3
1 cuándo   2 eso que   3 estudiaran   4 solidaridad   5 a favor de
6 organizaciones   7 internacionales   8 la verdad es que
9 experimentan   10 populares   11 se acuerdan de   12 a medias
13 mucho gusto   14 donde

lecciónsiete7

1a
visitar una página web: acudir a una página de Internet para consultar su
contenido.
pedir un imposible: pedir algo que no se puede realizar.
la red: conjunto de ordenadores o de equipos informáticos conectados
entre sí, que pueden intercambiar información.
conectarse: cuando un individuo utiliza un soporte informático para llegar
al punto donde se realiza el enlace entre aparatos o sistemas.
saber más el diablo por viejo que por diablo: los conocimientos más valiosos
son aquellos que se adquieren con la experiencia de una larga vida.

1b
Verdadero (V): **1**, **2** y **4**   Falso (F): **3** y **5**

1c
ANDREW: ¿Cómo puede ser? La red es el futuro.

1d
Protesta.

1e
Indicativo (I): **1**   Subjuntivo (S): **2**, **3** y **4**

Se sorprende de tener problemas con el ordenador y se queja.

2a
Verdadero (V): **2**, **4** y **6**   Falso (F): **1**, **3** y **5**

2b
Hay que hacer un uso responsable de la biotecnología. Si se utiliza mal,
puede poner en peligro los derechos humanos de las personas.

2c
1 Servirá para ayudar a curar enfermedades.   2 Es como una especie
de libro.   3 Tiene forma de hélice.   4 Está hecho de genes.

2d
1-d   2-c   3-b   4-a

2e
Ayudar (infinitivo)

2f
Para describir un objeto.

2g
1 se usará para   2 se parece a / es   3 es   4 está compuesto por

3a
Los problemas técnicos en la oficina.

3b
1 A primera hora   2 de repente / de pronto   3 de un momento a otro
4 de momento / a eso de / a la hora de / cuanto antes   5 en   6 a partir de

3c
Para hablar del tiempo cronológico.

3d
Matilde no sabe a quién o a qué se debe la pérdida del paquete.

4a
1 Macarena y la persona que lo recibe, Nieves, se presentan.
2 Macarena y Nieves hablan un poco sobre varios temas: el tiempo, la
comida,...
3 Nieves le enseña a Macarena la planta donde trabajará, para situarla.
4 Nieves le presenta a Macarena un compañero de trabajo.

4b
1 está   2 es   3 es   4 está   5 es   6 son   7 es   8 es   9 soy
10 estoy   11 está

4c
a-5 (**ser**)   b-8 (**ser**)   c-9 (**ser**)   d-10 (**estar**)   e-1 (**estar**)   f-6 (**ser**)
g-7 (**ser**)   h-11 (**estar**)   i-3 (**ser**)   j-2 (**ser**)   k-4 (**ser**)

4d
1 Equivocarse.   2 Hasta muy tarde.   3 Ayudar a alguien.

5a
Quejarse por los problemas técnicos de su móvil y el servicio de la
compañía.

5b
Está muy molesto.

5c
Expresiones para protestar de forma muy enérgica: **1** ¡No hay derecho!
2 ¡Esto es una vergüenza!   **3** ¡Ya está bien!   **4** Esto es una tomadura de
pelo.

Expresiones par indicar impaciencia: **1** De una vez por todas.   **2** De una vez.

5d
Véase el texto modelo del ejercicio *5a*

6a
1 indicador
2 auricular
3 tecla
4 pantalla
5 teclado
6 antena
7 micrófono

a-antena
b-auricular
c-indicador luminoso
d-pantalla
e-tecla de volumen
f-teclado alfanumérico
g-micrófono

6b
Manual de instrucciones.

7
Disculparse por los problemas causados y proponer una solución.

8a
gitano: pueblo nómada originario de la India que conserva rasgos físicos y
culturales propios.
concebir: crear una idea, pensar o imaginar una cosa.
lupa: lente de aumento.
descubrimiento: hallazgo, conocimiento de algo desconocido u oculto.
real: moneda fraccionaria.

Soluciones

demostración: razonamiento o aplicación que muestra la verdad de algo.
imán: mineral que tiene la propiedad de atraer el hierro, el acero y, en grado menor, otros cuerpos.
invento: acción y resultado de inventar.
disuadir: convencer a alguien de que no realice una acción.
aparato: conjunto de piezas construido para funcionar con una finalidad determinada.

8b

Verdadero (V): **1, 2, 4** y **7**　　　Falso (F): **3, 5, 6** y **8**

8c

1 Esta vez llevaban un catalejo y una lupa del tamaño de un tambor.
2 SER + del + **tamaño** + de + [un objeto]

8d

Muy cerca

8e

[... "La ciencia ha eliminado las distancias, (...). Dentro de poco el hombre podrá ver lo que ocurre en cualquier lugar de la tierra sin moverse de casa"...]

[... "En el mundo están ocurriendo cosas increíbles(...). Ahí mismo, al otro lado del río, hay toda clase de aparatos mágicos, mientras nosotros seguimos viviendo como los burros"...]

Están admirados por los avances científicos.

8f

Los avances de la ciencia no han llegado donde viven ellos.

8g

1 demostración　2 lupa　3 descubrimiento　4 imán　5 aparato
6 gitanos　7 concebir

evaluación

1 como una especie de　2 es　3 pantalla　4 hasta las tantas　5 sirve para
6 formas　7 en　8 aparatos　9 Cómo es posible que　10 No puede ser
que　11 Hay que ver　12 No se preocupe　13 se　14 estar a punto

lecciónocho8

1a

1-**c**　2-**d**　3-**e**　4-**a**　5-**b**

1b

Diferentes:
1 ¡Ay madrecita, ay!
2 ¡Te he visto! Te estás rascando.
3 Si el médico hubiera tenido la varicela, no se le ocurriría decir una cosa así.
5 Ya verás cómo esto no te pica.

Iguales: **4** y **6**

1c

1 Julián está segurísimo de que no la ha pasado.　2 Que no se rascara porque le quedarían señales.　3 Rascarse.

2a

cana: cabello parcial o totalmente blanco.
próstata: glándula sexual masculina de los mamíferos, situada en la base de la vejiga de la orina.
arruga: pliegue que se hace en la piel, generalmente por la edad.
cáncer: tumor maligno originado por el desarrollo anormal e incontrolado de ciertas células que invaden y destruyen los tejidos orgánicos...]

calvicie: pérdida o falta de pelo en la cabeza.
afección cardiovascular: dolencia, enfermedad del corazón y del aparato circulatorio o relativo a ellos.

La vejez: *cana, arruga, calvicie*
La salud: *próstata, afección cardiovascular, cáncer*

2b

chequeo: reconocimiento médico completo.
paciente: persona que sigue un tratamiento respecto al médico.
padecer: sentir un daño, dolor, enfermedad.
síntoma: fenómeno que revela la existencia de una enfermedad.
diagnóstico: conclusión del médico después de estudiar la naturaleza de una enfermedad.
sangre: fluido rojo compuesto por plasma y células en suspensión que circula por las arterías y las venas.
urólogo: especialista en urología (urología: parte de la medicina que estudia el aparato urinario y sus trastornos)
cardiólogo: médico especialista en enfermedades del corazón.
equilibrada: se dice de una buena proporción de los distintos alimentos que ingiere una persona.
tensión: presión que ejerce la sangre sobre la pared de las arterías.

2c

1 Deben estar más atentos a los chequeos médicos.
2 Debe realizarse controles periódicos al menos una vez al año.
3 Deben iniciar los controles a los 50 años.
4 Debemos ponerla en práctica.
5 Es necesario cuidarlos.
6 No se debe abusar.
7 No hay que olvidar medir los niveles.

2d

1 deben ser　2 has de hacerte　3 Es necesario hacerse　4 Hay que llevar

2e

Las estructuras de obligación personales se usan en las frases: **1** y **2**
Las estructuras de obligación impersonales se usan en las frases: **3** y **4**

2f

1 Los controles médicos anuales.　2 En algunas ocasiones crece y produce dificultades para orinar.　3 Una vez al año.　4 Dos veces a la semana.

3a

Negativo (-): *empeorar, encontrarse mal, estar enferma, ponerse enfermo.*
Positivo (+): *ponerse bien, recuperarse.*

3b

Verdadero (V): **2, 3** y **5**　　　Falso (F): **1** y **4**

3c

1 PACO: Bueno, mujer, tranquila. Ya verás como se soluciona rápido.
2 JULIA: A ver si tienes razón, porque estoy muy nerviosa.

3d

Dar ánimos y tranquilizar
　Vamos, no te preocupes.
　Venga, ya se arreglará.
　No te pongas así.

Expresar esperanza, deseo
　Espero que tengas razón.
　Ojalá tengas razón.

4a

Encender un cigarrillo: Apagar...
Romper las normas: Respetar...
El tabaco puede beneficiar: Perjudicar...
Bajar la voz: Subir...

4b

1 Al hospital a visitar a Luisa.　2 Está prohibido fumar y hablar en voz

alta.   **3** ¡Qué le vamos a hacer!   **4** ¿Te molesta que me siente en la cama?   **5** Claro que no. Te puedes sentar siempre y cuando no me des en la herida.

4c
1 Ángela   **2** Ángela   **3** Miguel   **4** Miguel

4d
En una clase de español...
   1 No se debe comer.
   2 Está prohibido hablar inglés, francés,...
   3 No está permitido dormir.
   4 No debes bostezar.

En un cine
   1 No se debe molestar.
   2 Está prohibido hablar.
   3 No está permitido dejar el móvil encendido.
   4 No debes roncar.

5a
Anorexia: Trastorno psíquico caracterizado por la pérdida del apetito.
Bulimia: Enfermedad psicológica cuyo principal síntoma es el hambre exagerada e insaciable.

5b
Véase texto modelo ejercicio *5a*

6a
1 Si hubiéramos sufrido agorafobia, no habríamos podido ir al desierto del Sahara.
2 Si hubieran tenido miedo a las multitudes, no habrían ido al concierto.
3 Si te hubiera dado miedo salir de casa, no habrías podido viajar por todo el mundo.
4 Si no hubieras podido viajar sola en autobús, no habrías conseguido el trabajo.
5 Si no hubiera ido al médico, habría sufrido.

6b
1 sólo   **2** vienes   **3** tal   **4** salgas   **5** condición   **6** vayamos
7 salvo   **8** paseemos   **9** menos   **10** me sienta

7a
1-c   **2**-f   **3**-i   **4**-h   **5**-b   **6**-d   **7**-e   **8**-g   **9**-j   **10**-a

7b
1 Se preparaba para montar a caballo.   **2** Que Martín quiere ir con el ejercito a subir a Peñaplata.   **3** Porque piensa que le van a matar.
4 Porque se ha comprometido.   **5** Porque ella no tiene familia, sólo tiene a Martín y a su hijo.   **6** No, al final Martín se va.

7c
1 le da miedo   **2** tenga   **3** animar

7d
1 ¿De qué puedes tener miedo?   **2** Me da miedo que te ocurra algo.
3 Vamos, no te preocupes.

7e
1 Martín ha de ir a Peñaplata porque ha dado su palabra.
2 Catalina le dice que debe quedarse por ella y por su hijo.
3 Martín le asegura que no debe preocuparse porque no hay peligro.
4 Martín cree que ha de ir para que su hijo se sienta orgulloso de él.

evaluación

1 Qué miedo me dan   **2** hay que   **3** no está permitido   **4** molesta que / pongas   **5** terminas   **6** espero que   **7** Qué le vamos a hacer

8 habrías caído   **9** con tal de que   **10** a menos que   **11** Vamos, no te preocupes   **12** Tres veces al día   **13** hubieses / habrías

lección**nueve**9

1a
cerdo: persona sucia o sin modales.
descuido: falta de atención y de cuidado. Olvido.
doméstico: de la casa o del hogar o relativo a ellos.
soportar: llevar sobre sí una carga. Aguantar, resistir.

1b
Verdadero (V): **1**, **3**, **5** y **6**   Falso (F): **2** y **4**

1c
JULIÁN: Nosotros os ayudamos. ¿O no es verdad?
LOLA: Ya, pero no es bastante.

1d
JULIÁN ⇨ Opina y cede la palabra a las chicas para que confirmen su opinión.
LOLA ⇨ Está de acuerdo con la opinión de Julián, pero sólo parcialmente.

2a
1-b   **2**-e   **3**-a   **4**-c   **5**-f   **6**-d

2b
De los derechos de la mujer, de la igualdad, de los logros conseguidos y de los que todavía están pendientes.

2c
1 El siglo XX, porque la revolución de las mujeres ha sido quizás uno de los hechos más importantes.
2 Es una igualdad a medias.
3 Sí. Las mujeres renuncian a tener hijos porque reconocen que hay otras cosas que no quieren perderse.
4 El mundo de hoy está caracterizado más bien por el predominio de lo masculino.
5 Cree que hay que ser un poco más inteligente y valorar las cosas por lo que son y no simplemente porque las hacen mujeres u hombres.

2d
Victoria Camps espera que esta revolución inacabada culmine en el siglo XXI.

2e
Deseo.

2f
1 Dos.   **2** Yo.   **3** Juancho.   **4** No.   **5** En subjuntivo.   **6** Dos.   **7** Yo.
8 Yo.   **9** Sí.   **10** En infinitivo.

2g
1 llegar   **2** llegues

3a
1 Esclavo   **2** Machista   **3** Odiar   **4** Ponerse de mal humor
5 Injusto   **6** Grabar

3b
1 Porque no hay leche, ni café, ni galletas, ni queso, ni pan. No hay nada para comer.   **2** Porque no hay nada para comer.   **3** Está viendo un partido de fútbol.   **4** Que es injusto para los hombres.   **5** Sí, el también las odia.   **6** Se ponen de mal humor.   **7** No.   **8** Sí.   **9** No.   **10** No, él piensa que no hará falta.

3c
Verdadero (V): **1** y **3**   Falso (F): **2**

4a

agotador: que cansa extremadamente.
incomunicado/a: que no se puede comunicar.
apetito: ganas de comer.
cotilla: persona a la que le gusta curiosear en asuntos ajenos.
ex novio/a: persona con la que se mantenía una relación amorosa y que en la actualidad no se mantiene.

4b

1 hecha polvo   2 no / pegar ojo   3 pan comido
4 quedándote / huesos   5 ponernos moradas   6 estar / día

4c

a-4   b-3   c-1   d-2   e-5   f-6

4d

1 Eso de   2 Ésta   3 ésa

4e

Eso de... lo utilizamos para referirnos a un tema del que ya se ha hablado o que los interlocutores conocen. ⇨Correcto

Ésta, ésa son pronombres demostrativos y muestran cercanía o lejanía respecto a la persona que habla. ⇨Correcto

5a

Se quejan de lo difícil que resulta encontrar tallas normales y grandes y de que la publicidad no tiene en cuenta a todas las chicas.

5b

Véase texto modelo ejercicio *5a*.

6a

Una prueba o competición entre los aspirantes a un premio.

6b

1 A Carmen Martín Gaite.
2 La Dirección General de la mujer, dependiente de la Consejería de Servicios Sociales de la Comunidad de Madrid.
3 Las obras que se presenten para alentar la igualdad de oportunidades entre los dos sexos.
4 La creación de una literatura para niñas y niños que contribuya a un cambio de actitudes a través de la eliminación de las imágenes estereotipadas de los roles de hombre y mujer, fundamentalmente mediante la eliminación del sexismo en el lenguaje.
5 A niños y niñas de entre 8 y 13 años.
6 En el Registro de la Consejería.
7 No, sólo puede presentar un original.
8 Solamente en una, en lengua castellana.
9 No, la extensión máxima es de cuatro folios.
10 Sí, cuatro copias.

7a

1 José Luis Alonso de Santos.   2 español.   3 una obra de teatro.

7b

1-f   2-d   3-a   4-c   5-b   6-e

7c

1 Con Alberto.   2 De que Chusa esté bien.   3 En Móstoles.
4 Veinticinco mil pesetas.   5 La policía.   6 No, no se lo va a devolver.

7d

Me cogió la policía, ¿sabes? Me lo quitaron todo.

7e

1 Correcto   2 Correcto

7f

Mantienen el significado: *el/la estudiante, el/la cliente, el/la paciente, el/la periodista*

Cambian el significado: *el/la cura, el/la capital, el/la cólera, el/la orden*

evaluación

1 no es   2 tengas   3 en los huesos   4 estés   5 Ése   6 El   7 ex novio
8 terminar   9 pero   10 morada   11 Eso de que   12 polvo
13 machista   14 El   15 comido

evaluaciónbloque3

1

1 Cómo es que   2 dan   3 parece / ser   4 salga / va   5 es / está
6 Se / se   7 Cuanto antes   8 debes / prohibido   9 Es / tiene / sirve para
10 importa / sólo   11 vengas   12 Es decir

2

1 Has de hablar con Juan antes del viernes.
2 A ver si arreglan el horno de una vez por todas.
3 No estoy de acuerdo con eso de la distribución de tareas.
4 Si hubieras ido al médico, no te habrías puesto peor.
5 Nuria vendrá a primera hora de la mañana.
6 Lo siento, pero lo único que puedo hacer es cambiarle el libro por otro.
7 Siempre leo todos los periódicos y veo las noticias. Me gusta estar al día.
8 Me gustaría que comiéramos juntos.
9 Sí, es verdad, pero no olvides que yo trabajo más horas.
10 Quedaremos con Natalia y Fernando a eso de las nueve.

3

1 página   2 ordenadores   3 Internet   4 al día   5 se ha puesto
6 la varicela   7 hubiera tenido   8 habría dicho   9 se han enfadado
10 no está totalmente

leccióndiez10

1a

Imprimir sólo lo que sea necesario. / Aprovechar las dos caras del papel.

1b

La opción n.° 3: Hay que imprimir sólo el papel necesario, aprovechar las dos caras y pensar más en el futuro, sobre todo, por nuestros hijos.

1c

LOLA: No **estoy muy segura** de que **vaya** a funcionar pero es más bonito que el otro, desde luego.

1d

Las expresiones sirven para... expresar duda o reserva.
El modo del verbo es... subjuntivo.

2a

Turismo en el que predomina el contacto con la naturaleza y el respeto por la ecología.

2b

Ecología y turismo.

2c

saltar a la vista: destacar o sobresalir mucho. En el contexto del artículo periodístico, ser algo muy evidente.
convocatoria: anuncio o escrito con que se llama a alguien para participar en algún proyecto o para asistir a un acto, como por ejemplo, una reunión, etc.
estimar: evaluar, calcular, dar valor.

caer en saco roto: desaprovechar una oportunidad, no sacar beneficio de una buena situación.

incompatibilidad: incapacidad para unirse o existir conjuntamente.

mover millones: hacer que algo, por ejemplo un proyecto o una actividad económica, genere muchos beneficios.

viabilidad: posibilidad de realizar algo.

selecto: que es o se tiene por mejor entre otras cosas de su especie.

contundente: que es evidente o tan convincente que no admite discusión.

2d
a-**5**   b-**4**   c-**2**   d-**3**   e-**1**

2e
1 Esta propuesta cae en saco roto si el gobierno central no toma acciones inmediatas para **acabar con** la irremediable contaminación de nuestros recursos.
2 Éstos han disminuido considerablemente **por culpa de** la actividad minera, forestal o industrial, como la producción de harina de pescado.
3 De otro lado, las potencialidades que tenemos para el ecoturismo sobran, **gracias a que** el 15% de la superficie del Perú tiene 52 áreas naturales protegidas, equivalente a 18 millones de hectáreas, según el Instituto de Recursos Naturales (Inrena).
4 Las áreas naturales más visitadas por los ecoturistas son el Lago Titicaca, la cordillera de Huayhuash, en Ancash –gravemente afectada **por** la reciente actividad minera– Paracas/Islas Ballestas –contaminada **por** la producción de harina de pescado– y el Parque Nacional del Huascarán.

2f
1 gracias a que   2 acabar con   3 por culpa de y por

2g
Para manifestar el resultado de una acción previa.

3a
1-**c**   2-**f**   3-**a**   4-**e**   5-**b**   6-**d**

3b
1 debido a   2 gracias a / hasta que, por fin   3 ha logrado / ha provocado / ha ocasionado / por culpa de   4 dudamos de que / en vista de que

3c
1 debido a y en vista de que   2 gracias a   3 por culpa de   4 hasta que
5 ha logrado   6 ha provocado y ha ocasionado   7 dudamos de que

4a
ahorrar agua: economizar, no malgastar el agua.
cubo de la basura: recipiente donde se depositan restos de comida y de desperdicios. En todos los pisos y casas suele haber, como mínimo, uno.
contenedor: recipiente grande que normalmente está en la calle para depositar basuras y escombros.
envase: recipiente en que se conservan, transportan y venden productos y mercancías.
resto orgánico: basura de restos de alimentos.
hábito: costumbre o práctica frecuente.
estorbar: molestar, incomodar.
trasto: objeto o mueble viejo, inútil o poco usado.
ser consecuente: actuar y comportarse de manera lógica y coherente con los principios y las ideas de uno.

4b
Hay que cambiar de hábitos y reciclar.

4c
1 no sé cómo se llama / Es como / ¿cómo se dice?
2 se dice
3 ¿Cómo dices que se llama?

- Preguntar por una palabra desconocida por segunda vez: n.º **3**
- Responder: n.º **2**
- Preguntar por una palabra desconocida describiendo el objeto del cual no sabemos el nombre: n.º **1**

4d
1 el contenedor quepa en el piso de las chicas.
2 Emanuelle proponga poner el contenedor en la galería porque siempre le estorban los trastos.

Dudar + que............................. ⎫
Extrañarse alguien + que .... ⎬ + subjuntivo

5a
Concienciar a la gente de la necesidad de cambiar de hábitos.

5b
crisis

5c
Las palabras terminadas en vocal átona + -s **no** cambian en plural.

5d
Véase el texto modelo del ejercicio *5a*.

6a
El árbol.

6b
Aconsejar sobre cómo cuidar a los árboles de Navidad durante las fiestas para poder replantarlos después.

6c
1 En vista de que   2 gracias a   3 Debido al   4 Al   5 En vista de
6 por culpa de

Sirven para expresar causa.

7a
rocío: vapor que con el frío de la noche se condensa en la atmósfera en gotas de agua muy pequeñas, las cuales aparecen luego sobre la superficie de la tierra, las plantas o cualquier otra superficie.
encinar: lugar poblado de encinas (tipo de árbol).
alondra: pájaro insectívoro de 15 a 20 centímetros de largo, de plumaje pardo y blanco, que anida en los campos de cereales.
pluma: cada una de las piezas de que está cubierto el cuerpo de las aves.
aldea: pueblo de pocos vecinos y, por lo común, sin jurisdicción propia, es decir sin ayuntamiento.
sierra: cordillera de montes y peñascos cortados.
barranco: despeñadero, precipicio, erosión producida en la tierra por las corrientes de aguas de lluvia.
sendero: senda, camino pequeño y estrecho.

Tema: La naturaleza

7b
1 sendero   2 plumas   3 rocío   4 barranco   5 encinar   6 alondras
7 aldea   8 sierra

7c
Describir la belleza de la naturaleza y manifestar su admiración por ella.

7d
1 La sierra blanca y el prado verde.   2 En los encinares.   3 Las alondras.
4 Con las anchas alas abiertas.   5 Sobre la picota, sobre el lago y los barrancos, sobre veinte aldeas, sobre cien caminos.   6 La trata de señora.
7 ¿Dónde vais a todo vuelo tan de mañana?

7e

Verdadero (V): **1**, **3** y **5**   Falso (F): **2** y **4**

7f

Ir cogiendo ideas y ritmo.

7g

El interés que sienten los autores: uno por el campo y el otro por la ciudad.

evaluación

1 funcione   2 fuera   3 Sí, puede ser   4 ha provocado
5 ha conseguido   6 cómo se dice   7 Por fin   8 debido al
9 Por culpa de   10 como   11 falta   12 hasta que   13 diga

lecciónonce11

1a

editar: publicar ciertas obras, especialmente las impresas.
compañía de teatro: grupo de personas que actúan o trabajan en un espectáculo teatral.
folleto: obra impresa de más de cuatro páginas y menos de cincuenta.
productor: persona con responsabilidad económica que organiza y financia la realización de una obra artística.

1b

Verdadero (V): **1**, **4** y **5**   Falso (F): **2** y **3**

1c

Una valoración de algo

1d

1 infinitivo   2 indicativo   3 subjuntivo   4 infinitivo   5 subjuntivo
6 subjuntivo   7 subjuntivo

2a

1-**c**   2-**f**   3-**g**   4-**b**   5-**a**   6-**d**   7-**e**

2b

1 *Rayuela*   2 *Pedro Páramo*   3 Borges   4 José Gorostiza
5 mexicano   6 *Los recuerdos del porvenir*

2c

1 Guillermo Samperio   2 Juegan con atmósferas y personajes profundos.
3 La novela del mexicano Jorge Volpi *En busca de Klingsor*.   4 Que ha dado grandes transgresores poéticos.   5 Sí, *Cien años de soledad*.
6 Coinciden en Julio Cortázar y su obra *Rayuela*.

2d

1 creación   2 literatura   3 creador   4 cuento   5 prosa   6 escribe
7 reflexiona   8 seres   9 ritmo   10 destaca

2e

1 importante   2 siglo   3 decretar   4 elegir   5 principal
6 pensar   7 quejarse

3a

Transmitirle el recado

3b

1 me   2 tengo   3 venir   4 mi   5 recuérdale   6 traiga   7 le
8 tiene   9 ir   10 su   11 recuerde   12 lleves

3c

Porque Beatriz transmite directamente su mensaje y Claudia transmite las palabras de Beatriz.

3d

1 Dice que se le ha estropeado el coche.
2 Dice que lo ha tenido que dejar
3 Me ha preguntado si podemos ir a buscarla a su casa
4 Me ha pedido que te recuerde que mañana necesita su libro.
5 Me ha dicho que por favor se lo lleves.
6 Dice que la llamó ayer.
7 Dice que han decidido celebrar la fiesta en un bar.

4a

presentarse a un concurso: participar en una prueba o competición.
rendirse: darse por vencido.
faltar inspiración: No tener impulso creador
reconciliarse: restablecer la amistad entre varias partes que estaban enemistadas.
película romántica: película de amor.
aburrir: producir cansancio o decaimiento. Molestar, fastidiar.

4b

1 sea   2 había   3 decir   4 Entonces   5 cierto   6 que   7 equivoco
8 No   9 claro   10 propósito

4c

Aclarar algún aspecto de la conversación: *o sea, que... / yo había entendido que... / es decir, que... / entonces,... / si no me equivoco,... / no me queda claro qué...*

Cambiar de tema: *por cierto / a propósito*

4d

1 infinitivo   2 nombre singular   3 nombre plural

5a

1 cortar leña o venderla.   2 procede con justicia en sus obligaciones.
3 Correcto

5b

Véase texto modelo ejercicio *5a*.

6a

1-**d**   2-**c**   3-**a**   4-**f**   5-**b**   6-**e**

6b

1 El día 15 de enero, a las 19:00h, en la FNAC de El Triángulo (Pza. Cataluña).
2 Porque son películas cinematográficas de duración inferior a treinta y cinco minutos.
3 Servirá de punto de partida para la cuarta edición de la muestra de cortometrajes.
4 Que es el cuarto año que se celebra.
5 Que se pueden ver los cortos de forma gratuita.
6 El día 18, a las 20:30h.
7 Artistas Intérpretes Sociedad de Gestión.

7a
1936-1939

7b

1 decisión   2 fila   3 soportar   4 blindado   5 Abundancia
6 resuelta   7 sorpresa

7c

1 de guerra   2 echar   3 cabrearse   4 piratas   5 verde   6 combate

7d

1 Va al cine con sus padres.   2 Las de guerra.   3 Las de amor.   4 De piratas.   5 A Pablo. Porque en las novelas no ves nada, tienes que imaginártelo todo y porque son mucho más largas.

7e

1 Le ha gustado mucho.   2 Que pasan muchas cosas.   3 Un aburrimiento, un rollo, una lata.

7f

1 -dad   2 -ito   3 -bilidad   4 -ismo   5 -eza   6 -mente   7 -ción   8 –ista

evaluación

1 aburren   2 Vale la pena leerlo   3 Por cierto   4 Es decir   5 te recuerde / ir / su   6 Felizmente   7 sé si te he entendido   8 Yo había entendido que   9 traerá / le   10 aburre   11 importante   12 propósito

leccióndoce 12

1a

esperanza: confianza en que ocurrirá o se logrará lo que se desea.
productor/a: persona con responsabilidad económica que organiza y financia la realización de una obra artística.
triunfar: tener éxito en algún proyecto o aspiración.
ensayo general: representación completa de un espectáculo, que se hace antes de presentarla al público.
préstamo: crédito, dinero que se toma prestado de una entidad con garantía de devolución y pago de intereses.
gerente: persona que dirige y administra una sociedad mercantil.

1b

Mientras se vayan vendiendo entradas habrá esperanza.

1c

1 Porque las entradas se van vendiendo.   2 No.   3 Cuando las entradas no se vendan.   4 No.   5 Ir + gerundio.

1d

1 dado   2 convertido   3 puesto   4 harán   5 vuelto   6 transformado

Para expresar cambios o procesos que se han producido en una persona o en un objeto.

2a

profesional: persona que ejerce una profesión o actividad como medio de vida.
empleado: persona que desempeña un cargo o trabajo y que a cambio de ello recibe un sueldo.
multinacional: se dice de la sociedad o empresa que desarrolla su actividad en varios países.
consultora: empresa que da su opinión o aconseja sobre un asunto cuando se solicita.
privatización: conversión de una empresa, un bien o una actividad pública al sector privado.
libre mercado: mercado que no está sujeto a ningún tipo de restricción por parte del Estado.
empresario: persona que posee o dirige una industria, negocio o empresa.
importador: empresa o persona que introduce en un país productos extranjeros.
mercadería: producto con el que se comercia.
costo: gasto que se hace para la obtención de una cosa o servicio.
subsidio: ayuda o auxilio económico extraordinario concedido por un organismo oficial.

2b

A: 1, 2, 5 y 7   D: 3, 4, 6, 8, 9, y 10

2c

1 aparecer   2 quitar   3 aparecer   4 disminuir   5 liberalizar   6 abaratar
7 rivalizar   8 conseguir   9 introducirse

2d

1 Llegar a ser empleado fiscal o de una gran multinacional.
2 Se produjo una disminución de la importancia del Estado.
3 Se transformó en un nuevo trabajador, más arriesgado y que sabe que su futuro depende de su propio esfuerzo.
4 Llegaron a existir precios fijados por el Estado para más de 3.200 artículos y servicios.
5 Aparecieron nuevas reglas de juego, y por esa razón emergió una nueva generación de pequeños y grandes empresarios.
6 Algunos de los empresarios más afianzados en el sistema antiguo se resistieron al cambio de modo que muchos de ellos no sobrevivieron.
7 Tras las reformas económicas.
8 Eso hizo que numerosas empresas chilenas conquistaron posiciones estratégicas en Latinoamérica y lograran penetrar con sus productos y servicios en mercados internacionales.

2e

1-e   2-d   3-a   4-c   5-c   6-b   7-c

3a

Enriquecerse fuera del propio país.

3b

Verdadero (V): **1** y **3**   Falso (F): **2**

3c

1 Antes de empezar   2 llegue a funcionar   3 antes de que pueda

3d

1 **Cuando** Begoña pregunta a Lola por su futuro ideal, Lola dice que no lo tiene muy claro.
2 **Antes de** dejar el trabajo, Lola tiene que estar segura.
3 **Mientras** los chicos están de gira, Ana y Lázaro se ocupan del piso.
4 **En cuanto** los chicos terminen el curso, montarán su propia compañía.

4a

1 La competencia   2 Los consumidores   3 la calidad   4 Los resultados
5 la disminución   6 La producción   7 el mercado   8 El producto
9 las ventas

4b

El nivel de ventas actual comparado con el del año pasado.

4c

Los participantes hacen incisos y se replican en varias ocasiones.

4d

1 sólo, cosa   2 con, eso, que   3 razón   4 Perdone, pero
5 En cuanto   6 no, sino

5a

1 una plaza de trabajo que no está ocupada.
2 una hoja que acompaña a la carta y donde está el currículum vitae.
3 uno/a está disponible para proporcionar más información sobre sí mismo.

5b

Véase el texto modelo del ejercicio *5a*.

6a

Contrato a través del cual una empresa autoriza a alguien a usar su marca y vender sus productos, y establecimiento sujeto a las condiciones de dicho contrato.

6b

1 S.A.   2 dto.   3 PVP   4 cta.   5 DNI   6 NIF   7 IVA   8 págs.

Soluciones

6c

1 de ahí que 2 tanta / que 3 tan / que 4 así es que
5 en consecuencia 6 Total que

7a

1-e 2-d 3-g 4-f 5-a 6-c 7-b

7b

El empresario, a pesar de hacerse el simpático, mantiene las distancias
con el nuevo empleado.

7c

1 usted 2 señor

7d

Verdadero (V): 2 y 5   Falso (F): 1, 3, 4, 6, 7 y 8

7e

1 jefe, amo, patrón 2 subordinados

7f

[*Ya en la taberna, don Mario **se puso** un poco pesado(...)*]

[*El bachiller, tras la perorata de su nuevo patrón, **se dio cuenta**
perfectamente de que su papel era el de subordinado.(...)*]

1 se puso 2 se dio cuenta 3 se había hecho 4 iba haciendo 5 se
había convertido 6 había endurecido 7 había adelgazado 8 engordó
9 envejeció

evaluación

1 ir recopilando 2 convertirse en 3 te pongas nervioso 4 volverse
5 Cuando 6 endurecer 7 antes de que 8 Una vez que 9 Con
respecto a eso 10 Al 11 así es que 12 IVA 13 tan inestable que
14 llegar a ser 15 Sólo falta añadir una cosa

evaluaciónbloque4

1

1 Lo / sea 2 aburren 3 Antes de 4 acabar con 5 adelgazado
6 Perdone / interrumpa 7 No estoy seguro 8 ponen
9 ha pedido / diga / le 10 vista 11 Total 12 paraguas

2

1 No me queda claro si te vas a presentar al concurso o no.
2 Las ventas han disminuido. Así es que parece que la campaña no
funciona.
3 Sí, sí que iré al recital. Por cierto, ¿sabes si Pedro va a ir?
4 No sé cómo se llama. Es como una botella.
5 Empezó siendo dependiente y ha llegado a ser el encargado de la
tienda.
6 No sé si te he entendido bien. Quieres decir que no hay otra solución.
Me extraña que Alicia no quiera venir con nosotros.
7 Había tanto tráfico, que no pude llegar a tiempo.
8 El profesor terminó de explicar la lección ayer.
9 Una vez que el secretario expone el orden de la reunión, interviene el
jefe de ventas.

3

1 compañía 2 llegar a ser 3 por esa razón 4 por culpa del 5 reciclar
6 desaparición 7 mientras que 8 O sea que 9 crisis 10 para
11 se ha transformado en 12 se han puesto 13 Me aburren
14 La verdad es que 15 sólo quería añadir

esespañol3
nivelavanzado